CONHECIMENTO E POLÍTICA

COLEÇÃO NOSSO HOMEM, NOSSO TEMPO

ROBERTO MANGABEIRA UNGER
CONHECIMENTO E POLÍTICA

Tradução de Edyla Mangabeira Unger
2ª edição

Título original: *Knowledge and Politics*
Copyright © 2022, Roberto Mangabeira Unger
Tradução para a língua portuguesa © 2022 Casa dos Mundos/LeYa Brasil,
Edyla Mangabeira Unger

Todos os direitos reservados e protegidos pela Lei 9.610, de 19.02.1998.
É proibida a reprodução total ou parcial sem a expressa anuência da editora.

Editora executiva   Izabel Aleixo
Produção editorial   Ana Bittencourt, Carolina Vaz e Emanoelle Veloso
Revisão   Eduardo Carneiro e Camila Figueiredo
Projeto gráfico e capa   Thiago Lacaz
Diagramação   Filigrana
Índice   Gabriella Russano

Dados Internacionais de Catalogação na Publicação (CIP)
Angélica Ilacqua CRB-8/7057

Unger, Roberto Mangabeira
   Conhecimento e política / Roberto Mangabeira Unger; tradução
de Edyla Mangabeira Unger. – 2ª edição – São Paulo: LeYa Brasil, 2022.
432 p.

ISBN 978-65-5643-138-3
Título original: Knowledge and Politics

1. Ciências sociais 2. Liberalismo I. Título II. Unger, Edyla Mangabeira

21-3741   CDD 320.51

Índices para catálogo sistemático:
1. Ciências sociais

LeYa Brasil é um selo editorial da empresa Casa dos Mundos.

Todos os direitos reservados à
Casa dos Mundos Produção Editorial e Games Ltda.
Rua Frei Caneca, 91 | Sala 11 – Consolação
01307-001 – São Paulo – SP
www.leyabrasil.com.br

Este ensaio é um ato de esperança. Aponta em direção a uma espécie de pensamento e a um tipo de sociedade que ainda não existe e talvez nunca venha a existir. Por isso este trabalho é antes um esboço que a expressão definitiva de uma doutrina. Não pretende ser a formulação de uma metafísica nem a discussão de problemas políticos concretos. Em vez disso, procura realizar uma tarefa menor mas que antecede aquela: servir à compreensão do contexto de ideias e sentimentos dentro do qual a filosofia e a política se devem, agora, praticar.

SUMÁRIO

Introdução 11

Crítica parcial e total **11**

Conhecimento e política **14**

O argumento crítico **15**

O problema do reconhecimento **18**

O problema da linguagem **24**

O problema da história **29**

O programa positivo **31**

    A teoria do Estado assistencialista corporativo (neocapitalista) **32**

    A teoria do eu **34**

    A teoria dos grupos orgânicos **37**

Teoria e sentimentos morais **38**

Capítulo 1 – Psicologia liberal 45

Introdução **45**

A antinomia entre a teoria e o fato **47**

A imagem vulgar da mente **53**

O princípio da razão e do desejo **56**

O princípio do desejo arbitrário **60**

O princípio da análise **65**

As morais da razão e do desejo **69**

A antinomia entre a razão e o desejo **72**

A ideia da personalidade **76**

Papéis sociais e personalidade **81**

Capítulo 2 – Teoria política liberal **85**

Introdução **85**

A imagem vulgar da sociedade **86**

O princípio de normas e valores **89**

    Valor e norma **90**

    Positivismo e direito natural **93**

    A mentalidade jurídica **96**

O princípio do valor subjetivo **100**

O princípio do individualismo **106**

Ordem, liberdade e direito: o problema da legislação **109**

A antinomia entre normas e valores: o problema da
aplicação do direito **116**

A comunhão de valores **131**

Capítulo 3 – A unidade do pensamento liberal **135**

Introdução **135**

A unidade do pensamento liberal e o problema do método **137**

O desejo arbitrário e o valor subjetivo **153**

Análise e individualismo **156**

As partes e o todo **160**

O universal e o particular **170**

Da critica à construção **176**

    A unidade de universais e particulares **176**

    A interação de universais e particulares **183**

Capítulo 4 – O Estado de bem-estar dentro do capitalismo   187

Introdução   187

Consciência e ordem sociais   190

O Estado liberal   194

A consciência social no Estado liberal   195

   Instrumentalismo   196

   Individualismo   199

   Posição social   200

   O ideal da transcendência   202

A ordem social no Estado liberal   209

   Princípios da ordem social   209

   Classe e papel social   212

   Normas impessoais e dependência pessoal   213

   A burocracia   217

O Estado assistencialista corporativo (neocapitalista)   222

A consciência social no Estado assistencialista corporativo   225

   A rejeição da consciência dominante   226

   O ideal da imanência   228

   A união da imanência e da transcendência   230

A ordem social no Estado assistencialista corporativo   231

   Os conflitos da organização burocrática   231

   A solução dos conflitos   233

   Sinais de mudança   235

   Significado da ordem social emergente   238

O Estado socialista   240

Rumo a uma conclusão   242

Capítulo 5 – A teoria do eu   243

Introdução   243

O conceito de uma teoria do eu   244

   A ideia do eu   244

Questões decisivas **245**

Método de exposição e prova **249**

O eu e a natureza **252**

O eu e os outros **270**

O eu abstrato e o eu concreto **281**

O eu e o mundo **287**

O quotidiano e o extraordinário **292**

Capítulo 6 – A teoria dos grupos orgânicos **299**

Introdução **299**

O bem **301**

Dominação e comunidade **315**

Teoria e prudência **320**

O grupo orgânico **328**

Conceito geral **328**

A comunidade de vida **331**

A democracia de fins **337**

A divisão do trabalho **347**

Conclusão **350**

Liberdade **350**

O Estado **356**

Os dilemas das políticas comunitárias **359**

Deus **366**

Posfácio à edição inglesa de *Conhecimento e política* **375**
Notas 381
Índice onomástico 413
Índice remissivo 415

INTRODUÇÃO

CRÍTICA PARCIAL E TOTAL

Nas ideias que ela tem de si mesma e da sociedade humana, como em todas as suas outras experiências, a mente oscila entre o domínio e a escravidão. Através de um impulso irresistível, semelhante à atração que a morte exerce sobre a vida, o pensamento repetidamente utiliza os instrumentos de sua própria liberdade para acorrentar-se. Mas quando a inteligência quebra essas correntes, a liberdade que conquista é maior que a que perdeu e o esplendor de seu triunfo supera sempre a miséria da sujeição anterior. Fortifica-se com as próprias derrotas. Assim, na história do pensamento, tudo acontece como para nos lembrar de que a morte, ainda que permanente, é sempre a mesma, enquanto a vida, embora passageira, pode sempre elevar--se a novas alturas.

Os períodos de mestria no pensamento são aqueles em que os homens, sem de início atinar com a solução dos problemas específicos que se lhes defrontam nos diferentes campos do conhecimento, acabam por se iniciar numa visão abrangente e reconstrutora. Descobrem então que esses problemas se ligam uns aos outros. E encontram a fonte de suas confusões em premissas que estão na base de todas as disciplinas em que vinham realizando seu trabalho. Finalmente estabelecem um novo sistema de pensamento que varre as dificuldades encontradas.

Conhecimento e política

Por um breve momento, a teoria inovadora lança um raio de luz sobre a conexão entre os princípios que governam os vários ramos do conhecimento e sua relação com as ideias gerais sobre a mente e a sociedade. Mal firmou-se, porém, o domínio do novo sistema de pensamento e ei-lo desfeito em pedaços que já não podem ser unidos. Sua formulação gera um complexo de iniciativas que os homens anteriormente julgavam irrealizáveis. Surgem novas disciplinas e tudo o que antes era considerado claro e simples transforma-se em enigmas que exigem solução. "Só um breve momento de vitória é permitido à verdade entre os dois longos períodos durante os quais é condenada como paradoxal e desprezada pela sua trivialidade."[1]

As novas ciências esmiuçam e refazem continuamente as várias partes da teoria geral, pois seus defeitos e limitações se achavam ocultos ao tempo de seu advento. Essas revisões e esses refinamentos são de tal modo extensos que o que se constituiu num acontecimento revolucionário passa a ser considerado uma tradição clássica. Acredita-se então que as ciências diferem umas das outras quanto a seus problemas e métodos, sendo ligadas apenas historicamente ao sistema de pensamento de que nasceram.

Em cada ramo de estudo os homens têm diante de si apenas aqueles aspectos do sistema clássico que parecem afetar diretamente suas cogitações. São esses aspectos que eles criticam e transformam. Não se deixam preocupar por outras partes do sistema e, após algum tempo, já nem têm mais consciência deles. Não obstante, se a teoria clássica constitui-se numa unidade, os problemas que ela produz não podem ser compreendidos ou resolvidos separadamente. Por isso elas tentam recompor parte do sistema clássico sem o confrontarem ou atacarem como um todo, as ciências especializadas continuam a aceitar tacitamente muitos dos princípios desse sistema enquanto pretendem rejeitar outros postulados aos quais esses princípios se acham indissoluvelmente ligados. É essa a principal fonte de seus vícios e limitações.

Existe, por exemplo, um estreito relacionamento entre as duas características mais marcantes da era das ciências especializadas: a revisão das ideias clássicas e a contínua confiança nelas. As ciências são simplesmente críticas parciais à teoria clássica. É a parcialidade de seu criticismo, mais que esse

Introdução

próprio criticismo, que não só separa as ciências umas das outras mas também as escraviza à teoria da qual já se julgam livres.

Para que cada uma dessas críticas parciais fosse completada, seria necessária a crítica total do sistema clássico. Para efetuar esta crítica total teria que primeiro realizar o esforço de restaurar todo o sistema e trazê-lo à luz. Só através desta restauração poderiam ser solucionados os enigmas fundamentais das ciências especializadas.

O criticismo total surge da inabilidade das críticas parciais de um sistema de pensamento em alcançarem seus objetivos e do desejo de lidarem com as dificuldades produzidas pela própria crítica parcial. É nesse sentido que o presente trabalho foi concebido. Tendo voltado minha mente para alguns problemas familiares da teoria jurídica, não tardei a verificar que a resposta a um deles se constituiria na resposta a todos. Descobri, em seguida, que as soluções geralmente propostas para cada problema se encaixavam num número reduzido de categorias, nenhuma das quais por si só adequada e, no entanto, nenhuma também capaz de se reconciliar com as outras. Assim é que o baluarte da razão no qual eu trabalhava revelou ser uma prisão do paradoxo cujas celas não se ligavam umas às outras e cujos corredores não levavam a lugar algum.

Duas considerações começaram a sugerir uma maneira de quebrar as grades dessa prisão. Primeiro, tornou-se claro que os problemas da teoria do direito, assunto de meu interesse imediato, não só são ligados entre si como também, surpreendentemente, são análogos às questões básicas de muitas outras disciplinas sociais. Segundo, pareceu-me que os pontos de vista que fizeram surgir esses problemas, e as teorias empregadas para enfrentá-los, são aspectos de uma mesma modalidade de pensamento. Embora desmembrado e refinado, esse estilo de pensamento não foi nem refutado nem abandonado.

As premissas desta visão do mundo são poucas, interligadas e tão poderosas no seu domínio sobre a mente quanto irreconhecíveis e esquecidas. Adquiriram sua forma clássica no século XVII. Por motivos que se tornarão claros a seguir, resolvi chamá-las de doutrina liberal, muito embora a área que ocupam seja a um só tempo mais larga e mais estreita que aquela

Conhecimento e política

ocupada pelo que normalmente tomamos por liberalismo. Esse sistema de ideias é, na verdade, a sentinela que mantém guarda ao presídio.

CONHECIMENTO E POLÍTICA

Até o momento atual poucas opiniões foram tão amplamente compartilhadas por pensadores das mais diversas origens quanto a convicção de que a pergunta mais decisiva a que pode responder o pensamento político é: O que podemos saber? Esta crença se fazia acompanhar pela doutrina segundo a qual o modo de resolvermos os problemas da teoria do conhecimento depende, por sua vez, da maneira pela qual lidamos com aqueles que são propostos pelo pensamento político. A teoria do conhecimento, de acordo com esse conceito, é parte de uma investigação relativa ao problema psicológico: Por que motivo, como indivíduos, agimos de uma determinada maneira? A doutrina do conhecimento interessa, portanto, à ética, que pergunta: Que devemos fazer? A teoria política é definida como sendo o estudo de como os homens organizam as sociedades em que vivem e de como uma sociedade deve ser organizada. Os ramos da teoria política são as disciplinas que examinam os aspectos distintos da sociedade: o direito, a economia e o governo. Se a teoria do conhecimento é básica para a teoria política, deve também ser crucial para estas áreas especializadas de estudo. Concomitantemente, se a teoria política tem implicação nos problemas que confrontamos na teoria do conhecimento, aqueles que se acham intrigados pela natureza do conhecimento agirão bem ao buscarem os dados que puderem encontrar entre os estudiosos do direito, da economia e do governo.

Essa maneira de considerar a relação existente entre política e conhecimento pode nos parecer estranha. A teoria do conhecimento, tal como é atualmente praticada, parece dedicar-se a certos enigmas técnicos que se fazem notar por sua distância de nossas preocupações com a compreensão e a transformação da sociedade. Imaginar a existência de uma continuidade de informações acessíveis que sirvam de ponte entre o estudo do conhecimento e a compreensão da conduta individual, entre a compreensão da conduta individual e a ciência da sociedade, e, ainda, entre a ciência da sociedade e o exercício da opção política, parece sonho. Muito pelo contrário, poderia ser dito que só a confusão resultaria do fato de assumirmos que exista uma relação de dependência recíproca entre soluções específicas de problemas da teoria do conhecimento e da teoria da sociedade. Entre esses dois pontos de vista, acredito ser o primeiro autêntico e positivo e o segundo, falso e nefasto.

Essa asserção pode ser justificada de duas maneiras. Em primeiro lugar, verificaremos que só essa conclusão nos permitirá reconstituir o sistema dominante de ideia que descrevo como sendo a doutrina liberal. Através dessa reconstrução e da prática de um criticismo total podemos ter a esperança de corrigir os vícios das críticas parciais desse sistema que representam a maior parte das ciências da sociedade que temos a nosso dispor. Em segundo lugar, a maioria dos argumentos apresentados dedicar-se-á a demonstrar as ligações que, na verdade, existem entre os diversos elementos da teoria liberal. A compreensão do relacionamento entre as ideias psicológicas e as ideias políticas será, por conseguinte, a chave que nos permitirá escapar do presídio, tal como foi a corrente que prendia os portões há tanto tempo trancados por aqueles que os construíram.

A prática do criticismo total inclui tanto um elemento negativo quanto um elemento positivo: a reconstrução e a crítica de uma modalidade de pensamento e a antecipação de uma doutrina alternativa. Analisaremos, primeiro, os aspectos críticos e, depois, os aspectos construtivos deste estudo. De início, procurarei esclarecer a visão geral que orienta minha crítica da doutrina liberal; a seguir, resumirei as posições básicas do argumento crítico; e, finalmente, discutirei as três espécies de dificuldades levantadas pela busca crítica.

O ARGUMENTO CRÍTICO

A hipótese que servirá de ponto de partida à discussão é a de que a situação atual de nossas ideias psicológicas e políticas é semelhante, e sob um aspecto fundamental, à do pensamento social europeu de meados do século XVII. Àquela época, como agora, as críticas parciais de uma tradição ainda

Conhecimento e política

dominante não podiam ser levadas adiante sem que fossem transformadas numa crítica total a essa tradição.

Muitos movimentos, do nominalismo de Ockham às doutrinas políticas de Maquiavel e à epistemologia de Descartes, tinham tentado subverter as fundações da metafísica clássica em sua forma escolástica. Mas foi só através do trabalho de Thomas Hobbes, de seus contemporâneos e de seus sucessores, que as antigas teorias políticas e psicológicas foram pela primeira vez criticadas como um todo. Só então tornou-se inteiramente claro que os teóricos ainda não tinham se libertado do Aristóteles medieval; que os moldes de pensamento dentro do qual trabalhavam possuíam defeitos e acarretavam consequências de que inicialmente não tinham tomado conhecimento; que as ideias relativas ao pensamento, e à sociedade que definia esse tipo de pensamento, formavam um único sistema; e que esse corpo de doutrinas girava em torno de certos princípios metafísicos. A tentativa de fazer frente às implicações desses pontos de vista produziu um novo sistema de ideias, a doutrina liberal, que rivalizava e até sobrepassava em coerência e amplitude a tradição que viera deslocar. Essa nova teoria, possuída, no início, por um pequeno grupo de pensadores, tornou-se cada vez mais a propriedade comum de grupos sociais mais amplos e a base das ciências sociais modernas.

Agora, como então, um grupo unificado de ideias foi refinado e rejeitado peça por peça. Nossa abordagem do estudo social nada mais representa senão investidas parciais a uma modalidade de pensamento que nem repudiamos nem aceitamos na sua totalidade. Mas aqui, novamente, um estudo das principais dificuldades enfrentadas por essas tradições revela a contínua tirania que a teoria clássica, neste caso a doutrina liberal, exerce sobre os espíritos daqueles que acreditam se terem libertado de suas garras.

Se essa visão do nosso impasse estiver correta, nossos esforços iniciais devem ser dedicados a definir, com tanta precisão quanto possível, as ideias que determinam e limitam as possibilidades de nosso pensamento. O liberalismo deve ser encarado na sua totalidade, não apenas como um conjunto de doutrinas sobre a maneira pela qual se deve dispor do poder e do dinheiro, mas também como um conceito metafísico do espírito e da sociedade. Só

Introdução

assim sua verdadeira natureza poderá ser compreendida e seu império secreto derrubado.

O primeiro passo consistirá em reconstruir o traçado da doutrina na sua totalidade e em compreender a relação existente entre suas diferentes partes. Até traçarmos o mapa do sistema, não interpretaremos devidamente nossas próprias ideias ao deixarmos de aprender suas premissas e implicações. Seremos condenados a aceitar pontos de vista incoerentes sem percebermos suas incoerências, ou a concordar com paradoxos que nos parecerão ser inevitáveis quando não passam das consequências de postulados nos quais não precisamos confiar. Finalmente, quem considerar como princípios disparatados o que não passa de diferentes aspectos de uma mesma doutrina, poderá incorrer no engano de imaginar a possibilidade de se desfazer de um deles sem rejeitar todos os outros, ou de aceitar um deles sem conformar-se com os restantes.

As exigências da crítica podem ser resumidas nas onze proposições seguintes. Em primeiro lugar, um grande número dos pontos de vista aceitos sobre o conhecimento, a epistemologia, a natureza humana (psicologia, no sentido estrito) e a moral que aplicamos às nossas experiências diárias e empregamos nos estudos sociais pode ser contido num número muito menor de princípios, premissas ou postulados que os que julgamos habitualmente necessários. Consideraremos aqui esses critérios sob o nome de psicologia liberal. Em segundo lugar, esses princípios de psicologia (ou da teoria do conhecimento) dependem uns dos outros. Se um deles for falso, os outros não podem ser verdadeiros, e a verdade de um deles implica a verdade de todos os outros. O sentido de interdependência é análogo a uma relação de vínculo lógico. Mas as deficiências dessa analogia serão apontadas, bem como a exigência do esforço necessário para ultrapassá-las. Em terceiro lugar, esses princípios de psicologia levam a uma antinomia em nosso conceito do relacionamento entre a razão e o desejo na vida moral, uma antinomia que subverte a ideia da personalidade que os seres morais não podem dispensar. A psicologia liberal justifica duas espécies de concepção do eu e da moral que são inconsistentes quando relacionadas uma à outra, que não podem ser reconciliadas na base das premissas de que derivam, e que são igualmente

Conhecimento e política

insustentáveis. Em quarto lugar, a elucidação de nossas crenças morais, de nossos ideais políticos, especialmente os mais básicos para a doutrina liberal, pode ser reduzida a um pequeno número de postulados. Em quinto lugar, esses postulados exigem um ao outro, como sucede com os princípios da psicologia. Em sexto lugar, a teoria política liberal, como sistema que preside a esses princípios, gera uma antinomia no conceito da relação entre as normas públicas e os fins particulares. Esta antinomia na doutrina liberal é fatal à sua esperança de solucionar os problemas da liberdade e da ordem pública tais como eles são definidos pela própria doutrina, e leva a teorias da sociedade que se contradizem entre si, irreconciliáveis e igualmente insatisfatórias. Em sétimo lugar, os princípios da psicologia e da doutrina política pressupõem um ao outro. Devidamente compreendidos, constituem um único sistema de pensamento. Em oitavo lugar, esse sistema de ideias é inadequado. Resulta em paradoxos básicos e insolúveis; seus princípios, considerados relativamente às suas inter-relações, são falhos como relatos de experiência e como princípios morais. Em nono lugar, pode-se começar a imaginar os rudimentos de melhores alternativas para a doutrina liberal, mas essas alternativas não devem ser confundidas com um ponto de vista liberal em posição invertida. Em décimo lugar, um certo conceito do elo entre as partes e o todo no conhecimento e na sociedade desempenha um papel de primordial importância no pensamento liberal e deve ser revisto no nível de qualquer teoria superior da mente e da política. Em décimo primeiro lugar, para solucionarmos as antinomias do pensamento liberal e modificarmos sua visão das partes e do todo, e tentarmos elaborar um sistema diferente de ideias psicológicas e políticas, é necessário abandonarmos a maneira pela qual nossas escolas modernas concebem a relação de universais e particulares.

O PROBLEMA DO RECONHECIMENTO

Entre as dificuldades inerentes ao criticismo total, três são de ordem a fazer com que qualquer esperança de êxito se assemelhe a uma pretensão. Se a evolução do pensamento além de seu presente estado não estivesse

Introdução

intimamente ligada ao desejo inspirado por nossos sentimentos morais de escapar aos dilemas das condições em que se encontra atualmente, renunciar-se-ia à tarefa logo de início por ser ela por demais rígida em suas exigências e incerta em suas promessas. O primeiro obstáculo tem a ver com a nossa capacidade de reconhecermos como sendo de algum modo nossa ainda a visão que critica. A isso poderíamos chamar o problema do reconhecimento.

A doutrina liberal descrita nestas páginas foi abraçada, com variados graus de fidelidade, por muitos dos filósofos modernos de maior renome. Ao mesmo tempo, devido ao seu impacto sobre as tradições da psicologia e do estudo social, tornou-se o elemento central e dominante do pensamento moderno. Essa tese deve ser observada sob vários aspectos.

Primeiro, o que chamarei liberalismo não é necessariamente modernismo. Muito do pensamento moderno é irreconciliável com os princípios liberais; a polêmica contra eles data da época em que foram formulados. Portanto, o que o argumento propõe é menos um ataque à tradição da filosofia pós-escolástica como um todo que a certo aspecto da sua tradição.

Segundo, não há um só pensador que aceite a teoria liberal, na forma em que a apresentamos aqui, em sua totalidade, ou cujas doutrinas sejam completamente definidas por seus princípios. Se examinarmos os escritos dos filósofos mais intimamente identificados com as teorias que estamos examinando, encontraremos mais uma família de ideias do que um sistema unificado. Parece haver analogia em vez de igualdade. Por conseguinte, pode ser feita a objeção de que o ponto de vista que discuto é um ponto de vista que nunca foi definido por ninguém.

Terceiro, as ciências sociais contemporâneas se afastaram cada vez mais das ideias liberais. Cada disciplina se orgulha de sua independência dos preconceitos metafísicos de seus antecessores.

Nenhuma dessas qualificações, contudo, refuta nem a possibilidade nem a importância da tentativa crítica. Embora a teoria liberal seja apenas um aspecto da filosofia moderna, é um aspecto que se distingue, tanto pelo grau de sua influência quanto pela visão que transmite das formas de vida social com que ela se acha associada. Todas as outras tendências se definiram por

Conhecimento e política

contrastarem com a teoria liberal, tendo ela, por conseguinte, atingido um píncaro de onde se pode apreender todo o conjunto do pensamento moderno.

Não devemos também nos deixar iludir pelas divergências existentes entre os pensadores liberais. Uma avaliação crítica de ideias do passado ou do presente deve sempre consistir em mais que uma simples descrição do que foi dito ou pensado. Para apreendermos uma modalidade de pensamento, precisamos compreender os problemas com os quais ela se preocupou e os métodos por ela empregados para resolvê-los. Os problemas e os métodos se tornam, por seu turno, inteligíveis no contexto de uma experiência do mundo. Problemas, métodos e experiências constituem a "estrutura profunda" do pensamento.[2] Essa "estrutura profunda" deixa espaço para uma variedade de posições filosóficas de acordo com que parte da experiência básica foi focalizada e qual a cadeia de problemas analisada. Mas o número dessas posições é limitado e seu relacionamento recíproco é determinado pelo lugar que ocupam dentro do sistema na sua amplitude. A busca da "estrutura profunda" representa o criticismo total.

Mas por que devemos nós buscar esse oculto tecido de ideias e através de que referências podemos identificar sua existência? É que ele nos permite compreender uma enorme escala de problemas e tradições filosóficas com mais facilidade que de outro modo. As oportunidades de reflexão que nos são fornecidas por uma determinada visão do mundo ficam a descoberto, e suas limitações, premissas e interligações se tornam transparentes. Por isso a descoberta de uma "estrutura profunda" desfaz a confusão, determinando as posições que podemos assumir simultaneamente e impedindo-nos de supor que possuímos mais do que de fato adquirimos. Sem essa descoberta, a crítica do quadro metafísico de nossas ideias sobre conhecimento e política ficaria reduzido a um infindável jogo de esconde-esconde. Nesse jogo, o que se esconde muda de posição sempre que aquele que procura se faz mais próximo, terminando, este, prisioneiro de uma galeria de ecos em que seus apelos parecerão vir de toda parte e de lugar nenhum.

Dessa maneira, as discordâncias entre os pensadores liberais adquirem outra perspectiva. Sempre que se estabelece uma nova modalidade de

Introdução

pensamento, suas consequências e a interdependência de seus vários componentes só gradualmente surgem das sombras que cercam esse novo movimento de ideias. Muitas formulações disputam entre si, cada qual governada pelos princípios especulativos, aparentemente únicos, de seus autores. Mas cada uma delas pode parecer, em retrospecto, como se consistisse numa interpretação diversa da mesma experiência profunda e uma das poucas respostas possíveis à problemática que esta experiência cria.

A problemática a que acode o pensamento liberal foi a preocupação principal de Hobbes, Locke, Hume e, em menor grau, de Spinoza, Rousseau e Kant. Minhas referências a eles visam, contudo, antes ilustrar que provar sua aderência às doutrinas, que são o assunto desta crítica. Nesse sentido, o argumento crítico permanece hipotético: consistiria mais na reconstrução do sistema de pensamento que seus escritos exemplificam parcialmente do que em estudo das complexidades e contracorrentes que marcam o desenvolvimento de uma tradição intelectual.

Considere-se, agora, outro aspecto do problema do reconhecimento: a relação da doutrina liberal com os diversos campos de estudo social tais como eles existem atualmente. Levantado o espelho do argumento crítico, podemos não ver nele a imagem da visão contemporânea do espírito e da sociedade. Dessa discrepância poderemos concluir que, seja qual for a pertinência do argumento crítico na história das ideias, é irrelevante na atual situação. Esta conclusão revela, contudo, novamente, uma incompreensão do relacionamento entre o sistema original e a era do criticismo parcial, que deve, agora, ser eliminada.

Cada ciência especializada, labutando isoladamente, de tal maneira enriqueceu e corrigiu os aspectos da teoria liberal clássica, aos quais se achava mais intimamente ligada, que terminou por destruir qualquer aparência de dependência contínua dessa teoria. Mas porque esses desvios foram parciais, compartilharam o destino de todo e qualquer criticismo parcial, que é o de permanecer escravizado àquilo de que pretende se ter libertado.

Cada ciência recusa-se a aceitar as premissas da teoria liberal que mais intimamente incidam sobre o assunto escolhido, ao passo que continua a depender, inconfessada e inadvertidamente, dos princípios tirados de

Conhecimento e política

outros ramos do sistema liberal. Assim é que uma doutrina social que pretende rejeitar os princípios políticos do sistema pode, ainda assim, fazer uso de suas ideias psicológicas. Alternativamente, um conceito psicológico que repudia os ensinamentos da filosofia liberal clássica sobre o espírito pode, contudo, abraçar tacitamente suas premissas políticas. Alguns dos postulados políticos ou psicológicos podem ser afastados e outros, retidos.

Em todos esses casos, proposições interdependentes são tratadas como se pudessem ser aceitas ou rejeitadas peça por peça. O resultado disto é que as disciplinas especializadas se tornam, em graus diversos, inadequadas. Esse fato permanece, no entanto, oculto pela ilusão da autonomia de cada uma delas e dos compromissos que possam ter com qualquer sistema de pensamento que as tiver gerado. Por exemplo: Marx, Durkheim e Weber tentaram, de maneiras diferentes, construir uma teoria social oposta às premissas descritivas da doutrina política liberal. Não conseguiram, todavia, estabelecer uma psicologia que escapasse às implicações da distinção liberal entre a razão e o desejo, e essa falha psicológica corre como um veneno através de suas ideias políticas. Se à psicologia liberal falta um conceito satisfatório do eu, e da relação entre o eu e os outros, é devido ao fato de que os psicólogos não abriram mão de conceitos liberais sobre a sociedade, mesmo ao se desviarem das ideias liberais sobre a razão e o desejo.

Quem tiver aceitado a maneira pela qual venho tratando do problema de reconhecimento poderá ainda indagar por que motivo qualifico como liberais os conceitos políticos aqui discutidos. É que eles são sugeridos por conceitos de liberdade e ordem pública comumente identificados com o liberalismo; situam-se na raiz de um número das doutrinas mais concretas que costumam definir a posição liberal, e são o pano de fundo dos argumentos empregados para justificar o que caracterizamos como Estado liberal. Essa psicologia é tachada de liberal porque seus princípios são inter-relacionados com os da doutrina política liberal.

Segundo um ponto de vista bastante comum, a teoria liberal focaliza o tópico da relação entre o indivíduo e o Estado e, remotamente, o problema da distribuição dos bens na sociedade. Minha preocupação neste ensaio é, contudo,

Introdução

relativa a uma série de questões que, na organização interna do sistema de pensamento, são mais básicas, mais gerais e abstratas que os problemas do poder e da riqueza habitualmente considerados como sendo a preocupação central do liberalismo. Além disso, a relação entre o sistema metafísico, que é assunto da minha investigação crítica, e qualquer tomada de posição relativa à organização política e econômica é extraordinariamente complexa e obscura. É possível basear a doutrina da limitação do poder do Estado nos princípios psicológicos e políticos que examinaremos. Esses princípios têm sido também utilizados, embora talvez não correta ou coerentemente, como base para conclusões radicalmente diversas. (Compare-se Hobbes e J. S. Mill.) Por esse motivo, uma modalidade de pensamento que pareça divergir tão radicalmente das ideias liberais quanto a teoria social de Marx diverge da teoria utilitarista de Bentham pode, contudo, partilhar os postulados metafísicos da doutrina que ataca.

Um dos conceitos que emerge do presente estudo é o de que o sistema metafísico de ideias sobre a mente e a sociedade afeta, realmente, a determinação da posição indicada para o indivíduo na vida social. Os limites aos tipos de organização política e social que a doutrina liberal permite podem ser mais amplos do que se supõe em regra geral, mas estes limites existem. Por serem amplos, sentimo-nos autorizados a criticar doutrinas que pretendem demonstrar a superioridade de um plano especial de organização social e econômica baseando-se em premissas que, com o mesmo direito, autorizariam planos muito diversos. Mas como esses limites existem, apesar de tudo, podemos questionar pontos de vista que atacam as soluções políticas e econômicas especiais criadas no âmbito da metafísica liberal, sem jamais trazerem plenamente à luz essa metafísica e, por conseguinte, sem nunca assumirem uma posição que lhes permita transformá-la. Enquanto persistir o desconhecimento dos pontos de partida, a crítica do sistema de pensamento nunca atravessará o círculo que impede seu progresso.

Se, a despeito de todos os fatores que distinguem o corpo de ideias que constituem a matéria deste ensaio do que habitualmente chamamos de liberalismo, persisto em utilizar o termo "liberal", não é apenas por não encontrar outro mais apropriado. Os filósofos que lançaram as fundações sobre as quais as formas mais familiares da teoria liberal foram constituídas viram essas fundações como elementos de um relato especulativo da localização da mente e da sociedade no mundo. Compreenderam que este relato teria prioridade sobre ideias mais concretas relativas ao Estado e ao indivíduo, ideias nas quais uma visão menos profunda enxergaria o começo e o fim do pensamento político.

O PROBLEMA DA LINGUAGEM

O problema do reconhecimento é relativo à dificuldade em identificar o objeto do criticismo total com uma situação intelectual que possa ser admitida como própria. O problema da linguagem enfrenta um impasse na própria formulação da crítica. Tanto em método como em substância, o criticismo total procura manter-se fora das críticas parciais e de sua trama oculta. Coloca-se na perspectiva de um sistema teórico que ainda não existe.

Para construir devemos criticar, mas a crítica só pode ser clara e efetiva quando antecipa o que deve ser construído. Para vencer esse impasse é necessário penetrar nos métodos e conceitos do sistema clássico conferindo-lhes ainda, no curso da argumentação, os significados que lhes faltavam anteriormente. É desse modo que uma linguagem transforma-se aos poucos em outra. Essa estratégia afeta o emprego de conceitos no argumento crítico e determina o método de análise.

Um dos pontos básicos da minha crítica à psicologia liberal consistirá num estudo de suas implicações destrutivas da ideia de personalidade. Esse tipo de criticismo pressupõe a capacidade de definir um conceito correto da personalidade. À luz de tal definição pode-se propor uma visão diferente da relação entre a razão e o desejo e das características de ambos.

A fim de julgarmos o contraste entre regras e valores na teoria política liberal, e a antinomia a que leva esse contraste em nossas ideias sociais e jurídicas, precisamos poder interpretar suas consequências para o conceito de sociedade. Mas como será possível atingir essa compreensão se não formos capazes de imaginar uma concepção adequada de relação entre o eu e os outros?

Introdução

Desse modo, a crítica da doutrina liberal nos obriga a prever quais as ideias sobre a personalidade e a sociedade que poderão forjar uma teoria alternativa.

Nenhum aspecto do problema da linguagem é mais difícil e perturbador que esse aspecto metodológico. Os métodos de prova e argumento fazem parte da teoria a ser criticada. Em que foro, então, moverá a crítica total sua ação, e de acordo com que lei serão suas reivindicações julgadas?

A análise crítica do pensamento liberal tem como objetivo demonstrar, em primeiro lugar, que os princípios que o informam se relacionam entre si, e, em segundo, que produzem antinomias, as quais não podem ser resolvidas dentro do próprio sistema. Uma antinomia é uma contradição entre conclusões provenientes da mesma premissa ou de outras igualmente plausíveis. Ela é resolvida, ou pela comprovação de que a contradição inerente às conclusões é ilusória, ou pela descoberta de que as próprias premissas são contraditórias. Premissas coerentes não podem gerar conclusões contraditórias.

Se as antinomias do pensamento liberal provassem ser realmente insolúveis, não teríamos que abandonar a afirmação de que os princípios liberais são interdependentes? Se o fizéssemos, contudo, já não seria evidente em que sentido esses princípios constituem um sistema, muito embora podendo coexistir em certos espíritos como matéria contingente. Desse modo, as objeções à crítica parcial do liberalismo se encontrariam enfraquecidas.

A falácia desse argumento está na passagem da negação de que os princípios liberais interfiram uns com os outros à afirmativa de que não há ligação alguma entre eles. Será verdade que devemos escolher entre essas duas alternativas? A resposta a esta pergunta sugere uma maneira de lidarmos com o problema da linguagem. Embora a relação entre os princípios do liberalismo não seja uma ligação de lógica formal, é importante que comecemos por empregar termos familiares como consistência, inferência e contradição lógicas.

Não há conceito mais básico para a moderna visão do mundo ou a doutrina liberal que expresse essa visão de que aquele que distingue a ordem das ideias da ordem dos acontecimentos. Os acontecimentos se ligam entre si de uma forma causal e, mesmo isso, nem sempre. As ideias, se as considerarmos como entidades conceituais e não como acontecimentos psíquicos, são

Conhecimento e política

logicamente interligadas. Inferência e contradição são exemplares lógicos de relacionamento.

Os esquemas lógico e causal têm uma forma própria, se *a*, então *b*, semelhante em tudo, menos no fato de que, na primeira, a sequência tem um sentido temporal, ao passo que na segunda não tem sentido algum. Por isso a explicação causal e a explicação lógica são, ambas, sequentes (embora só na causal a duração acrescenta-se à sequência) e ambas estabelecem relações de necessidade entre os termos que unem.

Grande parte da história da filosofia moderna pode ser compreendida como uma série de tentativas de elucidar o relacionamento entre a ordem das ideias e a ordem dos acontecimentos. Primeiro, a ordem dos acontecimentos foi reduzida à das ideias de modo a que a lógica fornecesse a chave de toda e qualquer explicação (racionalismo). Depois, a ordem das ideias foi reduzida à dos acontecimentos para que a causalidade servisse de base a uma unidade científica do mundo (empiricismo). Finalmente, porém, uma tentativa foi feita no sentido de demonstrar a mediação e a síntese das duas ordens – a de ideias e a de acontecimentos no domínio da consciência e da cultura – e de assim desenvolver uma modalidade de explicação nem lógica nem causal (teoria estrutural e dialética).

A busca de uma terceira modalidade de explicação é mais intensa no estudo das ciências sociais. A simples causalidade parece levar inevitavelmente à redutibilidade na teoria social: ao ato de distinguir certos fatores-chaves como tendo prioridade sobre os outros ou como sendo seus fatores determinantes. Mas a causalidade circular, segundo a qual todos os elementos de um sistema reforçam-se reciprocamente, destrói a sequência, atributo relevante da explicação causal. Por outro lado, tomar a análise formal de ideias e as operações da lógica dedutiva pelo aparelhamento da teoria social é cair no racionalismo não histórico no qual Marx pressentiu o vício mortal da economia política.

As ideias de estilo, tipo, estrutura e dialética têm todas em comum a intenção de fornecer uma alternativa à análise lógica e à explicação causal. Diversamente dos termos de uma relação lógica ou causal, os elementos de estilo, tipo, estrutura, e o todo dialético, embora relacionados, não

Introdução

se relacionam entre si em sequência porque não podem ser dispostos em série. No entanto, assim como se verifica na explicação causal, cada um desses esquemas é empregado para descrever fenômenos históricos e acontecimentos que se registram no tempo. Diversamente do termo das ligações lógicas ou causais, os elementos de uma estrutura não são ligados entre si por necessidade. Sua coexistência é ordenada, mas trata-se de uma ordem que pode ser melhor descrita como sendo consequência de sua propriedade, harmonia ou aposição.

O conceito do estilo ajuda a ilustrar esses pontos. Os elementos distintos de um determinado estilo na pintura não determinam a existência uns dos outros, nem são logicamente parte uns dos outros, nem podem ser organizados em consequência porque nenhum deles antecede ao outro. No entanto, a ideia de um determinado estilo faz alusão a um momento histórico situado no tempo e no espaço. Os diferentes atributos do estilo tal como aparecem num trabalho de arte não são necessariamente conclusões ou efeitos relacionados entre si, mas antes por aposição. Qual é, precisamente, a natureza dessa harmonia e através de quais critérios podemos reconhecê-la ou medi-la?

Fazer essa pergunta, para a qual nenhuma resposta satisfatória foi ainda encontrada, é reconhecer que as diversas ideias sobre estilo, tipo, estrutura e dialética representam apenas os nomes dados a uma tentativa de solução ao problema fundamental do método engendrado pela impossibilidade de junção da ordem de ideias e da ordem de acontecimentos. Não representam a solução do problema. Se o problema e a impossibilidade de resolvê-lo são ambos ligados ao destino do sistema liberal, não será possível partirmos do nome da solução para a solução até que encontremos uma alternativa ao liberalismo.

À luz da discussão anterior, voltemos à questão do método no argumento, à parte do problema da linguagem do criticismo total. Não é possível, de fato, demonstrar que as diferentes premissas da doutrina liberal se seguem umas às outras por uma estrita necessidade lógica, nem tal demonstração seria consistente com a descoberta de que essas premissas levam a conclusões contraditórias. Mas seria igualmente ilusório supor que os princípios liberais não formam sistema algum.

Conhecimento e política

Há duas maneiras de lidarmos com este impasse. Um é considerarmos a relação entre princípios como estilística, típica, estrutural ou dialética, e assim abraçarmos um terceiro e ainda indefinido meio de elucidação que se situa além das fronteiras da lógica formal e da causalidade. Ao procedermos dessa maneira facilmente nos iludiremos, contudo, ao nos julgarmos senhores de um método quando, na verdade, o mistério persiste. Em troca dos fáceis expedientes da dialética sacrificamos as castas e poderosas armas da análise lógica.

A disposição de fazer esse sacrifício inutilmente ocasionou muitas das mais conhecidas críticas parciais do pensamento liberal (por exemplo, o marxismo e o estruturalismo). A trágica consequência para o estudo da sociedade foi o do capricho sob a máscara da revolução, pois o que existe que a dialética não demonstre? Não é de admirar que a teoria social se encontre tão desacreditada aos olhos dos amigos da razão.

Uma das alternativas é começar por estabelecer uma analogia dos relacionamentos entre as doutrinas do liberalismo e as interferências lógicas, e os conflitos entre as contradições lógicas, conscientes de que essa analogia deve ser usada apenas como uma muleta a ser jogada fora tão logo comecemos a caminhar. O objetivo é nos esforçarmos por alcançar uma situação em que a crítica do liberalismo, por si só, forjará um método de interpretação mais adequado que o da análise lógica, resultado que só pode ser alcançado plenamente através da construção de um sistema não liberal de pensamento. Esse processo exigirá a introdução de certos pressupostos empíricos plausíveis mas contingentes em vários pontos da exposição e o abandono de demonstrações precisas em favor de argumentos sugestivos. Esse afastamento de evidências claramente aceitáveis porá a nu as fraquezas da crítica e suas características insatisfatórias. Precisamente devido ao fato de que a conexão das premissas não é estritamente lógica, é possível imaginar de que maneira elas podem ser ligadas, levando, ainda assim, a conclusões contraditórias.

Tanto em relação ao método quanto em substância, a única solução para o problema da linguagem é o emprego de palavras velhas de maneira nova. Ao tratarmos o liberalismo como um sistema de ideias, preparamos o caminho

Introdução

para o tratarmos mais totalmente como uma forma de conscientização e como um tipo de organização social. Abraçando provisoriamente os pontos de vista tradicionais de consistência, implicação e contradição, alcançaremos uma certa clareza na definição do pensamento liberal. A necessidade de nos desviarmos da análise lógica obriga-nos a visualizar aquele outro tipo de explanação mais completa que deve constituir a pedra de toque de outra teoria. Se fosse possível resumirmos a tática num só conselho, esse seria o de imitarmos de má-fé o grande Spinoza, rejeitando seu método lógico como condição necessária ao pensamento especulativo, mas utilizando-nos dele como de um ardil que nos permitisse ir além da situação presente.[3]

O PROBLEMA DA HISTÓRIA

A estratégia de cautela, que consiste em lidar com o liberalismo como se fosse um sistema de ideias e em emular os métodos de lógica, obtém a sua solidez em troca de suas limitações. Esse tipo de argumento não deixa de dar a impressão de que as doutrinas examinadas constituem uma esfera autônoma, de que avançam através de uma dinâmica interna própria e de que os problemas que propõem podem ser resolvidos pela teoria pura, assim como surgiram, exclusivamente, dessa mesma teoria.

Certamente isso não passaria de uma ilusão. Suponhamos que muitas das antinomias do pensamento liberal fossem movidas por um princípio de subjetividade de valores segundo o qual não há critérios através dos quais um indivíduo pudesse justificar algumas de suas preferências, exceto aquele de que o ato de satisfazê-las serviria para promover outras preferências. Parece que nos libertaríamos depressa das contradições ao substituirmos simplesmente o princípio da subjetividade por outra premissa talvez oposta: a de que os valores são objetivos. Isso significaria que há critérios para a justificação e crítica de opções outras que não as de nossas próprias preferências ou da combinação de preferências de vários indivíduos.

A objeção a essa solução é a de que a premissa da subjetividade de valores não deriva sua força da decisão de um determinado filósofo de inseri-la em sua sistemática. Mostra a maneira pela qual os homens vivem de fato a experiência de sua vida moral, e essa experiência não pode ser revertida pelo truque de um filósofo.

A ideia de que a substituição de certas premissas pode realizar a tarefa da crítica total é frequentemente associada à opinião de que a teoria orienta a história. Os que se deixam levar por esse engano, raramente expressado mas frequentemente aceito, imaginam que, se refletíssemos com suficiente clareza e paciência, os problemas da vida nos desvendariam seus segredos. Imaginam que o progresso da teoria poderá resolver quaisquer contradições no sentido de que elas possam ser solucionadas e de que o drama da história se desenrolará no cérebro do pensador.

Esse ponto de vista não precisa, contudo, ser tolerado, tão logo se perceba que encarar o liberalismo como uma ordem autônoma de conceito representa apenas um princípio do método expositivo e uma etapa rumo à compreensão mais completa e precisa da doutrina liberal. Cada um dos problemas teóricos revelar-se-á como correspondendo a um problema existencial que só a transformação da experiência através da política pode resolver realmente. É precisamente porque a autoridade do pensamento especulativo se acha tão rigorosamente circunscrita que a maior parte de seus esforços precisa voltar-se, através dos tempos, para a crítica das ideias existentes e não pode pretender construir de um salto tanto quanto é capaz de destruir.

Uma vez que isso seja admitido, o criticismo total defronta-se com um embaraço final e extremamente difícil. O que determina essa dificuldade é a tentativa de reconciliar a premissa da objetividade da verdade com o princípio da relatividade histórica das ideias, tentativa esta que enaltece o moderno pensamento social e deve ser considerada o mais relevante fundamento de sua grandeza. Se os princípios do sistema clássico são indícios de uma forma estabelecida de vida social, não deverá a crítica total ser afastada como esforço inútil? Não seremos obrigados a reconhecer que "a coruja de Minerva levanta voo somente ao entardecer"[4] e que a teoria deve, por conseguinte, servir de testemunha da história, aguardando, se for modesta, profetizando, quando prepotente, mas tendo-lhe sempre recusado o poder de reconstruir?

A resposta a essas perguntas tem dupla forma. Primeiro, a crítica total poderia antecipar de forma abstrata um sistema que não tem ainda como tornar plenamente concreto, e também definir as condições através das quais a solução de contradições do pensamento seriam suscetíveis de atualização. Poderia, por exemplo, determinar em que sentido e através de que meios o princípio da subjetividade dos valores poderia ser substituído e a experiência a que corresponde, transformada. Em segundo lugar, através de suas influências sobre a nossa autoconsciência, a prática da crítica total determinaria possivelmente uma revisão dos sentimentos morais e uma reorientação política. Desse modo nos habilitaríamos a reconhecer a teoria como sendo nem senhora nem testemunha, mas cúmplice da história.

O PROGRAMA POSITIVO

Por sua própria natureza, a crítica total deve invocar os elementos de um sistema de pensamento que ainda não foi formulado (o problema da linguagem) e que não pode ser completado dentro da esfera da teoria pura (o problema da história). A fim de compreendermos as contradições do pensamento liberal, é necessário medirmos as consequências do contraste da razão e do desejo, de encontro a uma noção adequada da personalidade, e as implicações do contraste de regras e valores em face de um conceito satisfatório da sociedade.

De posse de ideias corretas sobre a personalidade e a sociedade, estaremos habilitados a iniciar a revisão da psicologia e da teoria política do liberalismo. Os germes dessas ideias estão contidos na crítica ao pensamento liberal.

A discussão do problema da história já sugeriu que constitui uma incompreensão do caráter da teoria supor que uma substituição direta das premissas pode corrigir os vícios do pensamento liberal. Assim é que, por exemplo, chegaremos a conclusões absurdas ao revertermos simplesmente os princípios liberais identificando teoria e fato, razão e desejo, regras e valores. Devemos, pelo contrário, procurar definir as condições históricas sob as quais os homens conseguiriam, através de suas próprias experiências, conceber de outro modo as relações entre a razão e o desejo e entre as normas e os valores, adquirindo,

Conhecimento e política

consequentemente, novas noções sobre a personalidade e a sociedade. Para executar semelhante plano é necessário, todavia, compreender a experiência à qual o pensamento liberal se acha associado e a natureza dessa associação.

A teoria do Estado assistencialista corporativo (neocapitalista)

A primeira etapa do argumento positivo tem dupla finalidade: aprender o liberalismo como um tipo de vida social e não apenas um sistema de conceitos, demonstrar como a transformação desse tipo de vida aponta em direção a uma doutrina alternativa.

O Estado liberal é caracterizado por diferentes tipos de tomada de consciência e de organização. A ligação entre estas só pode ser compreendida à luz de um método que emerge da crítica à doutrina liberal e é inconsistente com as premissas dessa doutrina. Trata-se de uma relação de aposição ou significado comum, uma relação que não é nem lógica nem causal e se mantém estranha ao contraste da ordem de ideias e da ordem de acontecimentos.

A consciência dominante no Estado liberal inclui uma visão característica da relação entre o homem, como agente ou pensador, e o mundo externo, entre o homem e seus companheiros, e entre o homem e seu próprio trabalho ou sua posição social. Em relação ao primeiro, a ênfase é colocada na sujeição da natureza à vontade humana como ideal de ação e escolha de meios eficientes para atingir determinados fins como processo exemplar da razão. No que diz respeito ao segundo, acentua a separação da pessoa, o caráter artificial da sociedade e os laços de necessidade e hostilidade recíproca entre indivíduos. Quanto ao terceiro fator, focaliza o valor ambivalente do trabalho como manifestação e sujeição da personalidade.

Esses três aspectos da consciência expressam uma visão mais geral do mundo, a religião da transcendência que confirma a separação radical entre Deus e o homem, o céu e a terra, a alma e o corpo. Mas a transcendência assume uma forma secularizada na mentalidade liberal. As consequências da secularização são de tão alto alcance que implicam, em última análise, uma transformação radical da própria consciência dominante.

Introdução

A essa altura, volto-me para o Estado liberal como modalidade de organização social. Meu propósito é o de definir dois princípios básicos da ordem na sociedade liberal – classe e papel social ou mérito – para demonstrar, a seguir, como, embora comecem por reforçar um ao outro, terminam por colocar-se numa situação de conflito. Superimpondo-se ao antagonismo de classe e atuação e associada a ele existe uma segunda oposição. Trata-se da luta entre o comprometimento com regras impessoais, como o fundamento da ordem social, e a experiência da dependência e da dominação pessoal, às quais esse comprometimento já constitui em parte uma resposta sem que consiga aboli-las.

Juntos, esses dois conflitos constituem uma fonte de transformação na sociedade liberal. Além disso, criam uma ordem social que corresponde à consciência liberal dominante, de acordo com o princípio de aposição, ou significado comum, elaborado neste ensaio. É parte do meu método negar que a ordem ou a consciência possam, sob qualquer aspecto, ser consideradas como antecedendo uma à outra.

O estudo do liberalismo como forma de vida social termina com uma discussão da burocracia como a instituição característica que se constitui na face visível de suas ocultas modalidades de consciência e ordem.

A investigação histórica volta-se, então, para seu segundo objetivo, a busca de transformações na vida social que possam servir de base ou inspiração a uma doutrina não liberal do espírito e da sociedade. Distinguimos o surgimento de um "Estado assistencialista corporativo" vindo da sociedade liberal e estudamos, a seguir, seus distintos aspectos de consciência e organização.

A consciência em desenvolvimento no Estado assistencialista corporativo rejeita uma visão manipulativa da ação em favor do conceito de que as coisas possuem um valor que independe de sua sujeição à vontade, assim como rejeita o conceito instrumental do conhecimento em favor da racionalidade dos fins. Reclama, por um lado, as reivindicações das comunidades de propósitos comuns contra o conceito liberal da sociedade como sendo uma associação de indivíduos independentes em conflito. Ataca, por outro lado, a visão anterior da relação entre o indivíduo e seu trabalho,

Conhecimento e política

quer repudiando a divisão do trabalho, quer aceitando a posição do indivíduo na divisão do trabalho como sendo uma expressão adequada de sua personalidade.

Esses aspectos da consciência emergente podem ser interpretados como especificações de duas visões gerais distintas. Num sentido, representam a reafirmação de um ideal anterior de imanência, o qual, na sua forma religiosa de panteísmo, afirma a unidade de Deus e do mundo, e, na visão secular, nega o contraste do ideal e da atualidade. Ao mesmo tempo, contudo, a consciência parece conter os elementos de uma possível reconciliação da imanência e da transcendência.

Minha preocupação seguinte é a organização do Estado assistencialista corporativo. Uma modalidade distinta de ordem resulta da transformação da estrutura de classe através da ação do princípio dos papéis sociais e da contínua tensão entre a busca da impersonalidade no exercício do poder e o sentido da dependência pessoal. Um aspecto central do novo tipo de ordem é o conflito entre o desempenho de papéis e a participação em comunidade de fins comuns como dois princípios da ordem na sociedade. Mas a ênfase na comunidade, assim como a reafirmação do ideal de imanência à qual corresponde, tem um duplo significado. Pode representar ou uma reversão a uma vida comunal fechada e hierárquica ou o início de um tipo de associação que de certo modo faz justiça tanto à autonomia quanto à comunidade. Depois de sugerir como os países socialistas já nos oferecem uma visão dos problemas básicos do Estado assistencialista corporativo, podemos encerrar essa investigação do assunto sob seu aspecto histórico.

Na medida em que eles predizem uma possível união da transcendência e da imanência na conscientização e da autonomia e comunidade na organização social, o Estado assistencialista corporativo e o Estado socialista modificam a experiência da qual a doutrina liberal é, a um só tempo, parte e representação metafísica. Assim, eles nos permitem que caminhemos além dessa doutrina. Mas a investigação histórica, por si só, nem define adequadamente o que vem a ser essa nova teoria, nem justifica os ideais que ela reivindica. Para atingir esse objetivo, passemos a outra parte do argumento.

Introdução

A teoria do eu

O segundo estágio da doutrina positiva é uma teoria do eu. Procura definir o que significaria uma união da transcendência e da imanência, da autonomia e da comunidade, a fim de justificar e demonstrar em que sentido poderia resolver as antinomias do pensamento liberal.

A revisão das opiniões liberais sobre a razão e o desejo, e as normas e os valores, exige conceitos adequados da personalidade e da sociedade. Cada um desses conceitos representa o reverso do outro; ambos pressupõem uma ideia sobre o que os seres humanos são e deveriam ser – uma ideia e um ideal do eu. Esse conceito pode elucidar-nos e orientar-nos além da forma de vida social advinda da transformação do Estado liberal.

Através de uma reflexão crítica sobre algumas de nossas ideias morais comuns e a história dos vários tipos de ordem e conscientização, passaremos a delinear certos atributos do eu. Esses atributos pretendem ser, ao mesmo tempo, descrições da natureza humana, tal como se vem desenvolvendo através da história, e critérios do que venha a ser o bem. Desse modo, a crítica da divisão liberal de fatos e valores será complementada e completada pela descoberta de que uma compreensão mais ampla do caráter de nossa humanidade cinde essa divisão.

Primeiramente focalizarei os aspectos do eu que determinam seu relacionamento com a natureza. A seguir havemos de nos voltar para a conexão entre o eu e os outros indivíduos. Finalmente, discutirei o relacionamento anterior da personalidade entre o eu abstrato e o eu concreto – entre o homem como ser universal, com as múltiplas potencialidades da espécie, e o homem como ser particular que só pode utilizar, no espaço de sua própria vida, uma fração mínima dos talentos de sua espécie.

Implícito em cada uma dessas relações está um ideal que o liberalismo jamais conseguiu apagar e cuja força foi reconhecida mesmo por muitos filósofos liberais. É a crença em que o eu consciente deve ser, e de certa maneira é, sempre ligado à natureza, aos outros e à sua própria vida e condição social, permanecendo, no entanto, em outro sentido, independente deles. Ao ideal

Conhecimento e política

do relacionamento entre o eu e a natureza chamaremos de harmonia natural, à relação entre o eu e os outros, solidariedade, e à relação entre o eu abstrato e o eu concreto, de universalidade concreta. Esses ideais nos facultam, respectivamente, um meio de lidar com os problemas da teoria e do fato, das regras e dos valores, e da razão e do desejo no pensamento liberal.

O fundamento da harmonia natural, da solidariedade e da universalidade concreta faculta uma visão mais geral da localização do eu no mundo. É a ligação de uma forma de união e de uma forma de separação entre o eu e o mundo, quer o mundo se apresente como natureza, como o outro, ou como o que determinamos ser a nossa vida e o nosso trabalho. Alcançar esse ideal é o próprio bem. A modalidade de união entre o eu e o mundo é representada na religião como o ideal de imanência, na política, pela comunidade, e na metafísica como a negação da independência entre o universal e o particular, ou, mais concretamente, das distinções entre a razão e o desejo e entre as normas e os valores. A separação entre o eu e o mundo é expressa, na religião, através do ideal da transcendência, na política, sob a forma da autonomia, e na metafísica, como sendo o contraste entre o universal e o particular exemplificado pelos dualismos do pensamento liberal. Portanto, a doutrina do eu serve como base a partir da qual será possível determinar o significado e os méritos das formas históricas de vida social, ao mesmo tempo que desenvolve nossos conceitos sobre o espírito e a sociedade, intimados pelo ataque à teoria liberal.

Podemos compreender a natureza do ideal porque dele tomamos conhecimento, muito embora de maneira imperfeita, através do amor, da arte e da religião. Se considerarmos esses tipos de experiência sem levar em conta o lugar que ocupam na sociedade, eles parecem nos mostrar a maneira pela qual torna-se possível harmonizar entre si as facetas conflitantes do eu e vencer as antinomias do pensamento liberal. No entanto representam o bem de um mundo simplesmente abstrato, separado da vida quotidiana e, mesmo, opondo-se a esta. O amor e o que é artístico e sagrado podem definir-se pela antítese ao egoísmo, ao prosaico e ao profano. O extraordinário, em contraste com o quotidiano.

Porque as formas abstratas do ideal se encontram disponíveis é que os homens conseguem dar sentido à vivência individual, a despeito do fato de que o dia a dia faz com que se rendam à divisão entre o eu e o mundo. Mas como as manifestações abstratas do ideal não penetram na vida rotineira, elas assinalam na vida do indivíduo a possibilidade de uma realização mais completa do bem na história das espécies. Uma atualização do ideal capaz de atravessar a lógica do quotidiano exigiria, se isso fosse possível, a reforma da sociedade.

A teoria dos grupos orgânicos

O terceiro e último estágio do meu argumento positivo é a teoria dos grupos orgânicos. Seu propósito é definir as implicações políticas do ideal do eu. Realiza isso ao demonstrar em que sentido, e sob que circunstâncias, o Estado contemporâneo poderia ser transformado de maneira a permitir que alcançássemos mais perfeitamente o bem. Assim, o terceiro estágio do argumento positivo fecha o círculo iniciado pelo primeiro, esclarecendo, ao mesmo tempo, o que está em jogo para a vida crítica do pensamento liberal e na transformação da sociedade da qual essa crítica é parte.

O passo inicial consistiria em discutirmos o relacionamento entre a partilha de valores, o problema do poder e a natureza do bem. Buscarei sugerir de que maneira a solução dos problemas de dominação e da comunidade na vida social podem proceder lado a lado. À comunidade na qual essa solução é alcançada chamaremos de grupo orgânico. Suas características institucionais advêm da teoria do eu, e os contextos do qual essa transformação poderá emergir são as burocracias do Estado assistencialista corporativo e do Estado socialista.

Mesmo no seu desenvolvimento mais amplo, o grupo orgânico é uma manifestação incompleta do ideal. Há necessárias limitações à nossa capacidade de atingirmos no mundo harmonia natural, solidariedade e universalidade concreta. Ao lado das imperfeições políticas existem as imperfeições da compreensão. Ainda que nosso conceito de pensamento se torne prático e avaliativo, não podemos nunca vencer totalmente o abismo que separa o

Conhecimento e política

conhecimento abstrato do conhecimento concreto, a teoria da prudência, a ciência da arte. É por esse motivo que a doutrina dos grupos orgânicos permanece indeterminada. De seus princípios, conclusões diferentes podem ser tiradas segundo várias escolhas e, entre essas conclusões, a própria teoria ver-se-ia impossibilitada de arbitrar.

No âmago das imperfeições da política e do conhecimento, encontram-se os próprios problemas do universal e do particular, da transcendência e da imanência, do eu e do mundo, que constituem os diversos aspectos do meu tema central. O significado da impossibilidade de resolver esses problemas dentro da história, de maneira final e decisiva, constitui o tópico final deste ensaio.

TEORIA E SENTIMENTOS MORAIS

A crítica do pensamento liberal prevê uma doutrina não liberal do espírito e da sociedade, leva a ela e é, por ela, elucidada. Tanto a crítica quanto a doutrina que ela torne possível foram, a essa altura, delineadas. Seria precipitado, no entanto, lançarmo-nos no argumento sem que ficassem esclarecidas as razões pelas quais seria indicado iniciá-la. A compreensão dessas razões constituir-se-á no primeiro passo do próprio argumento.

Toda teoria começa e acaba no esclarecimento da experiência imediata. Isso se torna mais visível nas ciências da natureza, cujas hipóteses são, em última análise, legitimadas pela sua capacidade de explicar o que pode ser visto e tocado, mesmo quando a verdadeira realidade se afasta radicalmente da visão das coisas propostas pelo mais elementar bom senso. O apelo à experiência é tanto mais inevitável, nas teorias do espírito e da sociedade, porque a visão que os homens têm de si mesmos constitui parte da realidade que essas teorias procuram demonstrar. Essa experiência refletiva é o que denominei consciência. Suas várias partes, por isso que implicam conceitos do que podemos ou deveríamos ser, foram chamadas de sentimentos morais.

Os sentimentos morais mais básicos definem o ideal de nossa posição na realidade. Em virtude de nossa própria humanidade, desejamos alcançar

Introdução

uma formulação adequada, tanto no pensamento quanto na sociedade, da ligação entre o eu e o mundo. A essa ligação, que permanecerá o objetivo primordial de nossos esforços, chamaremos de sentido da vida.

Há uma situação, estranha mas recorrente, na qual os homens se veem como campos de batalha entre duas forças combatentes de ideias morais e emoções. Um desses exércitos terá jurado fidelidade a um ideal que as correntes atuais de pensamento rejeitam; o outro serve à ordem política e teórica prevalente, mas não consegue subjugar totalmente as mentes que ocupa. Nesse momento, quando a alternativa entre o desespero e a ilusão parece inevitável, porque o intelecto não pode ainda reconhecer o que a imaginação moral já está a exigir, é a própria experiência que apela para a orientação da crítica total.

Tal é a situação com que nos confronta a hegemonia que se vai perpetuando da doutrina liberal. Por isso que o liberalismo é tanto uma consciência dominante quanto uma teoria metafísica, envolve uma argumentação particular dos sentimentos morais que revela as consequências do fracasso em satisfazer o ideal do eu. Se definirmos a natureza dessa organização e ao traçarmos sua história, ainda que brevemente, compreenderemos por que e sob que condições a crítica do liberalismo deve ser realizada. Essa tarefa foi iniciada para nós pelos próprios pensadores liberais e levada adiante pelos teóricos sociais clássicos. Eles descreveram, de maneiras as mais diversas, o reconhecimento de uma separação total entre o eu e a natureza, entre o eu e os outros, entre o eu e os papéis e tarefas por ele desempenhados.

A natureza, além do homem, apresenta-se como manancial capaz de satisfazer seus desejos e ambições. É uma força bruta que se opõe à vontade e permanece alheia a suas intenções morais.

No seu relacionamento com os outros, o indivíduo pressente a personalidade própria, que é o reverso do seu medo de quaisquer laços sociais que lhe ameacem a individualidade. Os homens começam por não reconhecer a humanidade que possuem em comum com as pessoas mais afastadas. Assim é que mesmo os que dele se acham próximos tornam-se estranhos. Finalmente, através desse infindável desligamento da comunidade, tornam-se estranhos a si próprios.

Conhecimento e política

Para adquirirem um eu coerente, precisam que os outros o reconheçam. Isso é obtido, como recompensa, ao viverem de acordo com as expectativas que definem os vários papéis a serem exercidos na sociedade civil. Mas esses papéis não passam de convenções externas. Embora forneçam, por um lado, a ilusão de uma existência independente, negam, por outro lado, qualquer autonomia verdadeira.

A luta pelo reconhecimento entre indivíduos sem identidade própria é a contrapartida moral da experiência que os homens têm do relacionamento do espírito com o mundo. A medida do conhecimento é a capacidade de persuadir os outros da verdade de nossas próprias crenças, e não uma apreensão direta da essência das coisas. É através do assentimento do outro que uma pessoa se salva da opacidade do mundo, assim como a sua aprovação é a única cura para a instabilidade de nossa posição social.

Outro aspecto ainda do relato clássico dos sentimentos morais na sociedade refere-se à divisão entre a pessoa e sua colocação social, trabalho e opções. Aí está a lacuna entre o ser abstrato e o ser concreto. Dentro das condições criadas por essa separação, qualquer trabalho é visto como algo de estranho à vontade que o realizou. Cada caminho escolhido na vida é identificado como uma renúncia às riquezas de nossa humanidade potencial em favor do desejo que temos de nos tornarmos um ser determinado e finito que suprime algumas de suas capacidades para que outras se possam desenvolver.

Assim é que os homens ficam esquartejados entre os sonhos da mocidade e a mesquinhez da madureza – entre o abstrato universalismo daquele que se recusa a assumir uma posição e a mera particularidade dos desempenhos sociais. A capacidade de infundir uma tarefa levada adiante, sem que dela nada desvie a atenção, um caráter universal, apresenta-se como uma prerrogativa do gênio.

Esses sentimentos morais compõem a imagem convencional do liberal, o homem cercado de um vazio que o separa da natureza, dos outros e de seus próprios esforços. Sozinho, nada consegue; precisa assegurar-se da aprovação de seus companheiros para tornar-se alguém. Mas nada conseguirá sem que ocupe o seu lugar na pantomima universal que consome a totalidade da

Introdução

vida na sociedade humana.[5] Nessa pantomima cada um aplaude como se o clamor de seus aplausos pudesse silenciar as intimações da morte que se aproxima. É só nos enlevos particulares do amor, da arte e da religião que encontra alívio, porque lhe trazem ao espírito a imagem da inteireza e da perfeição do ser às quais secretamente jamais deixará de aspirar.

A atual situação dos sentimentos morais não pode ser compreendida nos termos dessa análise como também não pode a condição política do Estado assistencialista corporativo ser identificada com a de seu predecessor liberal. Dois caminhos aparentemente diversos levam, das circunstâncias que essa análise descreve, à nossa própria crise moral. Esses dois caminhos definem a condição das ideias morais dentro das quais, e contra as quais, a crítica do pensamento liberal deve ser levada avante.

O primeiro é o caminho da desintegração. Suas características são o desmembramento dos diversos elementos do eu e a repulsa ao mundo externo, especialmente o meio social. A desintegração é a experiência que define a cultura do modernismo. É o destino dos rejeitados, dos derrotados e dos condenados que jamais partilhariam a consciência da qual a doutrina liberal é a expressão filosófica.

O segundo caminho leva ao sentimento de resignação. A resignação é a submissão desesperada a uma ordem social cujas exigências são intimamente desprezadas. É a ideia e a emoção dominantes do estoicismo peculiar de que as classes burocráticas e profissionais do Estado assistencialista corporativo tão profundamente participam. Não devemos supor que essas duas manifestações da inteligência moral, a desintegração e a resignação, se opõem e se anulam uma à outra. Muito pelo contrário, só ao nos tornarmos conscientes da sua complementaridade é que começamos a lhes compreender a verdadeira natureza.

Em primeiro lugar, cada um desses dois sentimentos contém, num certo sentido, a verdade do outro, e põe em evidência o que se oculta como um segredo em ambos. O estoico moderno não se sente em paz com a ordem que aceitou e até santificou, e odeia o cabresto ao qual se submeteu. Por outro lado, o som e a fúria da desintegração deságuam na paz forçosa da aceitação,

Conhecimento e política

porque não há alternativa para quem vive na sociedade, tal como ela existe, senão a de transformá-la, e isso o sentimento de desintegração desiste de fazer por desespero.

Segundo, os que não se integram e os conformados têm em comum o mesmo ponto de vista sobre a relação existente entre o pensamento e a vida. Acreditam, ambos, que existe um domínio público do discurso fatual e técnico e um mundo íntimo do sentimento. No cárcere das emoções individuais, a religião, a arte e o amor se encontram prisioneiros e de lá é banido todo e qualquer pensamento racional. O limitado conceito da razão, como sendo uma faculdade que tem mais a ver com a vida pública que com a vida privada, com os meios e não com os fins, com os fatos e não com os valores, com a forma e não com a substância, faz-se acompanhar pelo culto de uma religiosidade interiorizada e de uma estética e uma moral que o pensamento não pode atingir nem a linguagem descrever. O eu divide-se em dois e cada metade encontra a outra, indo da incompreensão à loucura. Assim sendo, a subversão dos critérios de sanidade e loucura é consequência da expansão progressiva desses sentimentos.

Terceiro, um número ainda maior de pessoas passa a experimentar a desintegração e a resignação ao mesmo tempo. É parte da situação em que se encontram as classes burocráticas e profissionais de que tanto depende o Estado assistencialista corporativo passarem por essas provocações ao mesmo tempo. No seu treinamento profissional têm que partilhar do tipo de educação anteriormente reservada aos literatos. Por esse motivo são submetidas à carga de autocrítica que os ideais da alta cultura, mesmo nas suas formas as mais vulgares, costumam impor e da qual a descida para a desintegração é fácil, se não inevitável. No entanto, os membros dessa classe não podem sequer pretender uma atitude de alienação. Queiram ou não, é imprescindível que se conformem com a posição que precisam ocupar no Estado tal como ele é. E assim a luta dos sentimentos é travada nos indivíduos e entre os grupos.

A ascendência da conformação e da desintegração representa um desastre na história da vida moral, mas cria, ao mesmo tempo, uma razão para a esperança de que ela seja revista e modificada. É um desastre, porque

Introdução

estabelece as condições dentro das quais o ser consciente não se sente uno com o mundo nem independente dele. A desintegração é uma paródia da transcendência, assim como a conformação transforma a imanência numa farsa.

Paródia e farsa, embora contenham a imagem da reconciliação das duas maneiras de ser: a de separação do mundo e a da união com ele. Desintegração e resignação corroem tudo aquilo de que depende o significado da vida individual, pois são, ambas, formas de desespero. No entanto, colocam da maneira mais simples o problema do eu, que nem a doutrina liberal nem o Estado liberal são capazes de resolver. Há a mão que se move por trás da crítica ao pensamento liberal. É o desejo de escapar à condição dos sentimentos morais que descrevi para alcançar um estado de união e divisão simultâneas entre o eu e o mundo, em que toda a resignação se transforma em imanência e toda a desintegração em transcendência.

O fato de que somos capazes de sentir que as circunstâncias de nossa vida moral, tal como se apresentam, a tornam incompleta é um sinal de que, a despeito de todo o seu poder, a doutrina liberal não é bastante poderosa para subjugar toda a escala de nossos sentimentos e ideias. Pelo contrário, existe na presença de desígnios com os quais não poderá jamais compactuar. Mas essas tendências opostas não se manifestam. A doutrina que elas rejeitam, e em cujas categorias ainda se encaminha o nosso pensamento, divide de tal modo os campos da razão e da emoção que o que ocorre no segundo é considerado como não tendo nada a ver com o primeiro, porque um desejo não é uma compreensão. Uma teoria que repudiasse a distinção liberal entre razão e desejo devolveria a palavra a essas emoções, e a crítica, que é a sua precursora, celebraria a aliança com elas, para fazer da esperança uma forma de conhecimento.

O pensamento especulativo é hostil, por sua própria natureza, à resignação e à desintegração. Examinar nossas ideias as mais simples, sistematicamente, é afirmar as reivindicações da unidade contra a desintegração e a autoridade do espírito contra a aceitação da ordem sombria do mundo. Por conseguinte, a filosofia é revolucionária mesmo quando parece ser conservadora e o pensamento é a negação da fatalidade, mesmo quando parece ser a defesa dela.

Conhecimento e política

Ninguém que tenha ouvido a secreta intimação do poder e da grandeza da teoria sucumbirá jamais ao desespero nem poderá duvidar de que o clamor do pensamento despertará, um dia, as próprias pedras.

CAPÍTULO 1
PSICOLOGIA LIBERAL

INTRODUÇÃO

O objetivo deste capítulo é estudar criticamente alguns dos aspectos básicos da psicologia liberal. Tal como o considero, o conceito da psicologia significa, a um só tempo, mais e menos que aquilo que, atualmente, costuma descrever. Deixa de lado o estudo empírico ou científico do que determina a conduta humana, embora não abandone as ideias metafísicas nas quais ainda confia grande parte desse estudo. Por outro lado, a psicologia inclui a ética e a teoria do conhecimento. Ideias sobre por que, como indivíduos, agimos como agimos, o que deveríamos fazer e o que podemos saber são íntima e explicitamente ligados entre si na tradição filosófica do liberalismo. São interligados pelo problema central da relação da mente individual com a personalidade e o mundo em geral. Tudo se volta para a pergunta: O que faz de nós pessoas e o que resulta do fato de sermos pessoas? A psicologia é a teoria da personalidade.

O capítulo começa com um esboço do conceito da natureza e da ciência no contexto em que se desenvolveram as doutrinas liberais do espírito e da sociedade. Essa imagem da natureza física, e do lugar ocupado nela pela mente, foi a adotada pelos pensadores europeus do século XVII que criaram a doutrina liberal. Embora os progressos realizados nas ciências naturais tenham modificado ou mesmo transformado totalmente nossa cosmologia,

Conhecimento e política

o impacto dessas modificações sobre a personalidade e a sociedade se manteve reduzido. Assim é que o conceito tradicional da natureza continua a fornecer grande parte do material de que é feita a teoria liberal. A ideia da natureza leva a uma antinomia no entendimento da relação entre o espírito e o mundo. Veremos que esta antinomia tem algo em comum com os problemas capitais da psicologia liberal e da teoria política.

Voltemo-nos, a seguir, para a visão impensada do espírito que a psicologia liberal reivindica e depura. Considerando essa visão, procuro resumir alguns aspectos do conceito da personalidade e da natureza humana, bem como das ciências sociais.

A próxima etapa neste debate é demonstrar que essa visão impensada pode se reduzir a três princípios ou postulados. Os três princípios não pretendem ser exaustivos e as propostas que apresentam podem ser formuladas de maneira diversa. A primeira é a separação entre a compreensão e o desejo. A segunda afirma que os desejos são arbitrários. A terceira sustenta que o conhecimento é adquirido por uma combinação das sensações elementares e ideias; expressas sob a forma de uma metáfora, elas declaram que, na aquisição do conhecimento, o todo é simplesmente a soma de suas partes. Os três postulados psicológicos são ligados entre si de maneira muito análoga à dos relacionamentos da lógica formal com as características focalizadas na Introdução.

A parte seguinte do capítulo discute como os princípios da psicologia liberal produzem uma antinomia no conceito da ligação entre a razão e o desejo, os elementos fundamentais da personalidade da doutrina liberal. A antinomia nos força a escolher entre duas morais: a da razão e a do desejo. Embora ambas sejam incapazes de sustentar uma doutrina moral adequada, nenhuma das duas pode se reconciliar com a outra dentro dos limites impostos pela psicologia liberal. Examino a natureza e procuro enfatizar o significado da antinomia da razão e do desejo mostrando como ela subverte a ideia da personalidade. O argumento conclui com uma discussão sobre o modo como se usa o papel assumido na sociedade para se tentar resolver os paradoxos da psicologia liberal.

Neste capítulo, como nos seguintes, tenho por propósito refletir tão simplesmente quanto possível sobre os problemas discutidos. Na nossa era, a filosofia conquistou triunfos porque alguns homens foram capazes de pensar com inusitada simplicidade. Se pudéssemos pensar ainda mais simplesmente, avançaríamos talvez um pouco mais.

A ANTINOMIA ENTRE A TEORIA E O FATO

Imaginemos o mundo como um campo de espaço e uma continuidade de tempo que servem de cenário a fatos ou objetos-eventos (acontecimentos). Um objeto existe através do tempo como uma série de acontecimentos sucessivos. O mundo constituído pelo espaço, pelo tempo e pelos objetos-eventos, possui as seguintes características. Há um número indefinido de objetos-eventos. Os acontecimentos se sucedem uns aos outros constantemente e os objetos colidem entre si de vários modos. A ocorrência de uma série de acontecimentos será seguida pela ocorrência de outra série. A regularidade que existe, ou supomos existir, entre os acontecimentos é diferente dos próprios acontecimentos, ou dos objetos cujo aspecto temporal eles representam. Uma lei causal da natureza é diversa dos fenômenos que ela une. As regularidades pertencem ao que é geral; os objetos-eventos, ao que é peculiar. Os objetos-eventos existem independentemente de nossa percepção do que eles são ou deveriam ser. Ou assumimos que tudo o que acontece na natureza acontece necessariamente, ou declaramos que não sabemos por que as coisas acontecem. Essa última posição implica, todavia, um acaso ininteligível que representa, também, uma espécie de necessidade. Portanto, em qualquer dos dois casos, o campo dos objetos-eventos se nos apresenta como uma necessidade. Chamamos essa necessidade de experiência.

É possível dividirmos o mundo de inúmeros modos. Não há uma maneira de dividi-lo que descreva o que o mundo é realmente. Isso porque faltam às coisas essências inteligíveis. Uma coisa tem uma essência inteligível quando possui um traço capaz de ser apreendido em virtude do qual pertence a uma categoria de coisas em vez de pertencer a outra. De acordo com esse conceito,

Conhecimento e política

uma pedra é diferente de uma planta porque tem uma qualidade pedrense, se assim pudermos dizer, que nos é possível apreender imediatamente. Alguns dizem que a essência pode ser compreendida diretamente como uma categoria abstrata, completamente à parte das coisas concretas que a exemplificam. Outros alegam que só pode ser inferida ou induzida a partir de suas instâncias particulares. De acordo com esse último ponto de vista, aprendemos a distinguir a qualidade do que é pedrense ao examinarmos determinadas pedras.

Muitos dos sistemas metafísicos da Europa antiga e medieval adotaram o critério do conhecimento cuja pedra de toque é a ideia de que todas as coisas da natureza possuem essências inteligíveis. Ensinaram, por conseguinte, que o espírito pode compreender como o mundo é realmente. Essa doutrina constitui, na verdade, um princípio magistral, pois seus aliados tiraram dela conclusões sobre a linguagem, a moral e a política. Argumentaram que, como tudo tem uma essência, todas as coisas podem ser classificadas sob o nome que designa a categoria a que pertencem. E os defensores da doutrina das essências inteligíveis partiram daí para a asserção de que os critérios do certo e do errado devem também possuir essências que o pensamento pode apreender. A ética de Platão e a teoria do direito natural de Tomás de Aquino exemplificam essa linha de argumento.[1]

O moderno conceito de natureza, e da relação entre o pensamento e a natureza, que estou descrevendo, rejeita a doutrina das essências inteligíveis. Nega a existência de uma cadeia de essências ou qualidades essenciais que poderíamos inferir de elementos particulares, no mundo, ou perceber face a face nas suas formas abstratas. Em vista disso, insiste em afirmar que há inúmeras maneiras pelas quais os objetos e os acontecimentos do mundo podem ser classificados.[2]

Não podemos decidir abstratamente se uma determinada classificação é justificável. O único critério é o de verificar se a classificação serve ao propósito particular que tínhamos em mente ao escolhê-la. Toda a linguagem descreve o mundo de uma maneira completa, embora a seu próprio modo. Do moderno ponto de vista sobre a natureza não há base para afirmar que uma palavra retrata a realidade mais acuradamente que outras, pois a única

Psicologia liberal

maneira de avaliarmos a "verdade" da linguagem é a sua capacidade de apresentar os objetivos das comunidades humanas que a empregam. As teorias da ciência são uma linguagem parcial, por isso classificam as coisas no mundo. Seu direito de serem aceitas depende, por conseguinte, de sua capacidade de contribuir para determinados fins, tais como predizer ou controlar os acontecimentos, mais que de sua fidelidade ao verdadeiro mundo das essências.[3]

Essa simples ideia, a negação de essências inteligíveis, não deixa de pé uma só pedra da posição metafísica pré-liberal. Suas consequências, para nossos pontos de vista morais e políticos, são tanto de longo alcance quanto paradoxais. E entre suas implicações há uma charada relativa à maneira pela qual as teorias relacionam-se aos fatos. Por mais familiar que seja essa charada, seu significado continuará a escapar-nos até que sejamos capazes de compreender o lugar que ocupam no sistema do pensamento liberal.

De acordo com o ponto de vista da ciência e da natureza que esbocei, os fatos só podem ser percebidos através das categorias que permitem ao pensamento classificar a experiência. Estamos habituados a pensar nisso como sendo um princípio da filosofia de Kant,[4] mas decorre diretamente dos princípios descritos na seção anterior.

Se não existem essências inteligíveis, não há uma classificação predeterminada do mundo. Só podemos distinguir entre objetos-eventos em relação ao critério de escolha implícito numa teoria. É a teoria que determina o que pode ser considerado um fato e como os fatos devem ser distinguidos um do outro. Em outras palavras, um fato se torna o que ele é para nós devido à maneira como o classificamos. Como o classificamos depende das categorias disponíveis na linguagem que falamos, ou na teoria que empregamos, e a capacidade que possuímos de reabastecer o fundo de categorias à nossa disposição. Como quer que encaremos o jogo entre a tradição e o propósito consciente na manipulação das categorias, não há um apelo direto à realidade, porque a realidade é construída pela mente.

No entanto, acreditamos também que a história da ciência é progressiva e que, em última análise, é possível fazer-se uma escolha racional entre teorias conflitantes sobre o mundo. Algumas teorias descrevem o mundo mais

Conhecimento e política

acuradamente que outras. Essa crença está tão firmemente baseada no conceito tradicional da natureza quanto o princípio que insiste em que nunca podemos nos afastar das categorias de uma linguagem, ou teoria particular, para vermos o mundo a olho nu. Baseia-se na proposição de que as coisas são como são, qualquer que seja a nossa opinião a respeito delas, ou do que deveriam ser. Como poderemos manter a confiança na possibilidade de uma comparação definitiva da teoria e do fato, a não ser que nos disponhamos a qualificar o princípio de que o mundo dos fatos é construído pela mente de acordo com seus propósitos? O conceito de que há um mundo das coisas independente do pensamento e capaz, a um determinado ponto, de ser apreendido tal como ele é, parece ser necessário à noção da ciência. Esse conceito, todavia, parece depender da doutrina das essências inteligíveis, ou dos fatos tais como são, o que se assume ser inconsistente com o moderno conceito de ciência.[5]

Na sua forma mais simples, a antinomia da teoria e do fato é o conflito existente nas duas ideias que precedem: a mediação de todos os fatos através da teoria e a possibilidade de uma comparação independente entre a teoria e o fato. Cada um dos princípios parece plausível na sua formulação e absurdo nas suas consequências. Eles se contradizem entre si, mas qualificar um deles pareceria requerer uma revisão drástica do conceito da natureza e do pensamento de que ambos provêm. Eis aí um enigma que parece implicar a incoerência da nossa ideia da ciência e mesmo do conhecimento em geral.

Por que, então, não nos sentimos chocados pela incoerência? Como se justifica que não nos sintamos mais frequentemente perturbados pela antinomia da teoria e do fato? Nossa injustificada segurança resultará, talvez, de serem as teorias com as quais trabalhamos sempre parciais. Não são, como as linguagens, descrições do mundo na sua totalidade. Consequentemente, parece sempre possível colocar-nos à parte de uma determinada teoria que estejamos considerando. Esquecemos que, ao fazê-lo, passamos para outra teoria e não para o domínio dos simples fatos.

Ou, então, quando temos que enfrentar uma escolha entre dois sistemas teóricos radicalmente diversos, por exemplo, o de Newton e o da mecânica quântica, firmamo-nos em critérios de justificação como o de que essas

Psicologia liberal

teorias competitivas têm o poder de prever acontecimentos, ou controlá-los. Tais critérios parecem situar-se acima da guerra das hipóteses. Mas isso também é uma ilusão. Ainda precisamos interpretar os resultados de quaisquer experimentos realizados e justificar os métodos que utilizamos para comprová-los. Se não há essências inteligíveis, os fatos que resultam dos testes realizados podem significar coisas diferentes em linguagens teóricas diversas. E os métodos de verificação terão que ser defendidos segundo o modo pelo qual se relacionam com os propósitos a que visamos, sejam eles nosso interesse no poder sobre a natureza, na simplicidade da explanação, seja na confirmação da crença religiosa. Vamos assumir, por enquanto, que, na doutrina moral que desenvolve as implicações da negação das essências inteligíveis, esses interesses sejam considerados arbitrários, e veremos que a antinomia entre a teoria e o fato permanece insolúvel. As soluções aparentes transportam simplesmente o enigma para um plano mais alto de abstração. Quanto mais geral a teoria, tanto mais inadequada se torna a solução.

O grande mérito de Kant foi propor uma solução inteiramente diversa, que rejeita os termos do problema. Procura, ela, cortar o nó górdio, imaginando que há certas categorias universais da mente, além das categorias pertinentes a determinadas teorias e linguagens. Assim, embora nunca possamos ver os fatos nus, podemos vê-los através das lentes de uma linguagem universal – as categorias da compreensão. Essa universalidade é a única espécie de objetividade que temos ao nosso alcance. Serve tanto como da doutrina das essências inteligíveis como da base a partir da qual pode ser realizado um julgamento imparcial das reivindicações das teorias e método conflitantes.[6]

A alegada solução de Kant à antinomia da teoria e dos fatos é análoga e ligada a uma tentativa mais definitiva de resolver as antinomias da psicologia liberal e da teoria política, que chamaremos de estruturalismo. Uma crítica à proposta de Kant será, por isso, adiada até examinarmos a doutrina estruturalista. O que quero enfatizar, por enquanto, é a luz que a doutrina de Kant lança, mesmo que essa doutrina venha a ser considerada falsa, sobre o significado da antinomia da teoria e do fato e sobre todo o moderno conceito da mente e da natureza.

Conhecimento e política

Nas ciências naturais o conhecimento progride por se tornar continuamente mais abstrato, geral e formal. A substância das coisas, a aparência peculiar que elas nos transmitem, é relegada à arte e ao senso comum. O conhecimento científico só atinge a perfeição à custa da parcialidade. Embora a ciência empírica possa ser capaz de explicar cada vez melhor por que temos do mundo tais ou quais impressões particulares, e explicá-lo precisamente porque a ciência se tornou mais formal, não poderá jamais descrever plenamente o que vemos através dos sentidos. Não pode substituir a espécie de conhecimento que lhes pertence. Pelo contrário, a ciência deve passar, constantemente, da substância à forma e do particular ao universal.

Embora busque explicações cada vez mais simples e unificadas, a ciência avança porque aceita a pluralidade das teorias em diferentes níveis de abstração. Assim, a qualquer momento, o que uma ciência considera significativo num fenômeno pode ser relegado, por outra, como acidental, e removido, por conseguinte, para o nível de substância irrelevante. A física pode ter pouco a dizer sobre a anatomia dos cavalos, mas a própria zoologia será incapaz de definir tudo o que é peculiar a um determinado cavalo. A inefabilidade do individual é consequência necessária do moderno enfoque da ciência. Atribuir essa limitação simplesmente a um estágio do desenvolvimento do conhecimento científico é não compreender a maneira pela qual a ciência se desenvolve.[7]

A genialidade da resposta de Kant à questão da teoria e do fato repousa sobre o reconhecimento da separação existente entre o universal e o particular como sendo o destino do pensamento moderno. As categorias kantianas da compreensão são universais, por isso que são formais, isto é, vazias.

A verdadeira fonte da antinomia da teoria e do fato é a separação radical da forma e da substância, porque essa separação é a base da diferença entre ideias ou teorias gerais, que são formais e universais, e a compreensão ou intuição de eventos individuais, que são substantivos e particulares. Só quando essa distinção se define é que surge o problema entre teoria e fato.

Um conceito diferente da relação do universal e do particular não produziria a antinomia entre teoria e fato. Tomemos, por exemplo, nossa compreensão das verdades geométricas. Como geômetras euclidianos, temos um conhecimento perfeito e completo porque o objeto do nosso pensamento é forma pura sem substância e universalidade e sem particularidade. Cada exemplo particular de um círculo é plenamente definido pelo conceito geométrico de um círculo. Nada pode ser conhecido num círculo particular, a não ser a dimensão do seu raio, que não seja parte do conhecimento do teorema de sua construção.[8] Tal geometria nada tem a ver com o problema da classificação de particulares em categorias gerais e, por conseguinte, não precisará jamais enfrentar a antinomia entre teoria e fato.

O conceito de que é necessário atingir a universalidade através da abstração da particularidade e não pela direta elucidação do particular, como fazemos na arte, é o âmago da antinomia entre teoria e fato. Servirá também de pedra de toque para a compreensão das contradições do pensamento liberal.

A antinomia entre teoria e fato pode ser retraçada e resumida de maneira mais familiar. O ato de pensar e a linguagem dependem do uso de categorias. Precisamos classificar para pensar e para falar. Mas não podemos estar certos de que algo neste mundo corresponde às categorias que usamos. Nossas concepções sobre a ciência e a natureza parecem implicar que tanto acreditamos que nossas classificações possam ser verdadeiras como que possam ser falsas, e que o verdadeiro e o falso são imponderáveis e ilusórios.

A IMAGEM VULGAR DA MENTE

Em que consiste o conhecimento? Como o adquirimos? Essa é uma das primeiras questões que a psicologia contempla. A maneira de encará-la é determinar o que *não é* conhecimento. A vontade ou o desejo são uma atividade da nossa vida consciente que, habitualmente, distinguimos da compreensão. O mais elementar aspecto de nossa psicologia quotidiana é, portanto, a distinção entre a mente, que compreende ou sabe, e a vontade, que deseja. (Empregarei os termos mente, compreensão e conhecimento, bem como vontade e desejo, sinonimamente.) A compreensão e o desejo são distintos, embora não totalmente independentes. Juntos constituem o eu.

Conhecimento e política

A mente é comparável a uma máquina. O fato de que apreende objetos-eventos (fatos) significa o seguinte: em primeiro lugar, pode unir características objetivas dos fatos com características que os fatos pareçam possuir devido à estrutura da mente. Quando esses dois atributos se somam, os fatos transformam-se em sensações. As sensações são a base de todo o conhecimento sobre o mundo dos objetos-eventos. Em segundo lugar, a máquina da mente pode combinar e recombinar fatos (ou melhor, sensações) num número infinito de maneiras. Pode visualizar diversos objetos-eventos, como se fossem um único fato, ou fomentá-los até o ponto em que talvez atinjam o indivisível. Em terceiro lugar, todas as sensações que se combinam podem ser analisadas até o ponto em que voltam a formar as sensações elementares de que se constituíram e os fatos a que correspondem essas sensações elementares. Em quarto lugar, as sensações não se modificam ao serem combinadas com outras sensações. A combinação e a análise, que são duas operações da mente, nada produzem de novo no mundo dos fatos, um mundo alheio às elucubrações da inteligência. Em quinto lugar, há um tipo de conhecimento, que a matemática e a lógica exemplificam, que não visa ao conjunto ou à análise das sensações. Consiste na compreensão das relações entre o que existe além do mundo dos fatos. É o que chamamos de ideias (o mesmo nome é dado, no entanto, à combinação de sensações realizadas pela máquina da mente).[9]

A mente enfrenta um problema peculiar. Trava conhecimento com as coisas tal como elas lhe parecem ser através das sensações, e não tanto tal como elas são. O conhecimento perfeito só pode ser alcançado, por conseguinte, no estudo daquelas coisas que podemos apreender sem as sensações, como se verifica com a lógica e a matemática. A compreensão do mundo da natureza caminha em direção ao único conhecimento certo pelo qual pode esperar quando estabelece analogias entre as relações entre os fatos e as relações entre as ideias. Como a física matemática é que leva mais além a analogia entre a ordem dos fatos e a ordem das ideias, é a mais avançada das ciências.

Essa descrição pode ser vista como uma imagem simplificada do conceito do conhecimento desenvolvido por Hobbes e Locke, que nos é

Psicologia liberal

familiar. Poderia também representar a teoria do conhecimento de Kant, se fosse revista, da seguinte maneira. Primeiramente, não há distinção entre a transformação dos fatos em sensações e os processos de análise e combinação desses fatos. O conteúdo das sensações é determinado pelas mesmas operações de análise e combinação que permitem à máquina da mente reconstruir sequências complexas de acontecimentos neste setor. Em segundo lugar, há um número limitado de possíveis formas de análise e combinação. Possuem características peculiares que podemos atribuir ao mecanismo da mente.[10]

A descrição desse conceito do conhecimento permanecerá, todavia, incompleta até compreendermos o que impele a máquina da mente a suas operações de análise e combinação. Ou, para expressar a questão em outras palavras, qual é a relação entre a compreensão e o desejo? A resposta é dada concisamente por Hobbes e repetida de mil maneiras pelos discípulos surgidos da nova ciência que ele ajudou a criar: "Porque os pensamentos são para os desejos escoteiros e espiões que partem para longe e encontram os caminhos que levam às coisas desejadas: toda a firmeza da noção da mente e sua rapidez provindo daí".[11] A mente é movida pelo desejo, o elemento ativo do eu.

Mantendo a metáfora da mente enquanto máquina, suponhamos que o desejo seja sua mola. O desejo é cego e faminto. Precisa do auxílio da máquina para executar seus planos e ensinar-lhe a maneira mais eficiente de alcançar seus objetivos. Usando essa máquina com sua operação em dois estágios, o viajante pode ver os fatos do mundo e perceber que grupos de acontecimentos produzirão outros grupos. O conhecimento adquirido permitirá ao viajante defender-se dos acontecimentos, ou de objetivos que o ameaçam, e orientar os acontecimentos benignos em benefício próprio.

A explicação mais simples e mais comum do que leva o desejo a preferir um curso de ação a outro é a de que o desejo busca o prazer e evita a dor. O desejo é sujeito às mesmas forças que agem sobre os fatos. A relação entre a mente e o desejo é de sujeição. Quando a compreensão focaliza o desejo e procura apreender as causas que o levam a buscar um objetivo em vez de outro, ela o faz sob o impulso do desejo. Assim sendo, qualquer que seja o seu princípio causal, o desejo determina as utilizações do intelecto.

O PRINCÍPIO DA RAZÃO E DO DESEJO

Denominando o processo que esbocei de imagem vulgar da mente, procuro acentuar o que há de habitual nas suas características. É o material de que são feitas nossas crenças quotidianas. Numa formulação mais elaborada, embora não diversa fundamentalmente, isso descreveria as premissas sobre as quais se funda grande parte da filosofia e da ciência social contemporânea. Esse conceito da mente não é o único possível. Os homens defenderam no passado conceitos muito diversos. A imagem vulgar é, na verdade, apenas uma versão difundida da doutrina filosófica que denomino psicologia liberal.

Assim sendo, o próximo passo nesta argumentação nada terá de surpreendente. A imagem vulgar da mente pode se reduzir a três postulados que contarão como princípios da psicologia liberal. Acham-se implícitos no esboço da imagem vulgar. Mas podem também ser inferidos independentemente dos sistemas teóricos dos pensadores liberais clássicos, ou das hipóteses das modernas ciências sociais. Esses três princípios implicam um o outro. Ao julgarmos o sentido dessa implicação recíproca precisamos ter em mente o argumento da introdução.

Já que é um dos meus objetivos demonstrar que todos os princípios de psicologia liberal são ligados aos postulados da teoria política, são, eles, indicados de maneira tão livre quanto possível de qualquer implicação política. Desse modo espero evitar a objeção de que, ao descrever a psicologia num contexto desnecessariamente político, eu esteja forçando a conclusão que pretendo demonstrar. Por esse motivo, o argumento terá que ser mais intrincado do que poderia ter sido, mas nenhuma cautela é excessiva ao discutirmos assuntos de tal importância.

O primeiro princípio da psicologia liberal afirma que o eu consiste em compreensão e desejo, e que o desejo é a parte motiva, ativa e primordial do eu. O mecanismo da mente, por si só, nada deseja; o desejo não ajudado pela

Psicologia liberal

compreensão nada pode visualizar. A isso podemos chamar o princípio da razão e do desejo.[12]

A razão, ou a compreensão, é a faculdade através da qual o eu determina como é o mundo. Os termos "compreensão" e "conhecimento" descrevem também as imagens das coisas produzidas no mundo pelo uso da razão. Desejo ou vontade é a faculdade pela qual o eu determina os objetos de seus apetites e aversões. Os próprios apetites são também chamados de desejos. Uma escolha é uma decisão sobre quais das várias modalidades de ação são mais capazes de satisfazer um desejo que outras. Uma inclinação é uma predisposição para certos tipos de desejo e coisas ou situações capazes de satisfazê-los.

Há várias maneiras de desenvolver o princípio da razão e do desejo de modo que nos seja mais fácil reconhecê-lo como sendo nosso. As coisas não são simplesmente o que pensamos que elas são, ou deveriam ser; elas são o que são. Nossas opções são opções que fazemos. Podemos ser capazes de demonstrar por que escolhemos uma forma de ação em vez de outra, mas, com as reservas que indicarei em breve, não supomos que a escolha de um objetivo equivalha ao reconhecimento de um fato. Na verdade, a distinção entre a razão e a vontade é simplesmente o oposto da separação entre fatos, objetivos, fins e valores.

Até agora considerei o princípio da razão e do desejo como fundamento da diferença existente entre as atividades características em que se engajam a compreensão e o desejo, ou dos objetos a que cada um se dirige.[13] Consideremos agora o princípio da razão e do desejo, do ponto de vista das posições que ocupam em relação um ao outro na visão impensada da mente. A compreensão é um instrumento do desejo. Aquela deve servir aos apetites deste. Quando a mente busca o conhecimento, pode parecer que ela se move sob seu próprio impulso. Mas a busca da verdade é apenas um recurso empregado para satisfazer ainda melhor os desejos, para alcançar um objetivo que a mente já escolheu. O próprio acréscimo do conhecimento é um fim que, como todos os outros fins, deve, primeiro, ser desejado para que comande a obediência da compreensão.[14]

Conhecimento e política

O princípio da razão e do desejo pode ser expresso de forma francamente política, e é sob essa forma, mais que sob as formas precedentes, que o encontramos frequentemente exposto pelos pensadores clássicos do liberalismo. O que distingue os homens uns dos outros não é o fato de que sua compreensão do mundo é diversa, mas o fato de que eles desejam coisas diferentes mesmo quando compreendem o mundo da mesma maneira. Só há um mundo dos fatos e só existe uma forma de compreensão, fundamentalmente a mesma para todos. Um homem pode estar mais ou menos informado sobre o mundo, mas sempre que dois homens conhecem algo verdadeiramente, o que conhecem é a mesma coisa.[15] O fundamento de suas identidades individuais não pode ser simplesmente seu relativo grau de ignorância. Terá que ser as opções que fazem e as finalidades que escolhem. O reino dos desejos aproxima-se muito mais de uma democracia do que a república o faz em relação às letras, o que a discussão em torno do segundo princípio da psicologia liberal deverá tornar evidente.

Seja qual for a maneira de encararmos o princípio da razão e do desejo, não há como nos enganarmos sobre sua presença na história da tradição intelectual dominante do moderno Ocidente, ou sua importância em relação à maneira pela qual experimentamos a personalidade. Durante pelo menos trezentos anos, a divisão entre o pensamento e o sentimento serviu de ponto de partida para as ideias sobre a natureza humana. Firmemente expressada pelos inventores da doutrina liberal, beneficiou-se, desde então, de inúmeras revisões e foi alvo de inúmeros ataques. Nem os ataques nem as revisões destruíram, no entanto, os ensinamentos originais. Todos os modernos são discípulos de Rousseau, por isso que consideram a possibilidade de vencer o abismo entre a razão e o sentimento como o problema decisivo da vida moral. Mas é um problema que continua sem solução. A indignação suscitada pelos pensadores liberais não foi suficiente para criar uma imagem do eu realmente capaz de dispensar o princípio da razão e do desejo.

O conceito freudiano da psique e o contraste marxista entre a ciência e a ideologia representam, apesar dos requintes que os acompanham, duas versões mais recentes do princípio da razão e do desejo. Freud não se mostrou menos ansioso que Hobbes em retratar o poder cego e autossuficiente

Psicologia liberal

dos desejos. Não deixa dúvida tampouco sobre sua relativa autonomia da compreensão ou seu domínio sobre esta. Para Marx é precisamente o fato de apresentar o interesse sob a capa de conhecimento que constitui a feição marcante da ideologia e lhe nega a qualidade de ciência. Confundir interesses com conhecimento representa uma distorção. O interesse é presa da vontade, mas o conhecimento é o prêmio da razão.

Ao considerarmos como esses dois movimentos revolucionários do pensamento social moderno se acham totalmente escravizados ao princípio da razão e do desejo, podemos contar com dificuldades em compreender, e ainda mais em aceitar, um ponto de vista totalmente diverso. O conceito platônico de uma ciência de ideais, na prática da qual o conhecimento e o desejo se pudessem transformar numa coisa só, é tão estranho às nossas formas de pensamento que qualquer tentativa de emulá-los dissolve-se em misticismo, ou desemboca numa catalogação arbitrária de valores abstratos.

O espírito insólito que anima essa negação pré-liberal do princípio da razão e do desejo é o conceito de que o que deveria ser e o conceito do que é não são totalmente diversos. Neste conceito, o ideal não se ergue acima do mundo, mas é parte dele. Os valores são fatos porque têm uma maneira de existência fora da mente dos indivíduos que os reconhecem. E os próprios fatos, corretamente compreendidos, já são, de algum modo, o que deveriam ser. Mais concisamente: a essência inteligível de cada coisa no mundo é o seu ideal. Assim, por exemplo, de acordo com esse conceito, há um ideal universalmente válido da vida humana aperfeiçoada. Chamamos esse ideal de humanidade, porque ele distingue o homem de todos os outros seres. É a sua essência inteligível.[16]

Onde quer que prevaleça a psicologia liberal, a distinção entre descrever as coisas do mundo e avaliá-las será aceita como a premissa de todo o pensamento esclarecido. Porque a metafísica clássica não acolhe essa distinção, já não podemos falar sua linguagem. Há, no entanto, pelo menos uma modalidade familiar de pensamento na qual o repúdio ao contraste entre fatos e valores encontra lugar: as crenças da religião. Na verdade, o conceito segundo o qual a compreensão do que devemos fazer integra a compreensão do que o mundo realmente é, é uma característica comumente atribuída às ideias religiosas.[17]

Conhecimento e política

Entre a psicologia liberal e a religião não pode haver uma paz duradoura, mas, no máximo, uma ilusão de tolerância mútua. Do ponto de vista do psicólogo liberal, a religião deve ser tratada como uma criatura do desejo, tal como a mágica pode ser descrita como um antecedente da razão.

Descrevi o princípio da razão e do desejo e indiquei algumas maneiras de proceder à sua reformulação. Mas por que ele exerce poder sobre nós? Não posso responder a essa pergunta até que tenha tornado meu retrato da psicologia liberal mais concreto pela introdução de um segundo princípio.

O PRINCÍPIO DO DESEJO ARBITRÁRIO

O segundo princípio da psicologia liberal é uma extensão do primeiro. Declara que os desejos são arbitrários do ponto de vista da compreensão. Este é o princípio do desejo arbitrário.

Explicarei primeiro o que quero dizer ao qualificar os desejos como arbitrários. Não podemos extrair uma justificação das opções que fazemos simplesmente de uma compreensão dos fatos. Mesmo que compreendêssemos por que todas as coisas são necessariamente o que são, ainda assim teríamos que optar entre modalidades alternativas de ação, e toda a nossa ciência seria incapaz de justificar tais opções. O desejo, então, é arbitrário no sentido de que não podemos determinar o que querer, ou melhor, não conseguimos justificar nossas determinações apenas ampliando nossa compreensão dos fatos. Ou seja, a escolha não é reduzível à compreensão porque volta e meia, e na vida da mesma pessoa, diferentes escolhas são compatíveis com a mesma compreensão do mundo. Do mesmo modo, uma pessoa cuja visão do mundo se modifique com o tempo não modificará, necessariamente, seus objetivos. A arbitrariedade dos desejos consiste na impossibilidade de usar a razão para justificar seu conteúdo.[18] Na psicologia liberal há dois tipos primordiais de qualificação para essa formulação inicial do princípio do desejo arbitrário. A análise de cada uma delas servirá para tornar esse princípio mais claro.

Uma primeira qualificação é a de que os desejos são, eles próprios, capazes de ser objetos da compreensão. A razão pode voltar-se para eles e tratá-los

Psicologia liberal

como fatos, com causas e efeitos como todos os outros fatos.[19] Isso é o que a psicologia científica procura fazer. Mas, para a compreensão, os desejos não podem nunca ser apenas fatos colocados de encontro ao eu no mundo exterior. Eles são também o que nos faz pessoas individuais. Como os desejos são um elemento do eu, terão sempre um duplo aspecto para a compreensão. Por um lado, são eventos psíquicos a serem explicados causalmente. Por outro lado, são experimentados como possuindo um elemento de pura contingência que a explicação causal nunca poderá penetrar plenamente.

A contingência de nossas opções e inclinações tem, por seu turno, duas características, sendo que a segunda depende da primeira. As opções devem ser atos que poderíamos não ter cometido; as inclinações, tendências que poderíamos ter desenvolvido. Isso é o que é chamado de livre-arbítrio. A segunda característica da contingência dos desejos é a de que a razão, sozinha, não pode defendê-los ou atacá-los. Nada tem a dizer sobre se eles são certos ou errados, exceto quanto a um ponto focalizado abaixo. Se não houvesse o livre-arbítrio, contudo, o problema de criticar ou justificar desejos jamais se apresentaria – seria absurdo.

A ideia de que os desejos podem ser considerados quer como efeitos de outras causas, quer como opções contingentes, dependendo de se queremos explicar uma conduta, criticá-la ou justificá-la, é um ponto crítico na psicologia liberal. Aqui também Kant propõe uma solução cuja virtude é a de demonstrar não haver solução possível, a não ser que os termos do problema sejam recolocados. Pense no homem, diz ele, como se fosse um cidadão de dois reinados: um território natural de determinação causal e um território moral de liberdade. Assumimos que seja o primeiro porque desejamos explicar o mundo e o segundo porque queremos justificar a conduta. Mas a relação entre as duas conclusões, o desejo como fato determinado e como escolha arbitrária, permanece um mistério insolúvel. Embora Kant afirmasse que uma lei moral, e não o capricho da vontade, tomaria o lugar da determinação natural no reinado moral, viu-se forçado a deixar na obscuridade a conexão entre as duas leis.[20]

Como os desejos podem ser tratados como fatos ou como fins, embora nunca como ambos ao mesmo tempo, a psicologia liberal se dividiu em duas

Conhecimento e política

disciplinas distintas: a psicologia empírica e a ética. O psicólogo científico imagina que suas preocupações sejam de outra ordem que as do moralista. Interessa-se pelos desejos enquanto acontecimentos a serem explicados e não como bases para a crítica e a justificação. O moralista, por seu turno, supõe que suas inquisições se situam além do terreno da "ciência". Assim é que a própria maneira pela qual o psicólogo e o moralista definem o alcance de suas respectivas disciplinas obscurece o sistema de pensamento do qual essas disciplinas surgiram e em cujas premissas eles continuam a confiar.

A segunda qualificação do princípio do desejo arbitrário é o papel subsidiário que a razão pode desempenhar na justificação e na crítica da escolha. Constitui-se em objetivo marcante da compreensão descobrir os meios através dos quais poderá alcançar os objetivos que a vontade escolheu.

Essa utilização instrumental do conhecimento envolve a razão no processo pelo qual os fins são definidos e ordenados, mas não modifica o caráter fundamental da relação entre a compreensão e o desejo. A razão pode nos dizer que se quisermos *a*, de que gostamos, precisamos aceitar também *b*, de que não gostamos, porque *b* não pode ser separado de *a*. Ou pode avisar-nos de que não podemos ter *a* e *b* ao mesmo tempo, embora desejemos ambos, porque não se adunam um ao outro. Finalmente, poderá ensinar-nos a maneira de organizar, ao correr do tempo, a satisfação de nossos desejos, privando-nos de algumas coisas, agora, para colhermos melhor futuramente.[21]

Mas, ao cabo de tudo, a razão não nos pode levar a escolher um tipo de ação simplesmente porque ela merece ser escolhida, nem pode proibir-nos de decidir em favor de um novo objetivo para nossas atividades. Seu trabalho a serviço do desejo é indispensável, mas limitado. O limite é a linha que divide a elucidação das relações entre desejos da decisão sobre o que escolheremos finalmente. O alcance do princípio do desejo arbitrário tornou-se, assim, claro. Mas qual é precisamente a sua relação com o princípio da razão e do desejo?

Se a razão é o elemento universal e o desejo é o elemento particular no homem, tanto a exaltação do primeiro quanto a negação do segundo prejudicarão a individualidade. O ideal de servir à razão consistentemente levará a

Psicologia liberal

reconhecermos o caráter ilusório da individualidade e a unidade indivisível do mundo (Spinoza). Quando a filosofia indica o caminho para a extinção de todo e qualquer desejo como o da sabedoria, que, só ela, pode libertar-nos da ilusão e do sofrimento, anula também a própria base da identidade individual (Schopenhauer). Do ponto de vista da psicologia liberal, o racionalismo e o misticismo são inimigos gêmeos da separação das pessoas.

O princípio da razão e do desejo e o princípio do desejo arbitrário encontram-se no centro de um sistema de crenças cuja superfície estamos apenas começando a tocar. Para dar uma noção do peso desses princípios, discutiremos sua conexão com uma série de dicotomias que percorrem muitas de nossas ideias.

A oposição dos meios e dos fins como categoria básica do discurso moral pressupõe o contraste entre o conhecimento objetivo e o desejo arbitrário. Tudo no mundo é potencialmente objeto de um apetite ou de uma aversão. Mas tudo aquilo que um indivíduo não busque, ou receie, como um fim, é importante para ele apenas como possível meio. A escolha de um meio para alcançar um fim é uma atividade da compreensão e, como tal, objetiva. A escolha dos próprios fins é obra do desejo e, por conseguinte, arbitrária. É claro que rejeitamos certas formas de ação por serem erradas, e não, simplesmente, por serem ineficazes. Mas o motivo para isso é que, ao agirmos, temos sempre em vista uma série de objetivos outros que não aquele para o qual se orienta nossa ação naquele momento e não permitimos que todas as nossas finalidades sejam sacrificadas à realização de um objetivo imediato. No entanto, as prioridades entre fins conflitantes têm que ser escolhidas pela vontade.

O dualismo da forma e da substância é também ligado ao princípio da razão e do desejo, embora sua influência se estenda para muito além das fronteiras da psicologia. A compreensão contribui para a organização de nossos objetivos clarificando suas inter-relações, mas nunca determina, em última análise, sua substância. A razão é tão formal na execução de suas responsabilidades morais quanto no exercício da verdade científica. A substância de nossos objetivos é objeto da vontade arbitrária, tal como a substância

Conhecimento e política

do fenômeno natural é entregue, pela ciência, ao domínio de nossas impressões sensitivas do dia a dia.[22]

A dicotomia entre a vida pública e a vida privada é outro corolário da separação entre a compreensão e o desejo. Oferece uma perspectiva de onde podemos ver, como quem olha para trás, os dualismos precedentes. Já que os homens são feitos dos dois elementos diversos, o da razão e o da vontade, eles movem-se em dois mundos que são apenas precariamente ligados um ao outro. Ao raciocinarem, integram-se num mundo comum, porque o conhecimento, quando verdadeiro, não varia de uma pessoa para outra. Ao desejarem, no entanto, tornam-se indivíduos particulares, porque não podem oferecer aos outros senão justificativas parciais de seus objetivos, na linguagem do pensamento. Os meios e a forma, como objetos da razão, são do domínio público; os fins e a substância, como preocupações do desejo, são do domínio particular.

Há uma dicotomia final que, embora associada às categorias que discutimos, ocupa uma posição única e inquietante na psicologia liberal. É a divisão entre técnica e teoria. Por técnica entendo, aqui, o conhecimento voltado para coisas e objetos de manipulação formal, ou como meios para fins. Nesse sentido, o conhecimento técnico inclui tanto a ciência quanto o que definimos, mais rigorosamente, como opção tecnológica ou instrumental – a aplicação da ciência ao desenvolvimento de quaisquer objetivos que tenhamos em vista. O psicólogo liberal nos convida a acreditar que a técnica exaure as forças da razão. Como a razão é técnica, os meios e as formas são seus únicos objetos possíveis e a vida pública, o cenário que lhe é próprio.

Mas suponhamos um conceito diferente dos deveres da razão. Imaginemos que o intelecto presuma elucidar tanto os fins como os meios da conduta. Que não se satisfaça com generalidades puramente formais e que arraste para a arena do debate público assuntos habitualmente relegados à vida particular. Ao agir dessa maneira, a mente está envolvida com o que poderíamos chamar de teoria, por contraste com a técnica.

Enquanto a filosofia for teoria não pode desfazer-se nas disciplinas técnicas que dela derivaram. Todas as revoluções de nossas ideias gerais sobre

Psicologia liberal

a mente e a sociedade foram realizadas pela teoria. A revolução liberal, no entanto, embora realizada por teóricos, atacou o próprio conceito de teoria ao talhar a vida em categorias nas quais não havia lugar para a teoria.

A tentativa de pensar teoricamente representa, por conseguinte, por sua própria natureza, um desafio às estruturas da psicologia liberal. A teoria desrespeita as dicotomias que separam os meios dos fins, a forma da substância e a vida pública da vida privada. Por isso não será surpreendente descobrirmos, posteriormente, que o pensamento especulativo não pode aceitar o contraste entre a razão e o desejo, ao qual estão ligados todos os dualismos anteriores. Para desenvolvermos um conceito adequado de personalidade, precisamos atravessar a linha que separa a descrição da avaliação e restabelecer, num nível mais alto, a unidade do fato e do valor, que os pensadores liberais procuraram destruir.

O PRINCÍPIO DA ANÁLISE

Os dois primeiros princípios da psicologia liberal se dirigem à personalidade como um todo. O terceiro vai mais diretamente ao conhecimento. Declara que nada existe em qualquer dose de conhecimento que não possa ser, através da análise, inserido de volta nas sensações ou ideias elementares de que foi composto e, a partir delas, construído outra vez. Esse é o princípio da análise.

O princípio da análise reconhece que as sensações são diversas dos fatos e as ideias, diferentes das sensações. Mas insiste em que todas as operações da mente, através das quais adquirimos conhecimento, se dividem em duas categorias. Inicialmente, sensações discretas e ideias associam-se a ideias mais gerais e mais complexas. Depois, essas ideias mais complexas fragmentam-se nas várias parcelas de que se constituíram. Inicialmente, há combinação, justaposição ou agregação e, no segundo estágio, análise e combinação esgotam os meios através dos quais podemos obter conhecimentos, ou do mundo natural ou das verdades formais da matemática e da lógica.[23]

Conhecimento e política

Suponha-se que consideramos qualquer aspecto de nosso conhecimento como um todo cujas partes são as sensações ou ideias das quais se compõem. O princípio da análise pode, então, ser redefinido como a proposta de que, na aquisição do conhecimento, o todo é a soma de suas partes. A virtude dessa aparente tautologia é a de evocar a possibilidade de um conceito bem diverso do processo através do qual tomamos conhecimento do mundo.

De acordo com esse ponto de vista alternativo, que poderemos chamar de princípio da síntese, é impossível nos darmos conta do conteúdo de qualquer modalidade de conhecimento mais complexo pela simples soma dos mais elementares conceitos e sensações de que ele se compõe. Pelo contrário, a informação fornecida por um nível mais complexo de conhecimento introduz algo de genuinamente novo, comparativamente ao que se conhecia anteriormente. Essa é a noção que a metáfora do todo como algo que difere da soma de suas partes pretende descrever. Muitas correntes do moderno pensamento social, como a psicologia da Gestalt e a antropologia estrutural, rejeitaram o princípio da análise em favor do princípio da síntese, mas, porque continuaram a confiar nas outras premissas psicológicas e políticas do liberalismo, todas sofrem os vícios da crítica parcial.[24]

Um conceito bem conhecido da natureza das verdades matemáticas e lógicas, segundo o qual tudo o que faça parte de nossas conclusões já estaria contido nas nossas premissas, ainda que não nas nossas percepções, ilustra o princípio da análise. A alegação de que precisamos compreender a organização de determinadas sensações e conceitos antes de podermos assinalar a identidade e o significado dos particulares exemplifica o princípio da síntese.

O espírito que unifica a teoria liberal do conhecimento é a confiança na primazia do simples. O mundo é feito de coisas simples. Nossa capacidade de compreendê-lo depende do êxito que obtemos em partir do simples para o mais complexo, e voltar novamente do último ao primeiro. Como Anteu, readquirimos força ao tocarmos a terra. O complexo, pelo contrário, é sempre derivatório e forçado. Por isso a simplicidade é associada à naturalidade e ao concretismo; a complexidade é abstração e artificialidade.[25]

Psicologia liberal

Na história das teorias liberais da mente, a confiança na prioridade do que é simples nunca constitui uma tese fácil de ser mantida. Sua fraqueza fundamental reside na sua dependência da doutrina das essências inteligíveis. De que outra maneira poderíamos justificar a alegação de que os simples fatos possuem uma identidade própria antes de serem situados no escopo de uma teoria definida? Aceitar a doutrina das essências inteligíveis significaria abandonarmos o moderno conceito da ciência e abrirmos as portas a teorias do valor objetivo da lei natural. A essas teorias, contudo, o liberalismo precisa se opor incessantemente, porque elas desconhecem suas mais básicas premissas morais e políticas.

As implicações sociais do princípio da análise são de duas categorias: sua influência sobre as espécies de pensamento que os homens julgam ter direito a pensar e sua relação com a maneira pela qual a sociedade está organizada.

A visão analítica do conhecimento completa o desmembramento do conceito clássico e teórico que os primeiros dois princípios organizaram. Sua consequência geral é desmoralizar todas as tentativas de construir sistemas conceituais antes da paciente investigação de suas características particulares, porque é nessas características particulares, mais que no sistema que pretende descrevê-las, que a realidade se encontra. Por conseguinte, o princípio da análise é uma defesa sem preço da especialização das ciências e da limitação de toda e qualquer crítica do pensamento liberal à crítica parcial.

O princípio da análise também se afasta de qualquer tentativa de compreender nossa situação social como um todo – um todo que jamais poderia ser elucidado pelo estudo de suas partes apenas. A consciência do caráter de nossa posição histórica deve, por conseguinte, restringir-se à análise de certos acontecimentos históricos. Todos os outros estudos da sociedade serão qualificados de charlatanismo por pretenderem realizar o que a noção liberal da mente considera que não pode ser feito. Como o mundo social não pode ser apreendido como um todo, é também impossível imaginar de que maneira ele poderia ser modificado como um todo. O princípio da análise é o eterno inimigo da revolução.

Conhecimento e política

O que o conservadorismo liberal tem de mais surpreendente são suas estranhas implicações para o estudo do próprio liberalismo. O axioma da análise se opõe a qualquer tentativa de passagem da crítica parcial à crítica total na discussão do pensamento liberal. Ele sempre se orienta, para o estudo dos problemas individuais, pela negação de que haja um todo na tradição do liberalismo; vê apenas ideias específicas sustentadas em diferentes momentos.

O imperador do Japão, protegido de seus súditos por um biombo, não poderia contar com melhor esconderijo que o que esse conceito do conhecimento fornece à doutrina liberal.

O princípio da análise talvez deva muito do que é nele atraente a uma forma particular de ordem social para cuja perpetuação ele contribui por seu turno: a situação na qual a existência social de cada homem se espelha numa diversidade de papéis. Não há posição social que reúna na execução de uma só atividade os diferentes aspectos da vida social, tornando assim possível examinarmos a ordem social na sua totalidade. Quando todos os interesses são considerados, ou particulares e subjetivos, ou uma combinação de interesses subjetivos e particulares, nenhuma atividade pode ser vista como a expressão de um interesse universal cuja realização exige um conhecimento universal da sociedade. Uma existência social fragmentada só pode produzir um conhecimento fragmentário da ordem social. O princípio da análise é, portanto, o limite social de sua autoconsciência.

Os três postulados discutidos são os elementos mais simples da psicologia liberal e a base de grande parte de nossas ideias sobre a moral e a natureza humana. A natureza da relação entre o princípio da razão e do desejo, e o princípio do desejo arbitrário, já foi sugerida. Fará com que seja mais surpreendente descobrirmos que esses dois princípios implicam, e se acham implicados, pela visão analítica da mente. Sinto-me incapaz, contudo, de elucidar o caráter dessa interdependência de imediato, posto que a compreensão do meu argumento requer a apreensão das doutrinas da teoria política liberal a ser discutida no próximo capítulo.

AS MORAIS DA RAZÃO E DO DESEJO

Minha crítica à psicologia liberal desenvolve-se em três estágios. Primeiramente, distingo dois tipos básicos de teoria moral que a psicologia liberal faz surgir. Depois, demonstro como ambas essas teorias se prendem a um paradoxo – a antinomia entre razão e desejo. Finalmente, examino o efeito destruidor dessas duas morais sobre o conceito da personalidade. A antinomia entre razão e desejo, que é o tema central do argumento, encontra-se no coração da história das ideias morais no moderno Ocidente, assim como a antinomia entre teoria e fato é o eixo da evolução de pontos de vista sobre a ciência e a natureza.

O modo de respondermos à indagação sobre os critérios pelos quais devemos nos conduzir depende, invariavelmente, do conceito de personalidade de que partimos. Por isso que a psicologia liberal distingue dois elementos decisivos no eu, oferece duas respostas principais ao problema moral: a moralidade do desejo e a moralidade da razão. Embora essas denominações jamais tenham sido adotadas pelos filósofos liberais clássicos, descrevem as principais soluções alternativas dos problemas morais comuns que todos eles enfrentaram. A relação das especulações éticas dos grandes filósofos com esses tipos elementares de pensamento moral é semelhante à do estilo dos grandes escritores com a linguagem comum, uma linguagem que se mantém viva e se aperfeiçoa na prosa do artista.

A moralidade do desejo define o bem como a satisfação do desejo – a capacidade de alcançar os objetivos para os quais nos inclinam os nossos apetites e as nossas aversões. A plenitude é o estado imaginário em que todos os desejos se acham satisfeitos. A tarefa da ética, desse ponto de vista, é ensinar-nos como organizar a vida de maneira a atingirmos a satisfação. Chamamos esse processo contínuo de felicidade.[26] Como parte de sua busca pela felicidade, os homens selecionam os desejos que devem ser satisfeitos em primeiro lugar devido à sua maior intensidade, ou porque satisfazê-los é a condição necessária à satisfação de outros desejos.

De acordo com a moral da razão, esta estabelece os critérios da conduta acertada. Isso constitui uma noção estranha desde o início.

Conhecimento e política

A tradição da metafísica clássica, anterior à invenção da doutrina liberal, depositou grande confiança no conceito da razão prática. Assim como há uma razão teórica que distingue o verdadeiro do falso, há também uma razão prática que separa o bom do mau.[27] A noção de razão prática tardou muito a ser abandonada pelos modernos, mas é certamente incompatível com as premissas da psicologia liberal.

Por definição, a compreensão não avalia – descreve. Para que seja a fonte dos critérios morais, deve proibir certas normas de conduta simplesmente por serem erradas e não apenas por serem contraindicadas ou inconsistentes uma com a outra. Como pode a psicologia liberal construir uma moral da razão?

Lembremo-nos da formulação política do princípio da razão e do desejo. Os homens diferem uns dos outros pelo que eles desejam, mas são capazes de conhecerem o mundo da mesma maneira. Os desejos particulares experimentados pelo indivíduo são arbitrários do ponto de vista da compreensão. A única moral que a razão poderia estabelecer teria que ser, por conseguinte, aquela que unisse os homens, independentemente de seus objetivos caprichosos e individuais. Na verdade, constituir-se-ia uma característica indispensável de tais critérios universais da moral racional não favorecer os objetivos de um indivíduo particular só por ser aquele que os deseja atingir. Portanto, a moral da razão não poderia ser dedicada à promoção de qualquer finalidade específica, a não ser a da liberdade, cuja condição especial discutiremos adiante.

O ponto capital apresentado pelo moralista da razão é o de que há certas regras que devemos aceitar a fim de podermos ir além da asserção do simples desejo até o ato de julgar o que é certo e o que é errado. Só depois de tais julgamentos é que teríamos meios de justificar, diante dos outros e de nós mesmos, a satisfação de quaisquer de nossos desejos. Portanto teríamos que nos render a tudo o que está implicado na noção de um homem que age de acordo com a moral – um homem que, por ser capaz de argumentar sobre o que é certo e o que é errado, pode avaliar uma experiência e experimentá-la. Quando a razão afirma regras universais, não está realmente pretendendo legislar sobre o bem; está somente indicando quais os princípios que

Psicologia liberal

precisamos aceitar a fim de empreendermos uma crítica moral. Mas a razão por si só não pode persuadir-nos da importância de sermos capazes de justificar nossas próprias alegações, ou as dos outros.

A teoria ética de Kant é o mais puro exemplo da moralidade da razão. Seu imperativo categórico, "agir de acordo com a máxima que poderíamos desejar ser uma lei universal", ilustra de forma mais geral o que uma regra de semelhante moral seria, ou, melhor ainda, o critério constitucional ao qual todas as suas proposições teriam que obedecer. Assim também o conceito kantiano da vontade (*Wille*) é o de um desejo que se submeteu completamente às prescrições formais da razão universal.[28]

Note-se que ambas essas éticas diferem nos seus conceitos do papel da teoria moral e diferem, igualmente, na maneira pela qual resolvem o problema moral. Para o moralista do desejo existe apenas uma linha tênue e elusiva entre a psicologia descritiva e a ética. Para ele, os desejos contingentes dos indivíduos são o único material de que podem ser extraídos os critérios da moral, e, por conseguinte, toda reflexão sobre a moral deve começar pela compreensão das paixões a que os homens estão sujeitos como animais presos ao desejo. O moralista da razão pensa de modo diferente. Estabelece uma distinção bem definida entre as regras universais de conduta e os apetites contingentes dos indivíduos, reduzindo sua atenção às primeiras.

A moral do desejo é, ainda, uma ética de objetivos, que se preocupa com a satisfação de desejos particulares. Mas a moral da razão é uma ética de regras dos princípios universais que limitam a busca de qualquer de nossos objetivos. Assim, a primeira pretende afirmar a prioridade do bem sobre o direito e a segunda, a prioridade do direito sobre o bem.

As duas morais correspondem mais ou menos a duas tradições na história da ética moderna. A primeira tradição iniciou-se com o conceito de Hobbes sobre o valor como reflexo do apetite, transformou-se na busca de uma lógica dos sentimentos morais associada aos moralistas escoceses e voltou, com Bentham, à noção mais crua da utilidade. A segunda tradição começou a tomar forma com os racionalistas do século XVIII, mas só se tornou bem definida nos escritos de Kant e seus discípulos.

A ANTINOMIA ENTRE A RAZÃO E O DESEJO

Nem a moral da razão nem a moral do desejo resistem a um exame mais aprofundado. Cada uma delas é inadequada e precisa ser aceita pela outra. No entanto, não parece haver possibilidade de uma síntese das duas dentro dos limites da psicologia liberal.

A primeira objeção à moral do desejo é a de que é incapaz de passar da descrição à avaliação da conduta e, portanto, de determinar quaisquer critérios de justificação. Os desejos apartam-se do rumo de qualquer modalidade de compreensão do mundo. Não nos sentimos capazes de pressupor que exista uma ordem entre nossas opções e inclinações, uma ordem que a razão possa descobrir ou impor à vontade. Um traçado dos desejos de um indivíduo só seria possível se ele pudesse indagar ao que seria obrigado pelo sistema de seus fins num caso particular.

É verdade que a psicologia liberal atribui à razão um papel subsidiário no planejamento da satisfação de nossos apetites, mas isso não é suficiente para assegurar a possibilidade de uma ordem. Embora a compreensão possa esclarecer as relações dos desejos entre si, ela não pode legislar sobre qualquer tipo de hierarquia entre eles. E ainda que possa inquirir sobre as implicações de um novo objetivo, não pode determinar se esse objetivo deve ser aceito ou rejeitado. Não há barreiras racionais ante a proliferação de novos objetivos porque, em última análise, todas as finalidades são igualmente caprichosas.

Por isso que a moral da razão não fornece critérios para que se prefira um desejo a outro, não consegue servir de base para a justificação ou a crítica das escolhas. Outra maneira de afirmarmos isso é reconhecer a impotência moral da razão na psicologia liberal e daí chegarmos ao absoluto ceticismo moral. Um apelo às intensidades relativas dos desejos em competição para que aquelas sejam usadas como critério de opção leva o problema a outro nível. É duvidoso que tais medidas de intensidade possam ser tomadas e não nos parece claro por que deveríamos tomá-las. Além disso, o vigor com que "sentimos" uma vontade pode depender, em parte, do valor que lhe atribuímos.

Psicologia liberal

A moral do desejo deve, portanto, ser condenada como uma ética que nada tem de ética e não passa de uma inadequada psicologia descritiva. Sua falha principal, como base para a descrição de como as escolhas são feitas, é a incapacidade de justificar de que modo ou por que elogiamos ou condenamos e de que maneira nossa prática do julgamento moral se liga ao desenvolvimento de nossos apetites e aversões. De qualquer ângulo que nos aproximemos do problema, a conclusão é sempre a mesma. O psicólogo liberal não pode atravessar o muro entre a descrição e a avaliação que ele próprio construiu.

A primeira objeção à moralidade do desejo tem a ver com sua capacidade de servir como doutrina moral. A segunda dirige-se ao que há de insatisfatório no tipo de vida que indica. Este último argumento representa uma transição para minha discussão posterior sobre o significado da antinomia entre a razão e o desejo em relação à ideia da personalidade.

A moralidade do desejo é paradoxal. Ela canoniza o contentamento como sendo o bem e define-se como satisfação do desejo. Mas não podemos alcançar esse contentamento sem os critérios que nos permitam julgar e ordenar nossos objetivos. Assim que um desejo é satisfeito, outro desejo deverá tomar seu lugar, pois, de acordo com a psicologia liberal, somos criaturas que buscam incessantemente e estaremos sempre querendo alguma coisa enquanto vivermos. Não há razão para acreditar que o número de desejos insatisfeitos diminua com o tempo.[29]

É nesse ponto que a importância moral do princípio da análise se torna clara. Se é impossível, na aquisição do conhecimento, ver um todo como sendo diferente da soma de suas partes, será também impossível para o eu compreender sua própria vocação moral como algo à parte da soma de seus desejos particulares. Tendo ficado sem uma base da qual excluir novos desejos, ele é condenado à insatisfação e ao descontentamento.

A sucessão de desejos por simples agregação, para a qual a moralidade do desejo não nos oferece saída, assemelha-se à ideia do infinito como uma série infindável de números. A sequência de um número particular de desejos permanece incompleta; nunca vai além de uma série linear.[30] Esse aspecto é

Conhecimento e política

fruto do hedonismo, a doutrina de que o que é bom é o prazer e especialmente o prazer dos sentidos. Hedonismo é um exemplo comum, embora não seja de modo algum o único exemplo da moralidade do desejo. Seu paradoxo é o próprio paradoxo dessa moralidade. O prazer consiste na satisfação do apetite presente, mas devido à sucessão ininterrupta de apetites haverá sempre um desejo – o último – que permanece insatisfeito. Por isso, a busca do prazer como princípio ético estará para sempre condenada a permanecer um passo aquém de seu objetivo.[31]

A moralidade da razão é tão insustentável quanto a sua rival. Minha objeção primeira é novamente dirigida à capacidade que a moral da razão poderá ter de servir como fundamento para julgamentos morais de qualquer espécie, e meu segundo argumento é relativo à impropriedade do modo pelo qual o moralista da razão concebe a vida moral. Estas duas críticas constituem o dilema da moralidade da razão. É necessário que ela seja, ou praticável e incoerente, ou coerente e impraticável, mas não pode ser, ao mesmo tempo, coerente e praticável. Sempre suas asserções serão excessivas, para que sejam coerentes, ou insuficientes, para que sejam praticáveis.

A coerência exige que os princípios universais da moralidade da razão não sejam neutros em relação aos propósitos de indivíduos específicos. Dado o postulado do desejo arbitrário, não há base sobre a qual se firme a preferência de um objetivo ou outro. Mas enquanto essa neutralidade formal for estritamente mantida, os critérios que produz não passarão de uma casca vazia. Até que as cascas sejam enchidas por princípios mais concretos, eles são capazes de acomodar praticamente qualquer espécie de conduta, e incapazes de determinar precisamente o que é exigido ou proibido em situações particulares de opção. Fazei aos outros aquilo que queres que te façam – mas o que deveremos querer que eles nos façam?

No entanto, logo que tentamos tornar essas regras mais concretas, surgem problemas. A decisão quanto a que tipo de benefícios podemos auferir dos outros, ou que determinações ou proibições devem assumir a forma de leis universais, força-nos a descer ao nível dos objetivos individuais conflitantes cujo valor relativo a razão não possui autoridade para julgar.[32]

Suponhamos que fosse possível fazer as regras da razão determinantes. A subordinação dos desejos a regras puramente racionais significaria a imolação do que a psicologia liberal define como sendo a parte combativa e individual do ser.[33] A moralidade da razão lida com os homens num domínio em que eles são idênticos uns aos outros. Todavia, se as regras da razão fossem tão indeterminadas que permitissem a busca de objetivos individuais diversos, os problemas da moral do desejo ressurgiriam.

Tendo considerado as principais objeções às duas espécies de teoria moral que a doutrina liberal apoia, posso agora precisar em que consiste a antinomia entre razão e desejo. Duas doutrinas morais, igualmente insustentáveis, e mutuamente contraditórias, parecem resultar dos postulados da psicologia liberal. Se a moral do desejo é falha em nos fornecer orientação, abandonando-nos a nossos caprichosos e variáveis apetites, a moral da razão não considera ou ignora nossa existência como criaturas subjetivas possuindo objetivos individuais. A primeira nos proíbe de levarmos nossa busca a uma conclusão; a outra não nos permite qualquer busca. Uma não conclui; a outra não começa.

A fim de estabelecermos a possibilidade de uma ordem nos nossos desejos, precisamos apelar para a razão. Mas dentro dos limites da psicologia liberal a razão nada pode avaliar. Para darmos conteúdo aos princípios formais que a razão estabelece, temos que abandonar uma postura de neutralidade entre os desejos do indivíduo e entre os desejos de diversos indivíduos. No entanto, foi precisamente para aceitarmos a necessidade de escolher entre desejos igualmente arbitrários que tentamos construir uma moral da razão. Por um lado, não há maneira de justificar o papel normativo que a razão teria de exercer a fim de corrigir os defeitos da moral do desejo. Por outro lado, contudo, não há base para a arregimentação de anseios concretos que uma moral da razão justificável pudesse requerer. A raiz do problema está na separação feita pela doutrina liberal entre a compreensão e a avaliação. Enquanto essa separação persistir, o dilema das duas morais nos obrigará a escolher entre a cruz e a caldeirinha.

A antinomia entre a razão e o desejo é mais que um problema de filósofos; é uma fatalidade que cai com tremenda força sobre aqueles cuja experiência moral os princípios da psicologia liberal descrevem. Sua marca sobre a vida quotidiana é a não aceitação e, na realidade, a incompreensão das duas partes em que se divide o nosso ser. Para a razão, quando esta se coloca na posição de quem exerce um julgamento moral, os apetites são forças cegas da natureza, soltas dentro de nós. Devem ser controladas e, se necessário, suprimidas. Para a vontade, os comandos morais da razão são leis despóticas que sacrificam a vida ao dever. Cada parte do ser é condenada a uma perpétua guerra com a outra.

A IDEIA DA PERSONALIDADE

A próxima etapa da minha crítica da psicologia liberal é uma breve análise das implicações da antinomia da razão e do desejo em face da ideia da personalidade ou do eu. Minha tese será a de que os princípios psicológicos do liberalismo tornam impossível formular um conceito adequado de personalidade. Num sentido, o argumento se estenderá sobre os trechos mais marcantes da discussão anterior em torno da antinomia entre a razão e o desejo, mas, em outro sentido, ele servirá de preâmbulo à teoria do eu desenvolvida no Capítulo 5.

A primeira coisa a ser feita é esboçar os elementos de uma ideia elementar de personalidade – ideia implícita nas nossas práticas e nos nossos julgamentos do dia a dia. A principal defesa desse conceito do eu reside nas absurdas consequências a que levaria sua rejeição. Quando nos referimos a alguém como pessoa humana, quatro simples noções, pelo menos, nos vêm à mente.

Primeira – a pessoa deve possuir uma identidade contínua através do tempo. Se não possuísse essa continuidade temporal, ela não poderia ser considerada responsável por seus atos nem faria jus a compensações. Os julgamentos morais não teriam sentido. Além disso, a própria experiência, por ser uma experiência da existência no tempo, transformar-se-ia num enigma insondável.

Segunda – o eu deve partilhar com os outros de uma humanidade em comum. Deve ser capaz de reconhecê-los como seres capazes, devido à sua semelhança com ele próprio e de se prenderem a essa humanidade por sistemas de direitos e deveres. Se tal sistema do que é permitido não existisse, o indivíduo não disporia de uma base para a defesa de suas escolhas ou a crítica de seus semelhantes. Não poderia tampouco, na ausência dessa humanidade comum, explicar a relação entre a consciência de sua identidade própria e o reconhecimento desta pelos outros, ou o fato de depender de sua consciência no plano social da linguagem e da cultura.

Terceira – uma pessoa deve ser capaz de mudar de objetivos ao longo do tempo, ou de ter conhecimento da continuidade de sua existência. De outra maneira, não faria sentido a experiência de inovação na vida dos indivíduos e na história das espécies. O psicólogo liberal acrescentaria, na sua linguagem, que negar que os nossos objetivos mudem com o tempo é não levar em conta a vontade – sede da atividade no ser.

Quarta – a pessoa deve permanecer um indivíduo único a despeito de sua qualidade de sócio da espécie constituída por indivíduos semelhantes a ele. A experiência de que somos um ser à parte é a mais fundamental condição da existência própria. Sem essa identidade individual o eu não estabeleceria laços, e nada poderia ser dito a seu respeito. O caráter preciso da separação entre o eu e os outros não será assunto de nossa preocupação no momento.

As características de personalidade que enumerei parecem ser tacitamente reconhecidas mesmo quando escapam à observação. Não há pensador que não as tenha aceitado sob uma ou outra forma, tanto os filósofos do liberalismo quanto os defensores de tradições opostas do pensamento. No entanto, nem a moralidade do desejo, nem a moralidade da razão, podem fazer justiça à noção do eu que contém esses quatro elementos. Isso representa uma séria objeção, pois a personalidade é o que distingue o ser moral e dignifica a vida.

A moral do desejo destrói a compreensão da continuidade e da humanidade compartilhada do eu. Consideremos, primeiro, o problema da unidade temporal. Como já vimos, é uma consequência necessária da moralidade do desejo não permitir a criação de uma ordem entre nossos propósitos, quer num momento passageiro, quer, e com melhor razão, a longo prazo. A identidade do eu é definida pelas finalidades que contém. Se, ao correr do tempo,

Conhecimento e política

essas finalidades provarem ser realmente arbitrárias, e não formarem um sistema que a razão possa apreender, não haverá uma conexão racional entre os seres que existam em momentos diversos.

Dentro dos limites da psicologia liberal não representa uma garantia suficiente para a continuidade do eu o fato de que uma sequência de desejos possa ser sentida por um mesmo indivíduo. O psicólogo liberal não pode conceber a relação entre o eu e o corpo como um todo não analisável, ou como um todo que difere da soma de suas partes, sem que viole o princípio da análise. Para ele, basear a unidade temporal da pessoa humana na sobrevivência do corpo equivaleria a afirmar que diferentes fotografias pertencem ao mesmo filme porque foram tiradas pela mesma máquina.[34]

A questão é precisamente: como sabemos que a mesma *pessoa* está contida no corpo que temos diante de nós em momentos diversos? Só poderíamos ter certeza disso se fôssemos capazes de apreender a continuidade de sua luta, uma continuidade que a sequência dos desejos arbitrários em nada contribui para provar. Resulta daí que o eu deve parecer ao moralista do desejo uma série de pessoas descontínuas e, por conseguinte, pessoa alguma, assim como um filme que não conta uma história por ser, cada uma de suas imagens, uma história à parte.[35]

Uma segunda consequência da moralidade do desejo é a de destruir o conceito da humanidade comum. Traduzida para a linguagem da psicologia liberal, a humanidade comum significaria que há certos objetivos que os homens têm necessariamente em comum. Contudo, para o psicólogo liberal qualquer convergência de preferências é um acidente sem significado moral algum. Sem dúvida, seria possível demonstrar, como fato causal, que as circunstâncias da vida humana se organizam a fim de impor uma série de objetivos universalmente compartilhados por todos os seres. Mas a essas necessidades comuns não se poderia jamais atribuir um significado claramente moral sem a intervenção de algum princípio independente.

As implicações da moral da razão relativamente à noção de personalidade são exatamente simétricas às da moral do desejo. Esta última nega a

Psicologia liberal

continuidade e a humanidade do eu; a primeira nega sua capacidade de inovação moral e sua identidade individual.

A característica que define os princípios de moralidade racional é a de nos reter, independentemente de nossos desejos, num determinado momento. São princípios que se aplicam a nós simplesmente por sermos indivíduos racionais em constante busca e não por ser nossa busca dirigida para um objetivo em vez de outro. Por serem leis formais indeterminadas, os princípios da razão não levam em conta nossos inconstantes desejos; ao contrário, suprimem-nos.

A segunda consequência da moral da razão é corroer a base da individualidade do eu. Seu objetivo confessado é fundar uma ética sobre o elemento universal do homem. Não adapta e não pode adaptar os princípios que regem os objetivos específicos do homem. Aqui, ainda, ou passa por cima da individualidade em silêncio ou exige, expressamente, sua dissolução.

Minha análise da influência das duas morais liberais sobre o conceito da personalidade focaliza, de maneira abstrata e sumária, uma experiência moral familiar a todas as mentalidades modernas segundo o seu grau de atualização. Assim como a teoria liberal é incapaz de justificar a possibilidade da existência própria à vida, na moderna sociedade liberal nega-nos, continuamente, a posse de uma personalidade coerente. A dissolução da unidade temporal do eu e a perda de sua aptidão para reconhecer os atributos de uma humanidade universal justapõem-se à sua impossibilidade de renovar-se e à sua renúncia ao sentido de identidade individual.

Desse modo, as conclusões que o filósofo infere de doutrinas morais opostas são experimentadas simultaneamente pelas pessoas na prática vivencial. Os problemas quotidianos dos homens na sociedade moderna repetem a lição que a teoria já nos ensinou. A moral da razão e a do desejo podem ser polos contrastantes, mas não polos do mesmo aspecto – partes complementares de uma só situação moral. Essa situação deixa suas marcas em todo e cada aspecto da vida e do pensamento, das anomalias da mente às suas mais altas conquistas.

Por ser a mais completa doença da psique, a esquizofrenia ilustra, de modo dramático, a dissolução dos quatro elementos da personalidade que

Conhecimento e política

descrevemos. O esquizofrênico é incapaz de manter uma consciência dessa continuidade como pessoa e da humanidade de que participa. Ao mesmo tempo, contudo, fecha-se numa condição de ser que se sente incapaz de mudar e é desprovido de qualquer conceito claro de sua identidade individual. A esquizofrenia traz luz à verdade oculta da condição moral que a psicologia liberal descreve.[36]

Mesmo as mais ambiciosas tentativas do intelecto especulativo trazem a marca da doutrina liberal. Todas as nossas maneiras fundamentais de pensar distinguem entre os aspectos universais formais ou racionais e os aspectos particulares, substantivos ou adjetivos dos assuntos examinados. O moralista kantiano contrasta as leis universais da vontade racional com esforços particulares de indivíduos concretos.[37] O economista político clássico separa o lucro ideal versado em sua teoria hipotética do negociante concreto, com seu conjunto específico de inclinações e recursos. A moderna teoria positivista do direito traça uma linha divisória entre o indivíduo considerado juridicamente como sujeito de direitos e deveres e o indivíduo real que usa seus direitos para promover interesses particulares que não são da alçada do jurista.[38]

Em todos esses casos, confrontam-se uma humanidade ideal e abstrata e outra real e concreta. Como a moral da razão, a economia política e a teoria jurídica positivista só falam aos homens num determinado nível – aquele no qual as diferenças entre as pessoas deixam de existir. O estudo dos interesses e objetivos individuais do agente econômico, ou do sujeito de direito, é relegado a alguma outra disciplina, como a sociologia ou a psicologia, para ser, por seu turno, abandonado por essas ciências em favor da busca das estruturas universais da sociedade e da mente.

Há um notável paralelo entre esse contraste recorrente de uma humanidade abstrata e uma humanidade concreta e o conceito de ciência esboçado no início do capítulo. O que equivale às regras formais da ordem jurídica são as regras universais da lógica, assim como o argumentador lógico é como um eco do sujeito de direito. Podemos distinguir a validade jurídica de um ato, ou a validade lógica de uma conclusão, da justiça dos

Psicologia liberal

objetivos que o ato visa atingir, ou da veracidade da tese que a conclusão demonstra. A contrapartida da humanidade abstrata e concreta que as morais da razão e do desejo endeusam é o caso especial da separação mais genérica entre a forma e a substância no pensamento entre o universal e o particular.

PAPÉIS SOCIAIS E PERSONALIDADE

A onipresença das várias categorias de psicologia liberal permaneceria um mistério se dependesse exclusivamente da influência da tradição filosófica. Na verdade, contudo, os princípios metafísicos tiram seu poder da associação que mantêm com a forma dominante de organização social. A forma política da oposição da razão formal ao desejo arbitrário é o contraste entre a existência pública e a vida particular. Na nossa forma pública de existir falamos a linguagem comum da razão e vivemos sob as leis do Estado, as restrições do mercado e os costumes das diversas organizações sociais a que pertencemos. Na nossa vida privada, no entanto, ficamos à mercê das impressões e dos desejos de nossos sentidos.

Os desconfortos da vida são consequência da incansável batalha que esses dois aspectos da existência travam entre si, cada qual desejando a paz com seu inimigo, mas incapaz de alcançá-la. Na sua vida pública, o eu é ameaçado pela perda da sua identidade individual e pelo domínio sobre seu próprio futuro. Sua existência privada é marcada pelo receio de que habite um mundo ilusório porque suas opiniões e impressões não são compartilhadas pelos outros, e um mundo de irremediável satisfação, por se ver acorrentado à roda do desejo insatisfeito. Para vencer a sensação de ilusão, precisa persuadir os outros de que suas opiniões sobre o mundo não são insensatas. Para lidar com o efeito dissolvente que a ausência de um sistema coerente e definido de propósitos exerce sobre seu sentido de identidade, precisa assegurar-se da aprovação dos outros.

Assim é que o eu se move constantemente da vida pública para a vida privada apenas para ser compelido, no interesse de sua sobrevivência como

Conhecimento e política

pessoa particular, a lidar, publicamente, com os outros. Lançado para cá e para lá entre duas fatalidades, não pode aceitar nenhuma das duas como satisfatória. A organização pública parece, ao ser particular, um fato preordenado, para cuja existência em nada contribuiu. O interesse particular, por outro lado, apresenta-se ao eu, na sua existência pública, como uma escravização ao instinto cego e à ambição.

O conflito entre o ser público e o ser privado, que experimentamos como experiência moral, tem suas raízes numa situação social. A característica marcante dessa situação é a barreira entre o individual e as impessoais e remotas instituições do Estado. É somente através das múltiplas associações privadas, de que todos os Estados modernos se cercaram, e através da família que o antagonismo existente em cada pessoa é mantido dentro de limites que ainda permitem manejá-lo.[39]

Se a evolução da sociedade liberal rumo ao que descreverei mais adiante como sendo o Estado assistencialista corporativo e o Estado socialista for acompanhada pela tentativa de tornar, simultaneamente, públicas as entidades privadas e privadas as entidades públicas, diminuindo, assim, a separação entre o indivíduo e o Estado, será plausível indagar se o conflito entre o público e o privado não tenderia a desaparecer. Para responder a essa pergunta devemos primeiramente compreender em que sentido essas instituições sociais respondem ao problema da personalidade. Tornar-se-á, então, evidente por que motivo a solução que oferecem é ilusória.

Grupos e associações parecem garantir a unidade do ser pelo fato de fornecerem a uma pessoa uma posição social que, por enquanto, podemos chamar vagamente de "papel social". Esse papel é a posição ocupada na divisão do trabalho. As pessoas incumbidas de cada papel devem executar certas tarefas para as quais são indicadas devido a sua capacidade ou especializações. Como trabalhadores industriais ou funcionários civis, pais ou filhos, os homens ocupam seus lugares nas diferentes associações a que pertencem. A posição do cidadão no Estado é por demais difusa quanto às responsabilidades que implica para que se constitua num "papel social", tal como este é definido aqui.

Psicologia liberal

A organização, de acordo com o papel social, deve ser diferenciada da organização na qual os lugares são distribuídos segundo outros critérios que não o da capacidade ou do talento de cada um, como o da sucessão hereditária. Cada papel social ajuda o seu encarregado a formar uma imagem da continuidade de sua vida e dos laços de humanidade que o unem a seus companheiros. Se fizermos o que esperam de nós, seremos recompensados pela opinião dos outros homens de que todas as coisas que fazemos, em diferentes ocasiões, são ligadas entre si racionalmente, isto é, de um modo compreensível para eles. É o necessário para substituir o sistema de objetivos coerente e limitado que nos falta. É aquilo de que precisamos para nos sentirmos seguros na posse de um eu contínuo. Por outro lado, o papel social é sempre uma postura recorrente. Muitos outros o exercem além de nós. Terminaremos, naturalmente, por possuir determinados interesses e inclinações em comum com eles. Não tardaremos a reconhecer que, sob muitos aspectos, somos como os outros.

Ao mesmo tempo que acentua a unidade temporal e a humanidade comum do eu, a faceta pública da vida, o "papel social" parece respeitar seus aspectos privados, a instabilidade dos desejos e a individualidade da pessoa. Um papel social pode ser rigoroso, exigindo obediência às expectativas que impõe, mas atinge apenas uma parte limitada da vida. Mesmo que façamos o que esperam de nós, nas várias posições que ocupamos, há ainda muitas coisas que precisamos decidir sozinhos. Podemos modificar, às vezes, nossa orientação e buscar metas de nossa escolha sem que sacrifiquemos as vantagens do conformismo.

Mas o brado de vitória terá sido prematuro. A aparente garantia de segurança transformar-se-á na causa decisiva de nossa degradação. O eu, cuja continuidade nossa obediência assegurou, não é nosso próprio eu, mas apenas a máscara que fomos forçados a usar para obter a aprovação que tanto desejamos. Os outros nos salvam de não sermos nada, mas não permitem que nos tornemos nós mesmos. A humanidade comum que nossos papéis sociais nos revelam não representa o que temos realmente em comum com os outros homens; são apenas os interesses e preconceitos variáveis que podemos

Conhecimento e política

compartilhar com pessoas que se encontrem na mesma posição que nós. A liberdade de sermos instáveis nos nossos desejos e de perseguirmos as metas que escolhemos uma vez pago o tributo a César confronta-nos, mais uma vez, com os paradoxos da moral do desejo da qual tentávamos escapar.

No desempenho do papel social, o aspecto público e o aspecto privado do eu são mantidos afastados um do outro. Os regulamentos e as expectativas que governam nossa conduta pública funcionam como uma taça meio vazia na qual desejos diversos podem ser derramados. Mas a união do eu público e do eu privado nunca é realizada. Quanto mais são aceitas as convenções externas do papel social, menos o eu privado existe. Mas quanto mais liberdade ele conquista às restrições impostas pelas convenções, tanto menos encontra apoio ao sentido pessoal de unidade temporal e do caráter social do eu. Em lugar de uma solução, oferecem-lhe um dilema.

Na convergência do dilema encontramos os dois sentimentos morais básicos dos homens nesse sistema de papéis sociais. Na medida em que sacrificam o eu privado em favor do público, abrem mão de suas identidades individuais. Quando procuram livrar-se das convenções, e seguir seus próprios caminhos, sem papéis sociais definidos, sofrem a desintegração da unidade do eu. Suportar, ao mesmo tempo, a resignação e a desintegração tornou-se circunstância comum à vida moral.

CAPÍTULO 2
TEORIA POLÍTICA LIBERAL

INTRODUÇÃO

Minha discussão sobre a doutrina política liberal seguirá a mesma linha que o precedente estudo de psicologia liberal. Começarei por descrever alguns elementos da visão impensada da sociedade que ocupa uma posição central no nosso pensamento quotidiano, assim como nos ramos especializados do estudo social. O próximo passo consistirá em definirmos mais rigorosamente três princípios implicados na visão impensada. O primeiro postulado contrasta regras e valores; o segundo afirma que os valores são subjetivos; e o terceiro considera que as características de um grupo são reduzíveis às qualidades de seus membros individuais. Esses princípios se encontram no âmago da teoria política clássica do liberalismo. Eles explicam por que e como o liberalismo define a ordem e a liberdade como os problemas centrais da política.

O ato de situar esses problemas abrirá caminho à crítica da teoria liberal da sociedade. Argumentarei que o pensamento liberal político não pode responder às próprias perguntas que define como fundamentais. Buscarei, depois, a causa desse fracasso na incapacidade de chegar a uma compreensão coerente das relações entre normas e valores na vida social. Sem essa compreensão, uma visão adequada da sociedade não será possível. Finalmente, discutirei o conceito de valores compartilhados como uma tentativa de solucionar os enigmas do pensamento político, tentativa que prenuncia a transformação da doutrina que procura preservar.

A IMAGEM VULGAR DA SOCIEDADE[1]

Lembremos minha descrição, no Capítulo 1, sobre a mente enquanto máquina. O indivíduo é formado pela razão e pela vontade. A vontade dirige a razão, mas não controla o conteúdo do conhecimento. A sociedade é a pluralidade de indivíduos possuidores de compreensão e desejo.

Como seres que desejam, os homens são criaturas que seus apetites tornaram cegas. Entretanto, devido à importante qualificação sugerida pela antinomia da teoria e do fato, são capazes de possuir uma compreensão objetiva do mundo. Homens diversos, cada qual através de sua própria mente, podem aproximar-se cada vez mais da mesma verdade sobre a realidade. Por outro lado, as coisas que desejam e, por conseguinte, os propósitos a cujo serviço colocam a mente são infinitamente vários.

Entre essa abundância de objetivos há certas metas que quase todos perseguem. Os homens desejam o conforto e a honra e evitam o que se opõe a eles. Acima de tudo procuram manter a vida, porque o desejo quer ser satisfeito e não aniquilado. O conforto é a satisfação das necessidades materiais através de coisas materiais. A honra é a satisfação do desejo de ser objeto da obediência ou da admiração dos outros homens. Consequentemente, há duas espécies de honra, de poder e de glória.

O poder é a capacidade de comandar – de subordinarmos a vontade de outros à nossa própria vontade. A glória é a conquista da admiração e dos aplausos com que nos podem favorecer. O tranquilo exercício do poder que os homens chamam de autoridade pode depender, ou do reconhecimento da glória daquele que mantém o poder, ou da limitação desse poder por leis impessoais. As leis tornam possível o poder sem glória. A glória pode ser uma fonte de poder, e o poder, da glória, mas nem todos os homens poderosos são gloriosos e nem todos os homens gloriosos são poderosos.

A liberdade é a condição através da qual uma pessoa não permanece sob o controle de uma vontade estranha, ou permanece apenas sob o controle de uma vontade limitada por leis impessoais, de cuja instituição deverá participar, segundo dizem aqueles que são ao mesmo tempo democratas e liberais. O amor

Teoria política liberal

à liberdade é parte do desejo de evitar a escravização ao outro, que é o oposto do poder. A diminuição do desejo de conforto e honra é chamada de santidade, quando sua causa é o amor a Deus, e de loucura, quando advém de outra causa.

Uma sociedade de indivíduos que procuram alcançar seus objetivos particulares e satisfazer suas necessidades de conforto e honra deve ser caracterizada por uma hostilidade e uma dependência mútuas. Tanto a hostilidade quanto a dependência baseiam-se na natureza das finalidades humanas e na escassez dos meios de satisfazê-las.

A primeira causa da hostilidade, dada a escassez de recursos materiais, é o desejo de conforto. Aquilo de que os homens necessitam para seu conforto não existe em quantidade suficiente. Precisam lutar para consegui-lo. Essa luta é inevitável porque os homens desejam não apenas ter, mas ter mais que seus semelhantes. Só lutando por ter mais é que alcançam a certeza de conservar o que já possuem. O motivo disso é o fato de que o controle das coisas é um instrumento do poder.

O poder é a segunda causa do antagonismo existente na sociedade. O poder de alguns é a impotência de outros. Quanto mais for satisfeita a sede de poder de um homem, mais será frustrada a sede de poder de seu semelhante. A luta pelo poder será, assim, tão incessante quanto a luta pelas coisas.

A glória também estimula a hostilidade, porque ela brilha por contraste com a insignificância das outras pessoas. Não há tempo suficiente para admirarmos todos e, se todos fossem igualmente famosos, a fama perderia seu significado. A corrida pela glória é tão exigente e brutal quanto a batalha pelo conforto e pelo poder, embora seja habitualmente mais e mais discreta.

Os mesmos objetivos que tornam os homens inimigos fazem deles, também, indispensáveis aliados. Para satisfazerem sua fome de conforto dependem uns do trabalho dos outros. Num certo sentido, a necessária dependência do trabalho dos outros é consequência da falta de tempo. Nenhum homem dispõe de tempo suficiente para satisfazer seu desejo de coisas materiais através dos próprios esforços, porque a morte chega depressa. Por isso os indivíduos encontram maneiras de comprar e vender o tempo de cada um. É preciso que exista um mercado de trabalho e a instituição do contrato de serviços.

Conhecimento e política

O controle do trabalho é a forma mais direta do poder, e o desejo do poder é a segunda fonte da cooperação, assim como é a segunda causa da rivalidade pessoal. Por definição, o poder exige a obediência, e a obediência, para que dure, deve ser dada e tomada ao mesmo tempo. Os homens não podem prever o que aconteceria numa luta livre pelo poder. Mas ao colaborarem para o estabelecimento de uma política sob a lei, podem assegurar-se de que cada um terá a oportunidade de exercer uma forma modesta de poder ou, pelo menos, de que nenhum será completamente desprovido de sua liberdade.

Finalmente, a interdependência humana é uma consequência do amor geral à glória. Fora do reconhecimento que obtém de seus semelhantes, uma pessoa não possui um ser coerente porque suas finalidades não formam um sistema estável e as diferentes partes de seu ser acham-se em guerra umas com as outras. Ele é definido pelos outros. Assim é que os indivíduos precisam unir-se para dar uns aos outros a sua individualidade, e através de sua admiração mútua, para se consolarem tanto quanto possível, do seu medo da morte.

Embora nem todos possam ser admirados na mesma medida, podemos, estabelecendo uma sociedade bem organizada, nos assegurar de que ninguém seja completamente derrotado no seu desejo de glória. Desempenhando papéis sociais, segundo o que é deles esperado, os homens podem assegurar-se do mínimo de aprovação necessária para emprestar às suas pessoas uma aparente coerência.

Podemos insistir para que, dentro de nossa organização, todos façam jus a um certo grau de reconhecimento simplesmente por serem humanos. Kant denominava essa espécie de reconhecimento de respeito. O respeito e a aprovação do desempenho de nossos papéis sociais moderam a hostilidade que a luta pela glória produz, do mesmo modo como a lei tempera a batalha pelo poder através de suas garantias de liberdade. Enquanto houver liberdade e respeito, a perda do poder e da glória não constituirá jamais um desastre irreparável.

As necessidades de conforto e honra, juntamente com a circunstância de sua escassez, que já está implícita nelas, tornam o antagonismo e a necessidade recíproca eternas condições para a preservação da sociedade. A fim de promoverem seus interesses, na hostilidade e na colaboração, os homens

Teoria política liberal

travam constantemente alianças, formando grupos. Mas esses grupos são sempre precários. Entregues a si mesmos, só durariam tanto quanto durassem as conveniências comuns que lhes tivessem dado nascimento. Os dois problemas fundamentais da política, da ordem e da liberdade são consequências das condições de antagonismo e necessidade mútua e dos impulsos que acentuam essas condições.

A primeira tarefa de uma sociedade é criar restrições ao antagonismo mútuo necessário à satisfação de necessidades mútuas. A luta pelo conforto, pelo poder e pela glória pode ser moderada, de maneira que cada um possa ter a garantia de que não correrá o risco do pior desconforto, da escravização, do desrespeito ou da violência. Mas como exercer o controle da violência? Esse é o problema da ordem.

Assim que os homens procuram limitar seus antagonismos, veem-se confrontados por uma segunda dificuldade. Para cada pessoa, o que é bom é aquilo que satisfaz os seus desejos; nada mais é bom. A liberdade, para colocarmos em outras palavras a definição anterior, é a capacidade de escolhermos arbitrariamente os fins e os meios de nossa busca. Em princípio, nada torna os objetivos de um homem mais dignos de êxito que os objetivos de outros homens. Parece-nos, no entanto, que quaisquer restrições estabelecidas para assegurar a ordem beneficiarão alguns indivíduos mais que outros. Qualquer preferência nesse sentido seria arbitrária por não poder ser justificada. Como então instituir a ordem de tal maneira que a liberdade de ninguém seja preferida ou desprezada injustamente e que todos desfrutem o maior grau de liberdade compatível com a ausência de semelhante arbitrariedade? Esse é o problema da liberdade.

A solução comum para os problemas da ordem e da liberdade é a elaboração e a aplicação de regras e leis impessoais.

O PRINCÍPIO DE NORMAS E VALORES

A distinção entre normas e valores, como sendo os elementos básicos da ordem social, é o primeiro princípio do pensamento político liberal. Pode

Conhecimento e política

ser chamado, simplesmente, de princípio de normas e valores. Ele articula o conceito, abraçado pela visão impensada da sociedade, de que a eterna hostilidade dos homens, uns para com os outros, exige que a ordem e a liberdade sejam mantidas pelo Estado de direito.

A fim de explicar o que significa o princípio de normas e valores, e dele extrair suas implicações, começarei por definir os conceitos do que é valor e do que é norma. Discutiremos, então, como é concebido o relacionamento entre as normas e os valores. Finalmente, indicarei por que caminhos a ideia da sociedade governada pela lei une vários aspectos aparentemente irrelacionados do pensamento liberal.

Valor e norma

O valor é a face social do desejo. Refere-se à finalidade de uma ação ou a uma vontade quando a ênfase é colocada na relação entre pessoas. Em contraste, o termo desejo é empregado quando a discussão é relativa ao relacionamento, no indivíduo, entre a colocação de objetivos e a compreensão de fatos. Finalidade, objetivo, meta e vontade são conceitos genéricos que cobrem as duas aplicações.

A satisfação das necessidades de um indivíduo é o que é bom para ele. Certamente por falta de compreensão, os homens podem perder de vista o fato de que a insistência que se restringe à busca de um objetivo particular pode prejudicar a conquista de outros objetivos. Eles podem, além disso, distinguir o que julgam ser certo ou indicado, e o que desejam. Nesse sentido, o conceito do valor é ambíguo como é também entre necessidade ou interesse, e critério ou ideal. Todavia, como a discussão da psicologia liberal já sugeriu, e o estudo do pensamento político liberal confirmará, o segundo sentido de valor dissolve-se, por fim, no primeiro. A única medida do bem que permanece são as necessidades do indivíduo, ou uma combinação das necessidades de diferentes indivíduos, revelada pelas opções que eles fazem. O bem não existe fora da vontade.[2]

A necessidade de normas advém da eterna agressividade e das exigências de colaboração que marcam a vida social. Por não haver conceitos do que é

Teoria política liberal

bom que se situem acima do conflito e lhe imponham limites, é preciso criar limites artificiais. De outro modo a hostilidade natural dos homens entre si seguirá seu curso incessantemente em prejuízo de sua interdependência.

O interesse próprio, a busca generalizada do conforto e da glória e qualquer partilha de valores comuns serão insuficientes para manter a paz. É de interesse do indivíduo beneficiar-se de um sistema de leis estabelecidas para os outros, mas não obedecer a esse sistema ou estabelecê-lo ele próprio. Desde que a maioria das pessoas não seja ladra, o roubo pode ser um bom negócio.[3] Além disso, embora todas as pessoas tenham interesses semelhantes pelo conforto e pela glória, esses interesses, devido à escassez dos objetos, ao mesmo tempo em que unem os homens, também os lançam uns contra os outros. Finalmente, qualquer outra partilha de valores está fadada a ser, ao mesmo tempo, precária e moralmente indiferente. É precária porque a vontade do indivíduo é a verdadeira e única medida de valor, e muda continuamente de direção conforme os perigos e as oportunidades da luta pelo conforto e pela glória. A partilha de valores não possui, tampouco, significado ético. Não estamos autorizados a passar do fato de concordarmos quanto a nossas finalidades à alegação de que uma outra pessoa deveria concordar com elas ou, pelo menos, que nada deveria fazer para impedir-nos de alcançá-las.

A paz deve, portanto, ser estabelecida através de normas e regulamentos. Devido ao seu significado para a sociedade, pela sua origem e pela sua forma, uma norma difere de um valor. Uma boa maneira de elucidarmos esse ponto é tornar mais preciso o conceito do que é norma, tal como esse termo é usado no pensamento político liberal. Podemos fazê-lo distinguindo várias espécies de normas em relação aos seus empregos na vida social, focalizando, depois, o tipo de norma mais diretamente ligada à doutrina política liberal.

As normas são gerais e afetam a conduta. Além disso, no entanto, pouco pode ser dito antes que distingamos três espécies de normas: constitutivas, técnicas ou experimentais, e aquelas que prescrevem.[4]

As normas constitutivas definem uma forma de conduta de tal modo que a distinção entre a norma e a atividade por ela regulada desaparece. Já foi

Conhecimento e política

dito que as regras do jogo e as regras da lógica são desse tipo. Os lances de um jogo e, portanto, o próprio jogo como um todo são definidos pelas suas regras. As leis da identidade e da contradição determinam um estilo particular de discurso.[5]

As normas técnicas ou instrumentais servem de guias para a escolha do meio mais eficaz de alcançar um fim. Assumem uma determinada forma – fazer x se o que se deseja é y. Declaram, através de uma generalização, quais os meios que mais provavelmente produzirão o resultado desejado. Numa determinada situação, pode-se encontrar um meio mais eficiente que o indicado pela norma.[6]

As normas prescritivas indicam categoricamente o que certos grupos de pessoas podem, devem ou não devem fazer. Podem ser, segundo o caso, permissões, ordens gerais ou proibições. As normas prescritivas diferem das normas constitutivas, por isso se distinguem claramente da conduta que governam e das normas instrumentais, já que não são hipotéticas.

As normas às quais se refere o primeiro princípio da doutrina política liberal hão de ser prescritivas. Além disso, o mesmo antagonismo preclui o acordo constante e geral concernente aos objetivos que se tornariam necessários para que as normas instrumentais servissem eficientemente de base para a ordenação das relações sociais.

As normas prescritivas estabelecidas pelo governo costumam denominar-se leis. Muitas leis, é claro, prestam-se a ser facilmente consideradas como normas instrumentais ou constitutivas.[7] Na verdade, é possível visualizar toda a ordem jurídica como sendo ou instrumental ou constitutiva; as implicações dessas possibilidades alternantes serão mencionadas adiante. Por enquanto, contudo, é suficiente lembrarmo-nos de que, para uma corrente poderosa, se não dominante, do pensamento político liberal, as leis são sobretudo normas prescritivas.

Elas impõem limites à busca de objetivos particulares, impedindo, assim, que o egoísmo natural se transforme num salve-se quem puder em que tudo e todos corressem perigo. Elas também facilitam a colaboração mútua. Essas duas tarefas são interligadas porque uma ordem social-pacífica na

Teoria política liberal

qual sabemos o que esperar dos outros é condição necessária à realização de quaisquer de nossas finalidades. Mais especificamente, cabe às leis garantir os bens supremos da vida social: a ordem e a liberdade.

Positivismo e direito natural

Os dois meios básicos através dos quais a doutrina política do liberalismo define a oposição de normas e valores correspondem a duas ideias sobre as fontes do direito, e a dois conceitos sobre como se podem estabelecer a liberdade e a ordem. Para assegurar a ordem e a liberdade, as leis devem ser impessoais. Devem encarnar algo além dos valores de um indivíduo ou de um grupo. As normas cuja fonte for o interesse de uma só pessoa, ou de uma só classe de pessoas, destroem os benefícios da liberdade porque, por definição, constituem o domínio de algumas vontades sobre todas as outras. Além disso, não deixam à ordem outro suporte senão o do terror, através do qual ela é imposta, porque os oprimidos não amam as leis.

Há outras maneiras de evitar a ditadura do interesse privado. Uma delas é imaginar que os regulamentos públicos são elaborados por uma vontade que se mantém acima das vontades particulares em luta e de algum modo as representa. O monarca soberano de Hobbes, bem como a classe burocrática e a realeza de que fala Hegel, exemplificam esse conceito da divindade política.[8] As circunstâncias de sua existência permitem-lhe, supostamente, compreender e promover os interesses comuns dos homens no controle da hostilidade e na continuidade da colaboração entre eles.

Segundo esse ponto de vista, que poderíamos chamar, num sentido amplo, de positivismo ou absolutismo, o problema de determinar *em geral* a melhor maneira de garantir uma coordenação, e de limitar qualquer antagonismo, é insolúvel. Isso porque ou não há critérios sólidos para a escolha da melhor solução ou porque a complexidade da tarefa excede os poderes da mente. As leis adequadas serão, por conseguinte, as normas que forem escolhidas pelos soberanos, isto é, por aquele cujas condições o colocarem supostamente acima da contenda entre desejos individuais.

Conhecimento e política

A visão absolutista leva a uma espécie de agnosticismo que torna impossível definir quando as leis são impessoais, a não ser a partir de suas origens. Além disso, o soberano, o governo, ou a classe em cuja imparcialidade o conceito positivista acredita estão sempre correndo o risco de mergulharem na própria batalha de interesses privados da qual alegam ter escapado. Na verdade, tendo em vista a impossibilidade de nos elevarmos acima da opção individual, como critério do que é bom, esse desastre parece inevitável.

Por essas razões, surge dentro do pensamento liberal uma segunda série de tentativas de definir o relacionamento entre normas e valores. Consiste em procurar formular critérios ou processos que estabeleçam, de modo geral, que as leis são impessoais e, portanto, capazes de assegurar a ordem e a liberdade na sociedade. As mais familiares teorias liberais de legislação caem nessa categoria.

Entre esses pontos de vista há um que requer especial e imediata atenção, porque pesa diretamente sobre a relação entre normas e valores. Parte da premissa de que as circunstâncias de hostilidade e necessidade recíproca, e o interesse universal pelo conforto e pela glória, possuem implicações próprias sobre como a sociedade deveria ser organizada. Caberia à inteligência interpretar essas implicações e tomá-las como base para uma legislação impessoal. Assim, a solução dos problemas da ordem e da liberdade, sendo anterior à elaboração das leis, pode ser usada como critério a partir do qual julgá-las. É essa solução preexistente que resolve aquilo a que os indivíduos fazem jus; os direitos precedem as normas. Eis aí o cerne da moderna teoria do direito natural, sob cuja estrela nasceu o Estado liberal.[9]

Há, na maior parte das declarações do conceito de direitos naturais, uma ambiguidade que obscurece um dilema fatal. Se tratarmos os direitos como sendo resultado das circunstâncias da vida social, seremos forçados a explicar de que modo critérios de avaliação podem ser inferidos dos fatos. Se, pelo contrário, apresentarmos os direitos como sendo simplesmente meios prudentes de alcançarmos determinadas finalidades com as quais concordamos, como sejam a paz e a prosperidade, teremos que explicar como faremos para julgar as divergências dessas finalidades, e o que acontecerá quando, num caso particular, o

Teoria política liberal

propósito for mais bem servido pelo desrespeito a esses direitos.[10] Estas e outras consequências de semelhantes tentativas de considerar a lei como um sistema de normas instrumentais são discutidas adiante mais exaustivamente.

A despeito de suas divergências, a interpretação positivista e a do direito natural do princípio de normas e valores têm em comum a insistência em afirmar que, tudo considerado, é melhor para os homens viverem sob as leis do que sem elas. As duas doutrinas concordam em que a ausência de regulamentos públicos coercivamente impostos roubar-nos-ia as bênçãos da colaboração e da segurança na busca do conforto e da glória. Esse argumento pode ser apresentado de maneira mais contundente. Quando desejamos algo, queremos também, forçosamente, que o que desejamos não seja afastado de nós, nem de nós retirado uma vez em nossa posse.

Ao querermos encetar um determinado curso de ação precisamos querer também que outros não nos impeçam de executá-lo.

Querer de maneira inteligente e consequente é querer que os outros respeitem nossos objetivos. Queremos ter direito aos objetos de nossa escolha. Esse direito, no entanto, só é possível quando há um sistema de normas gerais que limite as necessidades de cada homem em relação às de seus companheiros, de maneira que cada qual se sinta seguro no gozo do que é seu. Em resumo, querer implica querer ter direito a alguma coisa, o que, por seu turno, implica a aceitação de um sistema de normas, ou para distribuir, ou para confirmar e reforçar os direitos de cada um. Com argumentos similares, alguns chegaram a sugerir que uma ordem jurídica é envolvida pelo próprio conceito de uma sociedade de homens cujos valores são conflitantes.[11]

Num nível ainda mais básico, as teorias do positivismo e dos direitos naturais podem ser consideradas como expressões, no pensamento político, de critérios opostos, ainda que complementares, do dualismo, do universal e do particular. No Capítulo 1 assinalei que esse dualismo é o terreno comum das antinomias entre teoria e fato e entre razão e desejo. Neste capítulo ele reaparecerá como base da antinomia entre normas e valores.

Para o positivista, a sociedade não possui uma ordem intrínseca. Ele vê as normas como imposições de uma vontade, ainda que iluminada, sobre o

Conhecimento e política

caos da vida social. As leis universais são simples convenções que definem as fronteiras entre interesses particulares, de maneira que esses interesses não se destruam uns aos outros.

O teórico dos direitos naturais, pelo contrário, afirma ter descoberto a existência de uma ordem intrínseca nas relações sociais – uma ordem que tem como propósito explicitar e desenvolver. Para ele, os princípios universais que descrevem essa ordem – direitos, normas e categorias institucionais – possuem uma existência e um valor bastante independentes dos interesses particulares que deles se possam beneficiar. Assim, o pensador dos direitos naturais trata o sistema de leis particulares, os conceitos de contrato e propriedade, ou a doutrina da separação de poderes no direito público, como se possuíssem uma lógica autônoma capaz de sobreviver a todas as suas transmutações.

Embora divergentes nas prioridades que atribuem ao universal e ao particular, a doutrina do positivismo e a dos direitos naturais são unânimes em aceitar uma distinção radical entre universais e particulares e em identificarem os primeiros com o abstrato, e os segundos, com o concreto. O significado dessa interpretação para todo o sistema do pensamento liberal tornar-se-á mais claro gradativamente.

A mentalidade jurídica

Para explicar o princípio de normas e valores, defini os termos que o constituem e sugeri como a doutrina liberal concebe seu relacionamento. Completaremos agora nosso estudo desse princípio descrevendo algumas de suas ligações com uma visão mais geral da vida social.

A sociedade evocada e descrita pelo primeiro postulado do pensamento liberal político é uma sociedade governada pelo direito. Só um sistema de normas prescritivas, com características jurídicas, poderá resolver os problemas da ordem e da liberdade. Essas características já estão implícitas na discussão precedente sobre como devem ser as leis prescritivas para que possam satisfazer os requerimentos de impessoalidade. Para o pensamento

Teoria política liberal

político liberal as leis devem ser gerais, uniformes, públicas e capazes de aplicação coerciva. Por serem as leis gerais, é possível assinalar que espécie de ato são comandados, proibidos ou permitidos a determinadas categorias de pessoas, antes que surjam problemas específicos de opção de acordo com a lei. A generalidade das leis faz com que possam ser impessoais, ou porque representam uma solução ideal para interesses particulares conflitantes, ou porque, de algum modo, elas se abstraem completamente de considerações de interesse particular.

Para que seja significativa, a generalidade requer a uniformidade de sua aplicação. Algumas decisões tomadas segundo as regras podem ser atacadas como errôneas e, outras, defendidas como corretas. Aquilo a que um indivíduo faz jus, ou seus direitos, são interesses protegidos por leis aplicadas uniformemente.

Para serem impessoais, é preciso que as leis sejam também públicas. São regras estabelecidas por uma instituição particular, pelo governo ou pelo Estado. O Estado é visto, ou como se situando acima do antagonismo de valores privados, ou como o quadro dentro do qual estes interesses são representados e reconciliados. Só uma instituição semelhante pode pretender erigir leis que façam mais do que dar corpo a um interesse particular.

Por isso uma clara linha divisória separa o Estado dos outros grupos sociais, e as leis do primeiro, das leis dos segundos. Mas essa divisão tende a desaparecer. O governo assume características de uma entidade particular porque os interesses particulares são os únicos existentes numa situação de que ele é parte. Assim, o Estado é como os deuses do Olimpo, que foram banidos da terra e aos quais foram atribuídos poderes sobre-humanos, mas que permaneceram condenados a sofrer as paixões dos mortais.

Finalmente, as leis devem, em geral, ser suscetíveis de aplicação coerciva. Quando tentamos alcançar um objetivo, o fracasso incorre numa sanção. Em psicologia, essa sanção é chamada de descontentamento; no pensamento político, é a perda do conforto e da glória. Se, contudo, as leis, em virtude de sua impessoalidade, deixam de atender completamente aos interesses de qualquer pessoa, a obediência aos regulamentos públicos não pode ser

Conhecimento e política

espontaneamente protegida pelo interesse próprio. Uma punição suficientemente dura fará, contudo, com que seja do interesse de todos obedecer a elas, ao serem postas na balança as vantagens e desvantagens da desobediência.

Generalidade, uniformidade, publicidade e coerção são, por conseguinte, os atributos marcantes das leis impessoais. Cada um deles é ligado a uma série de pressuposições mais profundas sobre o pensamento ou a sociedade. A relação destes atributos da lei com o que eles assumem, e a dessas conclusões entre si, não é lógica nem causal, mas é o que descreveremos mais adiante como sendo uma relação de significado comum. Esses fundamentos da noção da lei são aspectos da mentalidade jurídica peculiar que estimula o pensamento político liberal.

A generalidade é associada ao ideal político de igualdade formal e ao ideal moral de universalismo. A igualdade formal significa que os cidadãos de um Estado, e as pessoas jurídicas, são vistos e tratados pela lei como sendo fundamentalmente iguais.

A circunstância social deve ser, portanto, claramente distinguida do status jurídico-político. Desconhecendo ou aceitando a desigualdade da primeira, a fim de dar mais ênfase à igualdade do segundo, comprometemo-nos com leis gerais. Se tentássemos estabelecer equivalências entre as circunstâncias sociais dos homens, no que diz respeito mesmo a algumas das divergências existentes entre essas circunstâncias, teríamos que tratar cada homem ou cada grupo de modo diverso, afastando-nos, assim, do atributo de generalidade. A linguagem da igualdade formal é a linguagem dos direitos como oportunidades abstratas de usufruir certas vantagens. Ela não é tanto a linguagem da experiência concreta e real da vida social.[12]

O análogo ético da igualdade formal é o universalismo, é a crença em que o julgamento moral, como a ordem política, é, antes de mais nada, uma questão de direitos e deveres. Os direitos e os deveres são estabelecidos por princípios cuja formulação se torna tanto mais geral e, por conseguinte, mais perfeita, quanto menor for sua possibilidade de serem aplicados ao que somos e onde estamos. A moral da razão é uma forma clássica da ética universalista.

Teoria política liberal

A igualdade formal e o universalismo moral incluem, ambos, o conceito de universais e particulares que encontramos anteriormente. A pessoa jurídica ou o agente moral são reconstruídos, a partir de vidas individuais, como universalidades abstratas e formais e, depois, tratados como seres reais e independentes. Interesses, experiências ou circunstâncias particulares são considerados como substância contingente das formas, ou como exemplos concretos de proposições abstratas. Assim, pode se definir um direito independentemente dos interesses para cuja promoção um indivíduo possa usá-los.

A base da uniformidade é o conceito formal da razão. A razão não pode estabelecer as finalidades da ação, nem é suficiente para determinar as implicações concretas de valores gerais com os quais possamos por acaso concordar. É por isso, em primeiro lugar, que as regras são tão importantes. Todavia, para que as leis sejam aplicadas uniformemente, necessitamos de uma técnica para sua aplicação. Essa técnica deve depender dos poderes que a razão possui por ser uma máquina de análise e coordenação: a capacidade de deduzir conclusões de premissas e a habilidade de escolher meios eficientes para os fins aceitos. Consequentemente, as principais teorias liberais de adjudicação consideram a tarefa de aplicação da lei como sendo ou a de chegar a deduções a partir das normas ou a de escolher os melhores meios de promover os objetivos que as próprias leis são encarregadas de estimular.

O caráter público do direito tem sua base imediata na distinção entre Estado e sociedade e na dicotomia mais inclusiva da vida pública e privada. O Estado é visto sob uma luz dupla, como alternativa providencial à cegueira da cupidez particular e como arma suprema de alguns homens na luta contra os outros, em defesa de seus próprios interesses. A separação do que é público e do que é particular alterna com a destruição do último pelo primeiro. Em qualquer dos casos, o conflito entre os dois nunca é resolvido.

A conclusão deduzida a partir da crença de que as leis devem ser capazes de aplicação coerciva representa uma visão artificial da sociedade. De acordo com essa visão, embora a sociedade possa possuir uma ordem implícita, como alega o teórico dos direitos naturais, não se trata de uma ordem autorreguladora ou autorreforçada. Por isso que os indivíduos e os interesses individuais são os elementos básicos da vida social, e porque estes se enlaçam numa perpétua luta entre si, a ordem social deve ser estabelecida por atos da vontade e protegida dos estragos causados pelo interesse próprio.

A ideia de que não existe uma comunidade natural de objetivos comuns, e de que a vida grupal é fruto da vontade, contribui para explicar a importância das normas e de sua aplicação coerciva. Mas os mesmos fatores também podem explicar o fascínio do terror e o uso sistemático da violência não reprimida pelo direito, como um instrumento da organização social. Quanto menor a nossa capacidade de confiarmos na participação em objetivos comuns, tanto maior a importância da força, como laço entre indivíduos. A punição e o medo tomam o lugar da comunidade.

Além disso, ao considerarem que tudo no mundo social é uma criação da vontade, os homens acabam por acreditar que nada existe na sociedade que uma vontade suficientemente violenta não possa preservar ou destruir. Assim é que o legalismo e o terrorismo, o compromisso com as normas e a sedução da violência são irmãos rivais mas irmãos, apesar disso.[13]

A mentalidade jurídica, descrita nas páginas anteriores, não é uma simples invenção dos filósofos. É uma maneira de refletir sobre a sociedade – uma forma de consciência que é ligada tanto a uma doutrina quanto a uma experiência da vida social. Por enquanto, continuemos a focalizar a doutrina. Quando o argumento avançar, voltaremos ao plano da consciência e examinaremos a experiência.

O PRINCÍPIO DO VALOR SUBJETIVO

Há um aspecto do princípio de normas e valores tão importante que merece ser distinguido e desenvolvido por seus próprios méritos. É a proposição de que todos os valores são individuais e subjetivos – o princípio do valor subjetivo. A discussão desse princípio será encaminhada em três etapas. Primeiro, explicarei o que quero dizer por individualidade e subjetividade, contrastando o conceito do valor individual e do valor subjetivo com uma visão alternativa. Depois, examinarei a relação do princípio com outros aspectos da teoria política liberal. O último trecho do argumento mostrará como a ideia de valor subjetivo serve de elo entre o repúdio das essências inteligíveis e os problemas políticos centrais da elaboração do direito e de sua aplicação.

Os fins são vistos, pela teoria liberal, como individuais, no sentido de serem sempre objetivos de indivíduos particulares. Por contraste, os valores são chamados de comunais ao serem compreendidos como finalidades de grupos e de indivíduos só na medida em que estes são membros de grupos. A doutrina política do liberalismo não reconhece valores comunais. Para que sua existência fosse reconhecida, seria necessário começar por uma visão das circunstâncias básicas da vida social que considerasse os grupos, e não os indivíduos, como sendo as unidades inteligíveis e primárias da vida social. A individualidade dos valores é a própria base da identidade pessoal no pensamento liberal – uma base que o conceito comunal de valor destrói.

Os valores são subjetivos no sentido de que são determinados por opção. A subjetividade enfatiza o fato de que uma finalidade só é uma finalidade porque alguém a busca, ao passo que a individualidade significa que haverá sempre uma determinada pessoa cujo objetivo ela representa. O conceito oposto é a ideia do valor objetivo, um dos temas principais da filosofia dos antigos. Os valores são critérios e metas de conduta que existem independentemente da escolha humana. Os homens podem abraçar ou rejeitar valores objetivos, mas não podem estabelecer ou desfazer sua autoridade.

Desde o início, o pensamento político liberal pôs-se em revolta contra o conceito do valor objetivo.[14] Se pudéssemos perceber tais valores, eles se tornariam o verdadeiro fundamento da ordem social. As normas públicas seriam relegadas a um papel subsidiário como simples instrumentos empregados para a especificação de critérios objetivos, quando esses critérios se revelassem imprecisos, ou para impô-los quando fossem desobedecidos. Os problemas da ordem e da liberdade seriam colocados numa luz diferente, se pudéssemos pensar nessas normas de conduta como finalidade cuja realização desenvolveria amplamente nossas capacidades mais meritórias, e não como representando restrições impostas por uma vontade externa. As próprias premissas da psicologia liberal seriam afetadas por uma teoria objetiva

Conhecimento e política

do valor. Os fins seriam pelo menos tão inteligíveis quanto os fatos. Seriam coisas que existem no mundo, como os triângulos e, até, como as mesas. A separação entre a compreensão objetiva dos fatos e a escolha arbitrária das metas entraria, consequentemente, em colapso.

Por todos esses motivos, os ensinamentos do liberalismo devem ser, e quase sempre têm sido, irremediavelmente hostis à ideia do bem objetivo. O antagonismo teórico é acompanhado e, em parte, inspirado por um processo histórico: a desintegração progressiva do sistema de classes ou estamentos (*stände*) sociais nas sociedades pós-feudais europeias. É só no contexto de uma hierarquia bem definida na distribuição dos bens e do poder que os valores objetivos da antiga filosofia parecem-nos precisos em suas implicações. Em consequência da dissolução dessa ordem hierárquica, e da expansão da economia de mercado, conceitos como o de "preço justo" no sistema de trocas e o de distribuição segundo a "virtude" perderam o significado.

Admitindo que a doutrina do valor objetivo seja incompatível com as premissas do liberalismo, e que suas implicações políticas não sejam claras, seria ela, no entanto, válida? Por enquanto contentar-me-ei em sugerir algumas das razões preliminares que fazem com que eu a julgue falsa, mas o argumento essencial terá que esperar. A crítica da doutrina rival do valor subjetivo será desenvolvida no curso deste capítulo.

Em primeiro lugar, a teoria do valor objetivo pressupõe que o espírito possa apreender e estabelecer essências ou bens morais. Mas isso nunca foi demonstrado, e o conceito da razão, sobre a qual repousa, foi desacreditado nas áreas não morais do pensamento.

Em segundo lugar, a doutrina nega qualquer significado a outras opções que não sejam a aceitação passiva ou a rejeição de verdades independentes. Nossa experiência do julgamento moral parece ser, no entanto, de ordem a pelo menos contribuir para dar forma às metas que buscamos. Um conceito que coloque de lado esse fato deixa despercebido o significado da escolha como sendo uma expressão da personalidade.

Em terceiro lugar, a incapacidade da teoria do valor objetivo em determinar como deveríamos agir em situações particulares não constitui um erro

Teoria política liberal

remediável. A fim de tornarem a doutrina plausível, na ausência de uma verdade moral divinamente revelada, seus proponentes confiam em referências a opiniões morais compartilhadas por homens de muitas épocas e sociedades. Quanto mais concretas as alusões a esse acordo moral supostamente imortal, tanto menos convincentes elas se tornam. Em consequência, para defenderem sua causa, os proponentes do valor objetivo devem se restringir a alguns ideais abstratos cuja vagueza permite praticamente qualquer interpretação.

Há um conceito do lugar ocupado pelos valores na sociedade que, a princípio, não parece caber nas categorias do individual e do comunal, do subjetivo e do objetivo, mas que, no entanto, desempenha importante papel nos nossos pontos de vista quotidianos, nas modernas ciências sociais e no próprio pensamento liberal clássico. É a ideia de que a existência mais ou menos estável de valores comuns às pessoas é um fato fundamental na sociedade humana. Contudo, enquanto o fato de existirem pessoas que compartilham os mesmos valores for concebido simplesmente como uma convergência de preferências individuais, sem que mudem outros postulados do pensamento liberal, não se confirma o princípio de que os valores são individuais e subjetivos.

Por um lado, cada convergência de preferências é vista como uma aliança precária de interesses. A fonte do valor permanece sendo a vontade individual, dado o caráter artificial e derivativo dos grupos, de acordo com o princípio do individualismo que descrevo adiante. Por isso a individualidade dos valores permanece, a despeito da possibilidade de uma variedade de graus no consenso, em momentos diversos.

Por outro lado, confiar em combinações de interesse como mecanismo da ordem social é consistente com a premissa de que esses interesses só são significativos porque há concordância em relação a eles. A democracia pode exigir que os objetivos compartilhados da maioria sejam impostos à minoria, que não os divide com aquela. O teórico liberal, contudo, terá cautela em assinalar que qualquer dever, por parte da minoria, de obedecer às leis que favoreçam as metas da maioria, deve ser fundado no consentimento racional da minoria de acordo com seus interesses. As normas, ou os procedimentos para a sua elaboração, são do interesse de uma minoria esclarecida, mesmo

Conhecimento e política

quando a prejudicam em casos particulares (Locke). Ou talvez a vontade de obedecer às leis esteja implicada em todos os desejos mais concretos que possuímos, quando esses desejos são claramente compreendidos (Kant). A ideia de valores compartilhados, tal como ela se apresenta no pensamento liberal, não desrespeita, portanto, de modo algum, a subjetividade dos valores.

Vimos que o princípio do valor subjetivo é intimamente ligado ao conceito liberal de normas como base da ordem e da liberdade na sociedade, e com a diferenciação psicológica entre razão e desejo, descrição e avaliação. Mas para compreendermos o princípio plenamente devemos retornar ao problema das essências inteligíveis. A retirada temporária a um nível de generalização e abstração ainda maiores nos permitirá verificar de que maneira o postulado do valor subjetivo é ligado a problemas muito mais concretos da teoria política e jurídica.

A doutrina da não existência de essências inteligíveis é a base derradeira do princípio do valor subjetivo. A teoria das essências inteligíveis afirma que há um número limitado de espécies de coisas no mundo, que cada coisa possui características que determinam a que espécie ela pertence e que essas características podem ser conhecidas diretamente pela mente.

Se fôssemos fazer quaisquer concessões à doutrina das essências inteligíveis na nossa visão dos fatos naturais não haveria, ao que parece, nenhuma maneira de evitarmos que a doutrina penetrasse na esfera da linguagem, da conduta e dos valores. Esta é uma conclusão óbvia numa filosofia que nega a separação entre valores e fatos. Para semelhante filosofia, noções de certo e errado, de bom e mau, devem ser encaradas como interpretações de critérios de valores objetivos, assim como a nossa capacidade de distinguir mesas de cadeiras é consequência da capacidade que possuímos de perceber as essências respectivas de ambas.

Mesmo, porém, uma doutrina como a liberal, que contrasta fatos e valores, não pode, em última análise, defender a existência da separação ontológica entre eles. Os valores podem ser considerados como sendo subjetivos e os desejos, como arbitrários, mas há um sentido importante segundo o qual são fatos, como todos os outros fatos. A arbitrariedade dos desejos e a

Teoria política liberal

subjetividade dos valores têm a ver com o significado dos objetivos como bases para a crítica ou a justificação da conduta. O ponto fundamental permanece: precisamente porque se nega às finalidades uma existência objetiva, elas devem ser concebidas como eventos psíquicos ocorrendo nas mentes de determinados homens. Se os eventos, em geral, possuíssem essências inteligíveis, o mesmo aconteceria com os eventos psíquicos. A batalha contra os valores objetivos estaria perdida. Assim sendo, para mantermos o princípio do valor subjetivo, teríamos que rejeitar a doutrina das essências inteligíveis completamente. Os pensadores liberais clássicos não só reconheceram o que há de verdade nessa conclusão, como também dedicaram grande parte de seus esforços ao problema de suas inquietantes implicações.[15]

Aqui, no entanto, uma dificuldade se apresenta. Se não há essências inteligíveis, como faremos para classificar fatos e situações, especialmente fatos e situações sociais? Como os fatos não possuem uma identidade intrínseca, tudo depende dos nomes que damos a eles. A convenção linguística, e não a percepção das características intrínsecas de uma mesa, por exemplo, é o que determina se um objeto específico conta ou não como mesa. Do mesmo modo, é a convenção, mais que um julgamento da natureza intrínseca dos atos, o que indicará se um determinado negócio deve ou não ser tratado como contrato.

Não é surpreendente, por conseguinte, que a linguagem se torne uma obsessão para o pensador liberal, pois ele a venera como divindade, que é, do mundo. Mas os verdadeiros soberanos por trás dessa divindade são os interesses que levam os homens a classificarem as coisas como as classificam. Aquele que tem o poder de decidir como uma coisa deve ser chamada tem o poder de decidir o que é essa coisa. Isso é tão verdadeiro em relação às pessoas quanto em relação às coisas. Não haveria patrícios e plebeus se não fôssemos capazes de distinguir esses dois grupos. Distingui-los é dar-lhes um nome, porque não existe uma característica essencial que determine quem é um patrício e quem é um plebeu.[16]

Devidamente compreendido, o sistema de normas públicas é, ele próprio, uma linguagem. Cada norma é dirigida a uma categoria de pessoas e atos,

Conhecimento e política

e torna claro o fato de que não se dirige a outros. Ao fazê-lo, dá um nome a cada um. Aplicar as normas a casos particulares equivale a situar pessoas e atos individuais sob a nomenclatura geral em que consiste a norma. Assim sendo, a teoria do direito é um ramo especial da teoria geral da nomenclatura.

Posso, por fim, referir-me ao grande problema político em direção ao qual venho abrindo caminho. O fato de recorrermos a uma categoria de normas públicas como fundamento da ordem e da liberdade é uma consequência do conceito subjetivo do valor. O conceito subjetivo do valor pressupõe, por seu turno, o abandono da doutrina de essências inteligíveis. Na ausência de essências inteligíveis, todavia, não há critérios óbvios para a definição de categorias gerais de atos e pessoas quando elaboramos as normas. (A elaboração de normas é a legislação.) Não há, tampouco, critérios claros de acordo com os quais classificar as instâncias particulares segundo as normas, quando chegamos ao momento de aplicar as que elaboramos.

Todas as questões fundamentais da moderna teoria política e jurídica têm a ver com a necessidade de suprir critérios de legislação e adjudicação quando as essências inteligíveis e, por conseguinte, os valores objetivos são rejeitados. Cada tentativa de fornecer orientações para a elaboração e a aplicação das leis parece solapar o sistema de pensamento ao qual pretende dar apoio.

O PRINCÍPIO DO INDIVIDUALISMO

A interação entre normas e valores na sociedade, descrito pelos primeiros dois princípios do pensamento político liberal, não exaure os aspectos básicos da visão impensada descrita no início deste capítulo. Há, ainda, o problema da relação dos indivíduos com os grupos. Daí a necessidade de um terceiro princípio: um grupo é simplesmente uma coleção de indivíduos; em outras palavras: os atributos do grupo são a soma dos atributos de seus membros individuais. Trata-se do princípio do individualismo ou, simplesmente, do individualismo.[17]

Se tomamos o grupo como um todo, e os membros desse grupo como partes, o princípio do individualismo afirma que o todo é apenas a soma de

Teoria política liberal

suas partes. Nesse sentido, é formalmente análogo ao princípio da análise que afirma que todo conhecimento complexo (o todo) pode ser analisado em retrocesso até as ideias ou sensações (as partes) com as quais foi construído. Essa analogia formal revelará, mais tarde, ser a marca externa de uma profunda conexão.

A visão que o princípio do individualismo expressa pode ser descrita de várias maneiras. Num sentido, é a visão de que a sociedade é artificial: os grupos são produtos da vontade e dos interesses dos indivíduos. Para o indivíduo, o grupo é, caracteristicamente, um instrumento para a satisfação de objetivos que ele não poderia atingir, exceto através de sua participação como membro. Como os interesses dos membros são instáveis, os próprios grupos são associações precárias, constantemente destruídas e reconstruídas sob diferentes formas. O problema central da teoria dos grupos será, por conseguinte, definido como o estudo dos interesses que mantêm os homens fiéis a suas associações.

Em outro sentido, o conceito apresentado pelo princípio do individualismo é a ideia de que a personalidade é independente da história. A gênese e a desintegração dos grupos ocorrem contra o pano de fundo de uma unicidade da natureza humana, porque os grupos são menos reais e fundamentais do que os indivíduos que os compõem.

Quando observo que o grupo é visto como uma coleção de indivíduos, ou que todos os atributos do grupo podem ser explicados como uma combinação dos atributos de seus membros, tenho em mente uma noção ao mesmo tempo metodológica e moral. A noção metodológica é a de que, somando tudo o que sabemos sobre os membros individuais tomados separadamente, podemos descobrir tudo o que pode ser conhecido sobre o grupo. Mas em que consiste, contudo, o que estamos somando nessa operação? Precisamos acrescentar, evidentemente, a essa soma as características que os indivíduos apresentam por serem membros do grupo. De outra maneira, o princípio do individualismo seria trivial e sem importância para nossas ideias sobre a sociedade. Mas uma vez incluídas essas características e elucidadas suas causas não restará nada mais a explicar sobre o grupo. Se o comportamento do grupo for

Conhecimento e política

governado por leis científicas, essas leis derivarão das leis mais gerais que governam a conduta individual. A psicologia é mais básica que a sociologia.[18]

O lado moral do individualismo segue uma consequência de seu aspecto metodológico. O grupo nunca deve ser visto como uma fonte de valores por si só. Dentro do grupo haverá valores compartilhados num grau menor ou maior. Mas essa partilha de valores será contingente e subjetiva da maneira descrita na seção precedente. Tipicamente não haverá uma categoria de objetivos comuns específica, apenas variadas combinações de interesses entre membros particulares. Suponhamos admitir a possibilidade da existência de valores mantidos pelo grupo como entidade, e só parcialmente por indivíduos e na medida em que eles forem absorvidos pelo grupo. A consequência seria que um aspecto importante da vida do grupo não poderia ser descrito nem explicado através do estudo de seus membros. O postulado do individualismo pretende evitar isso.

O individualismo está tão profundamente enraizado no nosso pensamento que é difícil compreendê-lo. Grande parte da dificuldade resulta de imaginarmos um princípio diferente que nos possa ajudar a defini-lo por contraste. No entanto, essa visão polarizante foi um fermento do pensamento social no Ocidente desde o movimento romântico e dos primórdios da sociologia como disciplina. É o princípio do coletivismo exemplificado pelos conceitos românticos e organicistas do grupo. Estes conceitos consideram o grupo como uma entidade possuindo existência independente, irredutível às vidas de seus membros, com valores de grupo que se situam à parte das metas individuais e subjetivas de seus membros, e que possui até uma "personalidade" própria. O coletivismo constitui uma das mais influentes críticas parciais da doutrina liberal.

O antagonismo entre a visão liberal e a visão coletivista das relações dos indivíduos com os grupos é ilustrado pelos conceitos divergentes do Estado. Para os pensadores liberais, o Estado é um artefato do direito; na verdade, para alguns, é a própria ordem jurídica. Normas, processos e sanções são o que mantém o Estado unido. O Estado possui uma existência supérflua; sua vida verdadeira é a vida de seus cidadãos. Para o organicista, contudo, o

Teoria política liberal

cerne do Estado é a "nação". A unidade da nação é baseada na tradição de valores coletivos para os quais inumeráveis indivíduos contribuíram, como rios correndo para o vasto oceano. O oceano não se evapora quando os rios secam. Se pudéssemos corrigir a metáfora dizendo que os rios começam e acabam no mar, começaríamos a formar uma imagem da teoria coletivista do Estado. As atividades dos cidadãos devem ser inspiradas pelo "espírito" da nação; dele derivam seus valores. A base da visão coletivista é a ideia do espontaneísmo dos laços sociais e de sua prioridade sobre a luta individual.[19]

O individualismo e os primeiros dois postulados da teoria política liberal dependem um do outro. Os grupos são artificiais porque todos os valores são individuais e subjetivos. Se o grupo tivesse uma existência autônoma, e fosse uma fonte de valor por si próprio, já não poderíamos afirmar que todos os objetivos são individuais. Se fôssemos além disso e, como alguns dos coletivistas, reconhecêssemos um mérito moral objetivo para os valores da comunidade ou da nação, teríamos que abandonar também a ideia da subjetividade. Em resumo, a doutrina liberal de grupos é ligada ao princípio de normas e valores. Como a comunidade é sempre precária e depende da convergência de interesses particulares, tornam-se necessárias regras fixas como garantias de uma associação pacífica e livre.

ORDEM, LIBERDADE E DIREITO: O PROBLEMA DA LEGISLAÇÃO

Não pode haver uma doutrina de legislação ou de sua aplicação coerente e adequada a partir de premissas liberais. Quando consideradas em conjunto, como uma categoria de respostas às questões relacionadas com a elaboração e a aplicação de normas, as doutrinas políticas e jurídicas liberais são como uma teia de aranha na qual existe um buraco. Se empurrarmos um fio da teia para tapar o buraco, outro se abrirá adiante. Pode surgir, assim, a conclusão de que há algo de errado com a aranha.

Os problemas da legislação e de sua aplicação, no sentido mais amplo em que se acham definidas aqui, estão na própria raiz do pensamento político liberal. A sociedade, tal como a vê o liberal, mantém-se unida através

Conhecimento e política

das normas. São esses os recursos de que se dispõe para o estabelecimento da ordem e da liberdade. Grande parte da moderna filosofia política é a teoria da legislação, e o nervo central da moderna teoria do direito é a teoria de sua aplicação. A crítica mais eficaz da doutrina política liberal seria, por conseguinte, aquela capaz de demonstrar que as teorias que permanecem ligadas às premissas políticas do liberalismo falham em justificar a possibilidade da ordem e da liberdade. A maneira pela qual focalizamos, nas páginas seguintes, a elaboração e a aplicação do direito representa simplesmente uma maneira de nos acercarmos do problema mais geral das normas através do que é, para o pensamento político liberal, seu aspecto mais crucial.

Os problemas da ordem e da liberdade colidem entre si. Se pudéssemos saber quais critérios as leis teriam que seguir de modo a não favorecerem, arbitrariamente, o interesse de um homem contra o de outro (liberdade), poderíamos também determinar como reprimir o antagonismo, na sociedade, no interesse da colaboração (ordem). Em outras palavras, para que sejam eficientes como instrumentos da ordem, as leis devem merecer e conquistar a fidelidade dos cidadãos e, para tanto, devem ser justificáveis. A justificação das leis consistiria em demonstrar que as restrições impostas à luta dos homens em prol do conforto, do poder e da glória são justas porque a liberdade de homem algum é colocada, sem razão, acima da de seu semelhante, e a cada um é permitido o máximo de liberdade compatível com a proibição de preferências arbitrárias. Um estudo da teoria da legislação pode, por conseguinte, contentar-se com um inquérito sobre os fundamentos da liberdade.

A liberdade pode ser definida de maneira positiva ou negativa no pensamento liberal. Positivamente, é o direito de buscarmos atingir nossos objetivos sem qualquer interferência humana. Negativamente, é a condição dentro da qual não precisamos nos submeter à vontade de outrem. A definição positiva e a negativa podem ser trocadas uma pela outra, dada a condição ligada à primeira: "sem interferência humana".

Podem, ambas, ser expressas em termos vigorosos ou amenos. De acordo com uma interpretação mais vigorosa, um homem é livre na medida em que ninguém se interpõe entre ele e seus objetivos, ou dita-lhe a conduta.

Teoria política liberal

Na alternativa de uma formulação mais amena, uma pessoa é livre quando qualquer interferência humana com os objetivos que visa alcançar é governada por leis impessoais ou comandadas por um agente impessoal: o soberano ou o Estado.

A formulação mais amena não faz justiça ao grau atingido pelo conceito liberal da liberdade, porque esta pode ser distribuída igualmente, tendo cada homem, contudo, uma parte menor dela do que poderia ter. Além do mais, no seu esforço por justificar as regras públicas, o pensamento político liberal é irresistivelmente atraído para a democracia, a qual requer que o indivíduo participe, embora indiretamente, na elaboração das leis e na direção do Estado. Apesar disso, a formulação mais amena possui a vantagem de atrair a atenção para o problema do impersonalismo, da igualdade ou da uniformidade das leis como condição necessária, embora insuficiente, de um regime de liberdade. Parte da tarefa de uma teoria de legislação é definir o que essa condição significa.

Há três maneiras pelas quais a filosofia política moderna concebe o estabelecimento da liberdade através da legislação. As duas primeiras são variações da interpretação de premissas políticas liberais; a terceira é uma meia tentativa de escapar a essas premissas.

Não podemos apresentar, neste ensaio, uma crítica detalhada de cada uma dessas doutrinas, nem isso é necessário porque essas críticas, tomadas de forma individual, são suficientemente conhecidas. O importante é sermos capazes de analisá-las no contexto de seu inter-relacionamento e das conclusões que compartilham com as doutrinas que atacam.

O primeiro tipo de solução do problema da liberdade tenta derivar as leis do próprio conceito de liberdade. Consequentemente, nega que a legislação deva escolher entre valores individuais em competição e valores subjetivos dando preferência a uns acima de outros. Essa é a teoria formal da liberdade. Ela é ilustrada pelas doutrinas políticas e jurídicas de Kant e pelas modalidades do positivismo jurídico que se desenvolveram diretamente a partir da tradição kantiana.[20]

A teoria da liberdade formal sofre do mesmo dilema que a moral da razão, da qual é o equivalente político. Tomemos, por exemplo, o princípio universal

Conhecimento e política

de Kant: "Toda ação é certa em si mesma, ou de acordo com seu princípio, sempre que ela determina que o livre-arbítrio de cada um pode coexistir com a liberdade de todos, de acordo com uma lei universal". Quando essa proposição é mantida na sua forma abstrata, parece impossível tirar dela conclusões definitivas sobre o que, precisamente, as leis deveriam comandar, proibir ou permitir. Se interpretarmos a liberdade, segundo as leis universais, como liberdade igual, e acrescentando até a qualificação de "máxima liberdade", ainda permanecerá obscuro o que legislarmos. Quais, do número indefinido de coisas que os homens querem fazer, deverão ser permitidas e quais proibidas? Mas logo que tentamos atingir o nível dos regulamentos concretos de conduta vemo-nos forçados a preferir alguns valores a outros. É isso, no entanto, exatamente o que a teoria formal da liberdade pretende evitar. Dado o princípio do valor subjetivo, qualquer preferência semelhante seria inerentemente incapaz de ser justificável. Como a moral da razão, a doutrina formal da liberdade é ou irrealizável ou incoerente.

A segunda resposta principal ao problema da liberdade no pensamento liberal é a alegação de que existe um processo para a elaboração das leis baseado na combinação de objetivos particulares, ao qual todos os indivíduos devem subscrever em defesa de seus próprios interesses. O interesse próprio significa a compreensão inteligente do que necessitamos, de maneira a podermos alcançar nossos objetivos individuais e subjetivos. Ao tornar-se tal método de legislação disponível, não haverá contradição entre a premissa da subjetividade dos objetivos e a existência de leis que comandem, proíbam ou permitam determinadas formas de conduta.

Essa doutrina, a teoria substantiva da liberdade, possui três formas principais. De acordo com a primeira, o método determina diretamente o agregamento de interesses a serem protegidos pelo Estado e, por conseguinte, o conteúdo das leis. O utilitarismo clássico é um exemplo desse ponto de vista.[21] De acordo com a segunda forma, em defesa de nossos interesses, subscrevemos determinados processos de elaboração de leis e solução de disputas, em vez de um plano concreto de organização social. A doutrina do contrato social, tal como foi formulada por Locke e Rousseau, representa

Teoria política liberal

essa posição.[22] As versões da teoria substantiva da liberdade, segundo o utilitarismo e o contrato social, podem se fundir numa terceira. Esta apela para o conceito de um sistema ideal de processos para a elaboração de leis que possa ser aceito por todos os homens, por interesse próprio, e cuja operação, segundo seria possível demonstrar, poderia levar a certas conclusões específicas sobre a distribuição dos bens e do poder. O trabalho de J. Rawls, o moralista americano, ilustra esse ponto de vista.[23]

As principais deficiências da doutrina substantiva da liberdade mostram-se, finalmente, semelhantes às da doutrina formal. A teoria substantiva da liberdade termina por ruir, porque não consegue encontrar uma maneira neutra de combinar valores individuais e subjetivos.

Na alternativa utilitarista dessa teoria o problema é encontrar um ponto de partida, independentemente dos propósitos subjetivos dos indivíduos, para decidirmos que combinação de valores deve ser favorecida pelas leis. Do número infinito de finalidades, quais as que devem ser somadas e que importância dar a cada uma delas? Esse ponto neutro e arquimediano seria precisamente o bem objetivo, cuja não existência levou-nos a tentar visualizar uma doutrina liberal de legislação.

Similarmente, a versão da teoria substantiva da liberdade proposta pelo contrato social pressupõe a possibilidade de encontrarmos um processo para a elaboração de leis com o qual todos os homens, quaisquer que fossem seus valores, teriam razões para concordar. Quanto mais indeterminado o processo na especificação de determinadas leis, tanto menos razões alguém encontraria para lhe fazer objeções. Mas, nesse caso, a solução do problema da legislação seria simplesmente adiada. Por outro lado, quanto mais concreto o processo, tanto menos plausível seria que beneficiasse igualmente as necessidades de todos.

Tomemos, por exemplo, uma democracia representativa constitucional. Algumas de suas leis serão parte do quadro constitucional. Outras resultarão de decisões tomadas por pessoas autorizadas dentro desse quadro. A primeira categoria de leis já favorece determinados valores, mas com que justificativa? A segunda possui um conteúdo cuja validade a Constituição reconhece,

Conhecimento e política

embora não requeira. A fim de justificar essas leis, precisamos recorrer a algum princípio independente, como o do poder majoritário. Se temos tais e tais leis de impostos, por exemplo, é simplesmente porque foram essas as leis desejadas pela maioria. Mas por que teriam todos os homens razões iguais de se inclinarem à decisão da maioria? Certamente alguns esperam, mais que outros, encontrar aliados na busca de seus objetivos. O fato de que o poder majoritário não constitui um princípio de bom senso evidente é demonstrado pelo fato de que, num regime constitucional, há certas coisas que não são permitidas à maioria.

A terceira subcategoria da teoria substantiva da liberdade assemelha-se à doutrina do contrato social porque propõe um processo para a elaboração de leis, e ao utilitarismo porque procura demonstrar que esse processo resultaria em leis específicas governando o poder e o dinheiro. Procura escapar às armadilhas, tanto do contrato social como da doutrina utilitarista, imaginando uma situação hipotética ideal na qual os homens pudessem legislar sem conhecerem suas posições na sociedade e ignorando, assim, quais seriam seus valores específicos como indivíduos reais. A dificuldade, no caso, é análoga às objeções contra as primeiras modalidades da teoria substantiva da liberdade. Quanto menos permitirmos às pessoas que se encontram na posição ideal que elas sejam concretas, tanto mais reduzidos os critérios pelos quais poderão elaborar leis específicas, deixando não solucionados os problemas da legislação. Quanto mais, porém, se tornarem iguais aos outros seres humanos, com suas próprias preferências, tanto mais se verão forçados a escolher entre valores individuais e subjetivos na própria situação ideal.

A teoria da liberdade, tanto a formal quanto a substantiva, é confrontada e destruída pelo mesmo dilema: a impossibilidade de reconciliar as exigências da concretude e as de neutralidade na doutrina da legislação. As mesmas premissas que dão nascença ao problema da liberdade no pensamento liberal, o princípio do valor subjetivo e os princípios relacionados de normas e valores e do individualismo tornam a questão insolúvel.[24]

A terceira solução para o enigma da liberdade refuta a conclusão sobre a qual ele se baseia – o subjetivismo dos valores. Apela para a ideia de valores

Teoria política liberal

compartilhados como base de elaboração de leis. Em cada sociedade organizada há um núcleo de propósitos que merecem ampla concordância, sobre os quais pode ser baseada a própria elaboração de leis ou a escolha dos processos utilizados para esse fim. As leis, ou os processos que têm tal fundamento, não representam preferências arbitrárias para que determinados objetivos sejam alcançados; são a própria encarnação dos objetivos comuns. Os valores compartilhados não servem apenas como fonte de legislação. Funcionam, também, além dos limites das normas formais, como um vínculo fundamental entre os homens. Embora tenha desempenhado um papel importante nos trabalhos de pensadores políticos tão diversos quanto Rousseau, J. S. Mill e T. H. Greene, a teoria dos valores compartilhados foi mais bem definida na teoria social clássica, particularmente na tradição que vai de Saint-Simon e Comte a Durkheim.[25]

A doutrina dos valores compartilhados difere, em espécie, da teoria formal e substantiva da liberdade porque parece negar a individualidade e talvez mesmo a subjetividade dos valores, premissas sobre as quais as outras doutrinas se fundaram. Na nossa discussão sobre o princípio do valor subjetivo já antecipei a ideia de uma partilha de valores como solução para o problema da liberdade. Adiarei a discussão dessa ideia até examinarmos seu papel na teoria da aplicação do direito.

A liberdade que a teoria formal e a teoria substantiva pretendem proteger é a liberdade de fazermos o que desejarmos. Kant, Von Humboldt, J. S. Mill e os neo-hegelianos ingleses lembram-nos de que uma segunda noção da liberdade passou a ocupar um lugar importante, embora inseguro, no pensamento liberal. Essa é uma visão da liberdade como sendo o desenvolvimento das capacidades, dos poderes ou dos talentos que os homens possuem. A tarefa do Estado e o critério da legislação é escolher as fórmulas sociais mais condutivas ao florescimento dessas capacidades.[26]

Se fosse dado a essa doutrina qualquer grau de precisão – o que nunca foi feito –, ela representaria uma quebra em todo o sistema do pensamento liberal, tão decisiva quanto a teoria de valores compartilhados, que repudiou as ideias de individualidade e subjetivismo. Seria necessário ao legislador

Conhecimento e política

selecionar dentre o número indefinido de talentos humanos os que fossem mais dignos de proteção e determinar os mais capazes de serem confiados aos próprios cuidados do indivíduo. O legislador teria que empregar conceitos do valor e da natureza humana muito diversos dos que foram legados pela tradição do liberalismo. A teoria do desenvolvimento dos talentos é, na verdade, uma das críticas parciais do sistema clássico que abre caminho ao criticismo total, e só através dele podem ser completadas.

A ANTINOMIA ENTRE NORMAS E VALORES: O PROBLEMA DA APLICAÇÃO DO DIREITO

De nada vale termos uma doutrina para a justificação da elaboração do direito se não tivermos outra para aplicá-lo. A liberdade requer um direito geral, impessoal ou neutro. A definição da neutralidade e sua reconciliação com as exigências da concretude são os temas centrais da teoria da legislação. Depois de conseguirmos formular uma doutrina adequada da elaboração do direito, teremos ainda que determinar o que significa aplicar esse direito a casos particulares. (Sempre que emprego os termos norma ou direito, sem qualquer outra qualificação, refiro-me a uma norma prescritiva e não a normas instrumentais ou constitutivas.)

·A não ser que possamos justificar uma interpretação de normas como superior a outra, a tentativa de estabelecer uma generalidade legislativa será justificadamente rejeitada como ilusória. A teoria da aplicação do direito é, por conseguinte, uma continuação da teoria da legislação. Seu problema básico consiste em determinar através de que critérios, ou de que maneira, podem as leis ser aplicadas sem que sejam violados os requisitos da liberdade. Se aquele que aplica as leis não puder justificar suas decisões, porque elas se baseiam em valores individuais e subjetivos próprios, a liberdade será prejudicada. Aqueles aos quais a lei se aplica terão rendido sua liberdade ao juiz – a pessoa autorizada a aplicar essas normas.[27]

O alcance desse setor é mais amplo que a própria teoria da aplicação do direito. Para compreendermos a natureza da adjudicação, devemos distinguir

Teoria política liberal

entre duas maneiras diferentes de ordenar as relações humanas. Uma consiste em estabelecer normas para governar categorias gerais de atos e pessoas e, depois, decidir disputas particulares entre pessoas na base de normas estabelecidas. É essa a justiça formal. A outra maneira é determinar objetivos e, a seguir, independentemente das normas, resolver casos particulares julgando que decisão contribuirá mais provavelmente para os objetivos predeterminados – um julgamento de racionalidade instrumental. É essa a justiça substantiva.

No plano de justiça formal, as leis são elaboradas contra o pano de fundo das finalidades que visam promover, mesmo que a única finalidade permissível seja a própria liberdade. Só depois de formuladas as normas é que as decisões "segundo as normas" se tornam possíveis. Daí a possibilidade de se distinguir entre legislação e aplicação de direito ser precisamente o que define a justiça formal. A principal tarefa da teoria de aplicação do direito é determinar quando uma decisão pode ser verdadeiramente considerada como "de acordo com determinada norma", se a norma que tivermos em mente for a lei do Estado aplicada por um juiz. Só decisões tomadas "de acordo com a norma" são consistentes com a liberdade; as outras constituem exercícios arbitrários do poder judiciário.

As decisões tomadas segundo as normas devem ser capazes de um tipo de justificação diversa da justificação para a existência das próprias normas. A tarefa de julgar é distinta da de elaborar leis. Habitualmente, a separação das funções se fará acompanhar e será reforçada por uma divisão dos poderes; a pessoa do elaborador de leis não será a mesma que a pessoa daquele que aplica as leis. Não sendo possível o poder ser tornado impessoal, pode, pelo menos, ser distribuído. Mas a atomização do poder deve ser preterida por sua neutralidade.

Há sistemas jurídicos nos quais a linha divisória entre a legislação e sua aplicação é obscura desde o início. Isso é especialmente verdadeiro onde existe uma tradição de "direito criado por juízes", como no *Common Law*. Um sistema no qual os juízes tanto elaboram quanto aplicam a lei não é, obviamente, inconsistente com uma situação de justiça formal, desde que alguma separação possa ser interposta entre as razões para a existência de

Conhecimento e política

uma regra e as razões pelas quais aplicá-la a um caso particular. Mas permanece a questão: o que acontece à justiça formal quando essa separação se torna transparente? Por enquanto, basta notarmos que o sistema das leis criadas pelos juízes é fatalmente obcecado pelo relacionamento entre a justiça formal e a justiça substantiva.

A justiça substantiva é a situação na qual cada decisão é justificável porque é a melhor indicada para promover um fim aceito. A relação entre uma determinada decisão e o seu objetivo é a que existe entre um meio e um fim. Por exemplo: dado o objetivo de aumentar a produção nacional, um determinado negócio deve ser permitido porque sua prática aumentará a produção.

A feição marcante da justiça substantiva é a não existência de qualquer linha divisória entre a legislação e sua aplicação. No caso da justiça substantiva, não há elaboração nem aplicação de lei porque, em vez de normas prescritivas, há apenas opções quanto ao que deve ser feito e julgamentos de racionalidade instrumental relativos a como fazê-lo. As normas técnicas ou instrumentais encontram o ambiente que lhes é próprio num regime de justiça substantiva. São máximas de eficiência sujeitas a constante revisão à luz de novos conhecimentos e circunstâncias diversas. As normas instrumentais divergem das normas prescritivas precisamente devido ao seu caráter provisório. É impossível basear nelas direitos e deveres fixos. Numa situação de justiça substantiva, o apoio ao seu interesse dependerá de ser ele, na hora da decisão, benéfico ou prejudicial aos fins que visamos. Por essas e outras razões, a serem examinadas mais adiante, as leis, num regime de justiça formal, não podem ser concebidas como instrumentais.

O contraste entre os regimes de justiça formal e substantiva pode, portanto, ser definido mais simplesmente como sendo a diferença que existe entre a decisão através de normas prescritivas e a decisão através de normas instrumentais. Mais luz pode ser lançada sobre esse contraste pela observação de que a justiça formal é a contrapartida política da moral da razão, e a justiça substantiva o equivalente político da moral do desejo. Como a moral da razão, a justiça formal emprega regras como um critério imediato de justificação. Como a moral do desejo, a justiça substantiva se utiliza dos objetivos.

Teoria política liberal

Eis aqui um breve exemplo de diferença entre as duas situações, escolhido deliberadamente por incluir ambiguidades que uma discussão futura examinará. Tomemos o caso do administrador de uma indústria encarregado, pelo governo, de produzir um determinado número de toneladas de aço. Há duas maneiras pelas quais o governo poderá dirigir a conduta do administrador. Por um lado, poderá estabelecer normas que indiquem as fontes das quais os suprimentos devem ser obtidos e as técnicas de manufatura a serem usadas. Além disso, essas normas poderão ser consideradas obrigatórias, não levando em conta se a obediência a elas, pelo administrador, resultará ou não na produção do número de toneladas desejado. Como alternativa, o governo poderá simplesmente fixar a quota de produção e permitir ao administrador que escolha o meio mais eficaz de alcançá-la. Pode, ainda, indicar linhas mestras de produção cuja eficiência tenha sido provada anteriormente. Mas o diretor, nessa segunda alternativa, só se justificará por ter seguido essa orientação se não descobrir um processo mais eficaz, ou se a busca deste importar despesas que sobrepassem as vantagens de seguir a rotina habitual. Se estendermos essa comparação entre as duas maneiras de lidar com o diretor de modo a incluir duas formas que este possa encontrar de lidar com outros diretores, teremos uma imagem do contraste entre a justiça formal e a justiça substantiva.[28]

A tese central dessa parte do nosso estudo é a de que nem o regime de justiça formal nem o de justiça substantiva são capazes de resolver o problema da liberdade. No entanto, não há como conciliá-las. Não há, por conseguinte, nenhuma solução coerente para o problema da aplicação das normas, tal como é definida pelo pensamento liberal; não podemos nos livrar das dificuldades com as quais esse problema confronta a doutrina política liberal abraçando ou a justiça substantiva ou a justiça formal. Um sistema de leis e normas (justiça formal) não pode dispensar uma consideração dos valores no processo de sua aplicação, nem tornar-se consistente com tal consideração. Além disso, quaisquer decisões sobre como favorecer valores gerais em situações particulares (justiça substantiva) não podem nem dispensar as normas nem se tornarem compatíveis com elas. Esta é a antinomia entre normas e valores.

Conhecimento e política

A antinomia entre normas e valores é a analogia política à antinomia psicológica entre razão e desejo. As duas antinomias envolvem a mesma espécie de argumentos e possuem uma fonte comum. Como a antinomia entre normas e valores está profundamente enraizada na moderna teoria do direito, o que tenha a ver com esta envolverá os principais aspectos da teoria jurídica moderna e as conhecidas objeções a cada um deles. Não tenho por propósito acrescer a essas objeções ou examiná-las em detalhe, mas apreender e criticar a situação da teoria jurídica como um todo. Com essa finalidade, começarei por considerar o regime da justiça formal, ou a teoria da aplicação do direito, voltando-me, então, para a situação em que se encontra a justiça substantiva.

O relato mais simples e habitual da justiça formal figura, na literatura da teoria jurídica, sob o nome de formalismo. Foi abraçado, em várias épocas, por proponentes de teorias legislativas tão diversas quanto as doutrinas formais e substantivas da liberdade, por discípulos de Kant e de Bentham. Na sua versão mais radical, a teoria formalista da aplicação do direito afirma que o sistema jurídico ditará uma única solução correta para cada caso específico. É como se fosse possível obter das leis julgamentos corretos através de um processo automático. O regime da justiça formal pode, por conseguinte, ser estabelecido através de uma técnica de aplicação do direito capaz de não levar em consideração as "diretivas" ou os "propósitos" da lei.[29]

Aqueles que afastam o formalismo como sendo uma ilusão ingênua, errônea em suas alegações e perniciosa em seus efeitos, não sabem o que os espera. Seu desprezo é mais superficial ainda que a doutrina que ridicularizam porque não chegam a compreender o que os pensadores liberais clássicos perceberam há mais tempo: a destruição do formalismo arrasta atrás de si a destruição de todas as outras doutrinas liberais de aplicação do direito. O primeiro passo para a compreensão disso é a descoberta de que o argumento contra o formalismo apoia-se sobre uma base bem mais sólida. Uma vez que esta for descrita, tornar-se-á evidente que a posição formalista é incoerente por não ser consistente com as premissas da teoria política liberal que ela também pressupõe.

O formalista acredita que o significado das palavras é geralmente claro. Adota, de uma maneira ou de outra, o ponto de vista de santo Agostinho,

Teoria política liberal

segundo o qual a linguagem consiste numa série de nomes que apontam coisas.[30] Se, para lembramos o exemplo de Pufendorf, a lei proíbe que se derrame sangue nas ruas, é claro que isso se refere a combates e não a uma assistência dada por um médico em caso de emergência.[31] As normas consistem numa série de nomes – palavras que descrevem as categorias de pessoas e atos aos quais as normas se aplicam. Na medida em que o significado das palavras for claro, tornar-se-á evidente a que situações de fato elas se aplicam. O juiz que aplicar simplesmente as leis às pessoas e aos atos que elas indicam estará, por definição, aplicando as leis uniformemente. Não está exercendo um poder arbitrário. O formalismo é, na verdade, a mais simples das soluções propostas para o problema da aplicação do direito.

A visão das normas e, por conseguinte, dos nomes a lhes serem dados, implícita na tese formalista, depende do conceito pré-liberal das essências inteligíveis. A fim de inferir a existência de situações sob as regras, e de coisas sob as palavras, a mente precisa ser capaz de perceber as qualidades essenciais que marcam cada fato ou situação como fazendo parte de uma determinada categoria. Tão logo se torne necessário iniciar um debate relativo a propósitos a fim de determinar se a assistência dada pelo médico, numa emergência, pertence à classe dos atos proibidos pela lei, o formalismo terá sido abandonado.

A única alternativa possível à crença nas essências inteligíveis, como base para o formalismo, seria a noção de que, na grande maioria dos casos, os valores comuns e uma comum compreensão do mundo, provocados por um padrão de vida social semelhante, tornarão perfeitamente evidente a que categoria alguém pertence. A prática social substituiria tanto as essências inteligíveis quanto a consideração explícita de um propósito. Deixarei essa tese para uma discussão posterior porque é uma das alternativas à ideia mais geral de valores compartilhados como solução para os problemas da legislação e da aplicação do direito.

A objeção básica ao formalismo é a de que a doutrina das essências inteligíveis, cuja veracidade é assumida pela confiança do formalista na clareza dos significados, é incompatível com a visão da vida social a cujas consequências ela reage. O objetivo das teorias de legislação e de aplicação das

Conhecimento e política

normas no pensamento liberal é, precisamente, demonstrar como a liberdade é possível, a despeito do individualismo e do subjetivismo dos valores. Se pudéssemos dispor de valores objetivos, se soubéssemos reconhecer o verdadeiro bem com certeza absoluta e compreendêssemos, perfeitamente, todas as suas implicações e exigências, não necessitaríamos de um método imparcial de aplicação do direito. Com as qualificações a serem mencionadas oportunamente, contentar-nos-íamos com um regime de justiça substantiva no qual as normas seriam desnecessárias. O problema da aplicação do direito tal como ele é apresentado na teoria jurídica moderna está, portanto, inexplicavelmente ligado ao conceito de que os valores são subjetivos e individuais.

Já foi demonstrado que o princípio do valor subjetivo que as teorias formalistas de aplicação do direito tomam por pressuposto não pode coincidir com a doutrina das essências inteligíveis. Pelo contrário, a ideia do valor subjetivo é parte integral de uma visão do mundo para a qual não há distinções naturais entre as coisas nem qualquer hierarquia de essências que possa servir como base para definir categorias gerais de fatos e classificar particulares nessas categorias.

Esta é a ideia moderna ou convencional da natureza e da ciência. Para o convencionalista há um número infinito de possíveis maneiras de dividir o mundo e de classificar coisas particulares sob palavras gerais. A classificação deve ser sempre justificada por algum interesse ou propósito a que ela sirva. Portanto, não há, em princípio, "significados evidentes".

O direito de punir o médico, do exemplo de Pufendorf, de acordo com a lei que proíbe o derramamento de sangue nas ruas, depende de interpretarmos o propósito da lei como sendo o de preservar a tranquilidade pública ou de evitar que se suje o calçamento. É somente porque um dos propósitos contidos neste exemplo parece absurdo que o problema do propósito não nos sobe à consciência. Mas ele sempre existe, controlando o sentido dos fatos, sob nomes, e das situações, através de palavras.

O vício principal do formalismo é sua dependência de uma interpretação da linguagem inconciliável com as noções modernas da ciência, da natureza e da linguagem que os próprios formalistas têm por certas. O formalismo é a doutrina da aplicação do direito que se apoia sobre duas espécies de

Teoria política liberal

premissas – premissas relativas à linguagem e ao valor – que se contradizem uma à outra. Trata-se, por conseguinte, de uma teoria incoerente – uma falácia que resulta da cegueira que faz com que se perca de vista a unidade da psicologia liberal e da teoria política liberal.

A história da moderna teoria do direito pode ser caracterizada como uma contínua tentativa de encontrar uma alternativa adequada ao formalismo como base para a justiça formal. Se a verdadeira natureza dessa falácia do formalismo houvesse sido compreendida, a tentativa talvez não tivesse sido empreendida tão entusiasticamente. Porque as próprias considerações que derrotam o formalismo viciam a principal doutrina de adjudicação que o substituiu – a teoria finalista.[32]

A teoria finalista afirma que, a fim de aplicar as leis correta e uniformemente, o juiz deve considerar os propósitos ou as normas de ação a que essas leis servem. Assim, a decisão de não punir o médico tem por mola a determinação de que o objetivo da lei é garantir a segurança nas ruas e que esse objetivo seria mais prejudicado que auxiliado pela punição do médico. Os propósitos e as normas de ação são as finalidades; as leis, elas próprias, são os meios.

Os valores ou combinações de valores aceitos pela teoria da legislação como justificativas adequadas das leis, quaisquer que elas sejam, serão também usados como critérios para distinguir as boas interpretações das más. Assim, o mesmo valor concernente à segurança pública, que justifica a lei, determina quem deve ser punido segundo suas cláusulas. Aquele que elabora a lei e o que a aplica são considerados como participantes numa ação comum. O juiz usa de seu poder judicial para promover os objetivos do legislador ou quaisquer objetivos que julga atribuíveis às leis que aplica. O teórico dessa corrente não hesita em aceitar a moderna visão convencionalista da linguagem e do pensamento e em desprezar a confiança do formalismo em interpretações evidentes.[33]

A teoria finalista deixa em suspenso o regime da justiça formal. Notemos, inicialmente, que a doutrina finalista necessita encontrar uma maneira de definir os valores, as normas e os propósitos que devem orientar o trabalho do juiz. Em geral, julga-se que uma norma deve servir a muitos propósitos. Além disso, um juiz lida com todo um sistema de normas dentre as quais deve

Conhecimento e política

escolher aquela que julgar apropriada ao caso que tem diante de si. Ao aplicar a este uma dessas normas, deverá pesar as diretrizes da norma escolhida, confrontando-as com as de outras normas que poderia ter aplicado ao caso, obtendo resultados diversos. Por isso a teoria finalista da aplicação do direito requer não somente um critério para a definição das normas de controle, mas também um método que permita pô-las sempre na balança. Na ausência de um processo que decida qual a política a ser adotada, o juiz imporá inevitavelmente suas preferências subjetivas, ou as de outra pessoa, aos litigantes.

Na verdade, não existe um método para a escolha e disposição dos valores, nem pode ele existir dentro do pensamento liberal. Mesmo recursos, como o da decisão da maioria ou do mercado, utilizados para lidar com o problema da liberdade no nível legislativo são de pouca valia na aplicação do direito. A aplicação do direito pressupõe a separação de funções; o juiz não pode pretender basear sua decisão diretamente nas forças "políticas" que o mercado e o processo eleitoral colocam uma contra a outra. Ele precisa controlar algum mecanismo independente que lhe permita associar e pesar as diversas opções políticas. Para que esse mecanismo seja criado, contudo, ter-se-ia que abrir mão do princípio do valor subjetivo e, justamente com ele, de todos os postulados do pensamento político liberal que se relacionam a ele e que preparam o terreno para o problema da aplicação do direito.

Um dos problemas característicos do advogado moderno é ter de arguir constantemente sobre a política a ser adotada, como se uma escolha racional entre valores competitivos fosse possível, e permanecer, apesar disso, fiel à ideia de que os valores são subjetivos e à doutrina política de que essa ideia faz parte. A doutrina finalista da aplicação do direito é simplesmente a expressão teórica dessa frequente contradição. Deixo para ser estudada na próxima seção a possibilidade de que essa contradição talvez seja resolvida através de valores e crenças comuns às quais o juiz possa recorrer.

A segunda principal objeção à doutrina finalista é a impossibilidade de reconciliarmos a visão prescritiva de normas e as implicações dos julgamentos de propósito ou norma de conduta. Para a teoria finalista, a decisão sobre como aplicar uma determinada norma a um caso específico depende

Teoria política liberal

da resposta a uma questão anterior: os objetivos dessa lei e da ordem jurídica em geral serão mais bem servidos por sua aplicação a este caso? A interpretação da lei gira sobre um cálculo de racionalidade instrumental. Pode ser desnecessário discutir as políticas a serem adotadas explicitamente na maioria dos casos, o que resulta apenas do fato de serem os propósitos da lei e suas implicações aparentemente tão claros que dispensam um escrutínio consciente. Pressionados por um estranho para que lhe fornecêssemos nossa interpretação de uma determinada lei, teríamos que lhe fornecer, além da interpretação, uma justificativa finalista de interpretação. Os julgamentos de racionalidade instrumental que definem quais os meios mais eficientes de atingir fins ou propósitos são sempre definitivos quanto à classificação dos atos e das pessoas segundo normas.

Um julgamento de racionalidade instrumental não pode, contudo, pretender qualquer generalidade ou estabilidade. É sempre possível descobrir-se um meio mais eficaz, ou por terem as circunstâncias mudado, ou por ter aumentado o conhecimento. Por isso, a única espécie de norma consistente com as exigências dos meios e dos fins é uma norma instrumental. Se o alcance de cada norma tiver que ser determinado, em última análise, por um julgamento de racionalidade instrumental, a totalidade da lei se reduzirá a um grupo de normas instrumentais. As consequências disso, para um regime de justiça formal, seriam fatais.

Primeiramente, já não será lógico em tal situação falarmos de direitos e deveres fixos. Se o que o direito contratual pretende é promover a riqueza nacional e se o alcance das normas do direito contratual tiver que ser determinado pela análise de seus propósitos, qualquer negócio que prejudique o objetivo, ao invés de promovê-lo, não será considerado um contrato válido. Nesse caso, os cidadãos não estariam obrigados a cumprir promessas, e não se justificaria as autoridades sancionarem disposições contratuais sempre que uma recusa de cumpri-las ou sancioná-las fosse indicada por um julgamento apropriado de racionalidade instrumental.

Outra consequência da teoria finalista é prejudicar a separação das funções. Os juízes serão chamados a fazer o mesmo tipo de julgamento de racionalidade

Conhecimento e política

instrumental que caracteriza a legislação e a administração. Além disso, as normas que repartem competência aos vários órgãos do governo terão que ser, elas próprias, aplicadas segundo sua linha de ação. Nunca se pode excluir, em princípio, a possibilidade de que, num caso particular, as finalidades políticas subjacentes às normas jurisdicionais se beneficiarão, a curto e a longo prazo, mais com a violação dessas normas do que a obediência a elas. Em tal caso, a aparente usurpação será não só permitida mas também indicada.

Essas desastrosas implicações da teoria finalista na aplicação da justiça formal não podem ser evitadas pela simples insistência em que certas normas permanecem imunes à interpretação, ou de que, ao juiz, não seja permitido reformular a distribuição de poderes à luz de sua compreensão das diretrizes que servem de base à alocação. Isso representaria um recuo para o formalismo. A crítica do formalismo demonstrou que a interpretação finalista é inevitável. Já agora, no entanto, verifica-se que ela também destrói os próprios fundamentos da justiça formal.

O problema da aplicação finalista do direito é a principal preocupação de qualquer sistema de lei elaborada por juízes. Quando os casos que motivam a lei são os mesmos que a aplicam e a influência dos critérios sobre o que é a lei e o que ela deveria ser estão constantemente diante de nossos olhos, a diferença entre a legislação e sua aplicação é um fio quase invisível, e esse fio se partirá se for apenas tão forte quanto a teoria finalista.

A discussão que travamos sobre as teorias formal e finalista pretendeu demonstrar que uma teoria coerente de adjudicação ou de justiça formal não é viável se ela for baseada nas premissas do pensamento liberal. No entanto, estas premissas é que configuram a diferença entre a elaboração do direito e o fato de sua aplicação ser possível ou necessária. Resta considerar, brevemente, se o problema da liberdade pode ser resolvido por um regime de justiça substantiva que, diversamente tanto da teoria formalista quanto da teoria finalista da justiça formal, não pretenda comprometer-se com quaisquer normas.

O primeiro pré-requisito da justiça substantiva é um conjunto de valores tão firmemente estabelecidos que possam ser assegurados quando da tomada de

Teoria política liberal

decisões em casos particulares. Opções particulares podem ser então consideradas ou como meios de alcançar os valores aceitos e concebidos como finalidades ou como maneiras de concretizar ou tornar mais substanciais os valores formais ou abstratos. Por exemplo: uma decisão de não reforçar negociações entre marido e mulher pode ser considerada ou como um meio de alcançar o objetivo, que seria o da confiança matrimonial, ou como uma especificação do valor geral da confiança matrimonial. No primeiro caso, o método de justiça substantiva é um método de racionalidade instrumental. No segundo caso, é um método de razão prática que atua entre o abstrato e o concreto. Por ser esse conceito da razão prática desconhecido do pensamento liberal, e inconsistente com suas premissas, nossa análise confinar-se-á à forma de justiça substantiva que se apoia na racionalidade instrumental.

Os regimes de justiça substantiva não são desconhecidos. São característicos de muitas sociedades tribais, de certos tipos de Estado teocrático e, num certo sentido, da organização interna da família, mesmo nas modernas sociedades industriais. Mas não há lugar para a justiça substantiva no pensamento liberal.

Desde logo, os princípios de valor subjetivo e de individualismo precluem a possibilidade de qualquer categoria estável de objetivos comuns. Além disso, os valores ou finalidades que se consideram garantidos são sempre indeterminados. Deixam-nos a tarefa de decidir ainda quais os meios que preferimos empregar para alcançarmos os fins escolhidos, ou que conteúdo substantivo daremos a um valor abstrato. Assim sendo, não se pode basear uma ordem social em julgamentos sobre como promover determinados objetivos sem confiar em regras que estabelecem o que é considerado um meio disponível ou não. Essas normas limitadoras só podem funcionar, se funcionarem, não tanto de maneira instrumental, mas prescritiva.

Tomemos o exemplo inicial do gerente de uma fábrica encarregado de uma quota de produção num regime de justiça substantiva. O Estado recomenda que ele obtenha a quota pelos mais eficientes métodos disponíveis. Mas deverá roubar operários a indústrias vizinhas a fim de aumentar a sua força de trabalho, ou levar seus operários a ponto de um colapso por exaustão? O sistema

127

Conhecimento e política

jurídico define certos tipos de ato como crises ou infrações administrativas, e estas podem não ser escolhidas pelo gerente como um meio de alcançar seus fins.

A área de livre-arbítrio à disposição da racionalidade instrumental pode variar enormemente, mas em qualquer situação social organizada há condições que não podem ser ultrapassadas, as quais decorrem de normas prescritivas cuja extensão não é, tampouco, sujeita aos cálculos da racionalidade instrumental. A não ser que esses pontos fixos de apoio se encontrem disponíveis, faltará um entendimento comum quanto ao que constitui um possível meio de alcançar uma finalidade predeterminada. Não haverá um critério comum para avaliar decisões, e o regime de justiça substantiva não poderá sobreviver. No entanto, tão logo sejam introduzidas normas prescritivas destinadas a salvar a justiça substantiva, teremos de volta todas as dificuldades decorrentes da justiça formal e da teoria da aplicação do direito, das quais a justiça substantiva nos prometia, aparentemente, escapar. Como as normas prescritivas que estabelecem as condições-limite precisam ser interpretadas, vemo-nos de novo presos às areias movediças da teoria da aplicação do direito.

A ordem baseada em normas e a ordem baseada em valores, os regimes de justiça formal e substantiva, a teoria da aplicação do direito e a teoria da racionalidade instrumental revelam ser igualmente inadequadas. Para operar um sistema de normas, temos que apelar para considerações de propósito que acabam por dissolver o que considerávamos ser, em primeiro lugar, um sistema de normas.

Uma conclusão especialmente importante é a de que nenhuma teoria coerente de aplicação do direito é possível dentro do pensamento liberal. Isso significa que, mesmo que a doutrina liberal dos sistemas políticos pudesse estabelecer uma teoria adequada de legislação, seria incapaz de resolver seus problemas centrais de ordem e liberdade. É praticamente impossível visualizarmos uma teoria liberal de aplicação do direito, porque nossas noções de como elaborar e aplicar a lei foram formadas por princípios liberais.

Até então vimos discutindo sobre a antinomia entre normas e valores estritamente como um problema de ideias, evitando comentários sobre a luz que a análise feita do ponto de vista da teoria do direito poderia lançar sobre

Teoria política liberal

a atual situação da sociedade e da ordem jurídica. Isso está na linha do método crítico adotado, que pretende focalizar o liberalismo como um sistema de conceitos ou de ideias. Contudo uma breve referência ao significado histórico da antinomia de normas e valores poderá tornar o argumento teórico de mais fácil acesso. O sentido exato da relação entre problemas de teoria política e problemas políticos será definido no Capítulo 4.

Nos modernos Estados assistencialistas corporativos do Ocidente, a teoria finalista tornou-se o ponto de vista dominante da aplicação do direito. Ao mesmo tempo, os tribunais e as agências administrativas nesses países, estão sendo cada vez mais confrontados com a tarefa de administrar critérios flexíveis, como o de irracionalidade segundo o princípio de que contratos irracionais não devem ser executados, e com normas que assumem as características de um programa econômico, como as leis antitruste americanas. Nessas situações, os tribunais e agências veem-se presos entre duas opções com exigências conflitantes: o papel do juiz formalista tradicional, que pergunta qual é a interpretação correta das normas estabelecidas pelo direito, e o papel do calculador de eficiências, que procura determinar que modalidade de ação serviria, mais eficientemente, a um determinado objetivo, como o da manutenção de um mercado competitivo.

A mesma dualidade, numa forma menos dramática, influencia todo o sistema jurídico, generalizando regras e decisões *ad hoc*. Essa instabilidade é o sinal externo da contradição interna entre a justiça formal e a racionalidade instrumental. Para os tribunais e as agências administrativas dos Estados assistencialistas corporativos, a conformidade às normas é a restrição ao poder que garante a liberdade. Um ato que não possa ser justificado como uma interpretação correta dessas normas representa um exercício arbitrário e injustificado do poder – uma forma de dominação.[34] Sem uma solução para o problema de valor, o problema da dominação não pode ser resolvido.

A luta entre a norma e o propósito, a liberdade e a eficiência, no sistema jurídico dos Estados assistencialistas corporativos, sugere contrapartidas às dificuldades teóricas da justiça formal. A evolução interna do direito e da política nas sociedades socialistas totalmente planejadas ilustra as contradições de

Conhecimento e política

um regime de justiça substantiva. Numa situação de planejamento ideal, o laço fundamental entre unidades de produção e outros grupos sociais deveria ser a lealdade aos objetivos comuns. Em qualquer situação de escolha a pergunta seria que decisão, num determinado caso, mais contribuiria para impulsionar os objetivos comuns, e não o que a norma estabelece. O emprego de normas fixas limitar-se-ia às circunstâncias nas quais uma avaliação dos meios e dos fins se revelasse ineficiente. No entanto, essas sociedades socialistas se caracterizam por uma expansão incessante de respeito às normas, expansão essa que os fatores de eficiência não parecem justificar de maneira adequada.[35]

O estudo da justiça substantiva sugere uma hipótese alternativa. Na ausência de amplos valores e percepções comuns, como os de uma sociedade tribal, a racionalidade instrumental não é capaz, por si só, de manter uma organização social unida; daí a necessidade de um número cada vez maior de regulamentos como condições que limitam o cálculo de eficiências. Sem as normas restritivas do Estado liberal, nem os propósitos comuns capazes de manter o ânimo de um exército no combate, as ordens dadas pelos oficiais aos seus inferiores, segundo a hierarquia daquela organização, não passarão de um exercício de domínio individual, ao qual se pode opor resistência, ou que será sabotado na primeira oportunidade. Assim, também a "legalização" das sociedades socialistas pode ser tomada como um exemplo da instabilidade de um regime de justiça substantiva. A consequência dessa instabilidade é reintroduzir, no Estado socialista, as tensões que são a praga dos regimes de justiça formal.

As analogias históricas da discussão teórica sugerem que a experiência social a que corresponde a antinomia entre normas e valores é uma relação peculiar entre a maneira pela qual os valores são concebidos na sociedade e o modo como o poder é controlado. Se os valores são experimentados como subjetivos, o poder, que não se restringe pelo direito, será temido como um exercício de dominação pessoal. No entanto, como a interpretação das normas se deve governar por juízos de valor – como demonstra a refutação do formalismo –, o problema do poder sem lei e, por conseguinte, da dominação reaparece dentro da própria cidadela da justiça formal. Mais uma vez parece

Teoria política liberal

que a fim de descobrir uma solução eficiente para o problema da dominação, ter-se-ia que encontrar uma alternativa ao princípio do valor subjetivo. Que alternativa seria essa?

A COMUNHÃO DE VALORES

De todos os instrumentos empregados para lidarmos com as dificuldades da teoria política liberal, um há que se sobrepõe aos outros pela riqueza de suas implicações. É o ponto de vista de que a ordem e a liberdade podem ser alcançadas porque, em toda e qualquer sociedade humana, os homens possuem um núcleo de crenças e valores comuns. A tese interessa, do nosso ponto de vista, como doutrina metafísica sobre as condições da ordem e da liberdade, e não como descrição da sociedade.

É, pelo menos, um comentário sobre as possibilidades da compreensão. Os homens que participam de uma forma comum de vida social têm uma experiência similar. Pode ser dito que isso os torna capazes de se compreenderem uns aos outros e de atribuírem significados convencionais às palavras e, por conseguinte, às normas, independentemente dos objetivos que tenham em vista.[36] Sendo assim, indivíduos que não cheguem a um acordo quanto ao que é bom para eles podem, no entanto, ser capazes de concordar quanto à diferença existente entre situações de fato e as normas a lhes serem aplicadas. O formalismo seria salvo mais como uma doutrina de significados claros baseada numa situação social do que como uma teoria de significados evidentes fundados em essências inteligíveis. De modo mais geral, o crítico poderá observar que nosso estudo do pensamento político liberal é prejudicado por uma constante confusão entre a capacidade de apreender o que o outro tenta expressar e a condição de procurar atingir os mesmos objetivos que ele.

Há duas respostas a essa objeção. Em primeiro lugar, o que aqui focalizamos é mais um problema de justificação que de compreensão. Sempre que os indivíduos, embora conhecendo o significado das leis, forem incapazes de aceitar os valores que informam essas normas, os problemas da ordem e da

Conhecimento e política

liberdade não terão sido resolvidos. Segundo, há limites à autonomia da compreensão em face ao consenso moral – limites esses que se tornarão mais claros na medida em que estudarmos a junção do conhecimento e da avaliação na consciência. Até um certo ponto, podemos compreender a operação de um sistema de normas sem aquiescermos aos valores da comunidade. Mas quanto mais repugnantes ou estranhos forem, aos nossos olhos, os princípios morais, tanto mais difícil será concebermos a visão do mundo com o qual esses princípios estiverem ligados. É, por conseguinte, necessário passarmos da noção de significados convencionais à ideia, mais ambiciosa, de valores compartilhados.

Os valores compartilhados podem servir de base a um regime de justiça substantiva: qualquer decisão será julgada segundo sua capacidade de promover objetivos comuns. De modo semelhante, os valores compartilhados seriam a fonte neutra dos julgamentos das políticas que as teorias finalistas de aplicação do direito põem em marcha.

Mais notadamente, a ideia de valores compartilhados pode até tornar possível reformular a teoria formalista de aplicação do direito para uma versão muito mais eficaz do que a habitual e livre da necessidade de depender da doutrina das essências inteligíveis.

A visão moderna convencional da linguagem ensina que toda a diferenciação entre fatos deve ser justificada por um interesse. Preferimos a classificação das coisas que for mais útil ao desenvolvimento de nossos propósitos. Ao suporem que, em qualquer comunidade, certos objetivos são amplamente compartilhados, os homens tenderão a classificar as coisas da mesma maneira, sem que seja jamais necessário considerar os propósitos de forma explícita. Por exemplo, o valor da vida pode ser tão universalmente respeitado e preferido ao da limpeza das ruas que não ocorreria a ninguém sugerir que o médico deveria ser punido pela lei que proíbe o derramamento de sangue nas vias públicas.

Na maior parte dos casos, as normas adquirem um significado de fácil compreensão, não porque os homens acreditem nas essências inteligíveis, mas porque seus interesses comuns levam-nos a categorizar o mundo e juntar os fatos em suas respectivas categorias. As normas e os atos através dos quais elas são aplicadas a determinadas situações podem, então, ser consideradas

Teoria política liberal

como sinais de uma visão comum do mundo baseada em valores sobre os quais se chegou a um acordo. A convergência de valores pode, por seu turno, ser explicada, embora não possa ser justificada, como produto de uma forma particular de organização social. Como possível solução dos problemas de legislação e sua aplicação, esse ponto de vista é um caso especial da ideia mais geral da comunhão de valores e princípios na sociedade.

Há duas maneiras diversas de se conceber uma comunhão de valores. De um lado, é uma coincidência de preferências individuais que, mesmo combinadas, retêm as características de individualidade e subjetivismo. Do outro, refere-se a valores de grupo que não são nem individuais nem subjetivos. Se partirmos das premissas do pensamento político liberal, teremos que tratar toda e qualquer partilha de valores como uma aliança precária de objetivos que revela simplesmente as preferências subjetivas dos que nela se aliaram. Não há razão, em semelhante sistema de pensamento, para esperar que essas convergências de interesses sejam estáveis, nem para confiar-lhes uma autoridade maior que a das preferências individuais que as produziram. Nessas circunstâncias, a comunhão de valores não poderá resolver os problemas das teorias de legislação e de sua aplicação. Não constituirá o ponto arquimediano estável e autorizado, a partir do qual as leis podem ser pesadas e sobre as quais se pode arrimar o critério de sua classificação.

Para obtermos um resultado diverso, teríamos que abandonar o sistema do pensamento político liberal e as ideias sobre o conhecimento e a natureza humana ligadas a ela. Só rejeitando os princípios do valor subjetivo e do individualismo é que poderíamos admitir a possibilidade de valores comunitários. E só repudiando a distinção entre fato e valor é que partiríamos da simples descrição desses valores comunitários à sua utilização como critérios de avaliação.

Seria, de fato, perigosa ilusão supor-se que uma simples revisão de nossas ideias filosóficas pudesse ser suficiente para realizar o objetivo de revigorar a ideia de comunhão de valores. A seriedade das premissas políticas do liberalismo é consequência da autenticidade com que descrevem uma forma de experiência social que a teoria, por si só, não pode abolir. É a própria experiência da precariedade e da contingência de todos os valores compartilhados na sociedade. Essa experiência advém do sentido de que os valores compartilhados refletem mais os preconceitos e interesses de um grupo dominante do que a percepção generalizada de um bem comum. Desse modo, a individualidade permanece uma asserção da vontade particular contra as convenções e tradições da vida pública.

Duas coisas são necessárias para que o conceito de comunhão de valores possa resolver os problemas da liberdade e da ordem: um avanço teórico e um acontecimento político.

O avanço teórico consiste no desenvolvimento de um sistema de pensamento que nos permitisse negar o contraste entre a discrição e a avaliação ao tratarmos os objetivos compartilhados pelos homens em seus grupos como indicações do que seja bom e direito. A ideia intuitiva que nos pode servir de ponto de partida é a de que o que o homem escolhe expressa sua natureza; de que as opções comuns, mantidas por um largo período de tempo, e capazes de atrair aliados cada vez mais numerosos, refletem uma natureza humana comum; e que o florescimento da natureza humana é a verdadeira base de qualquer julgamento moral e político. A crítica e o desenvolvimento dessa ideia constituem um objetivo da minha teoria do eu.

O acontecimento político seria a transformação das condições da vida social, particularmente das circunstâncias de predomínio que produzem a experiência da contingência e da arbitrariedade dos valores. Na seção anterior foi sugerido que, enquanto for mantido o princípio do valor subjetivo, a elaboração e a aplicação do direito dependerão de escolhas que não podem ser justificadas e que terão que ser percebidas, por conseguinte, como o simples predomínio exercido por alguns homens sobre todos os outros. Já agora percebemos, contudo, que, a fim de escaparmos à premissa do valor subjetivo, teremos que transformar a realidade do predomínio. O propósito da teoria de grupos orgânicos é examinar as condições sob as quais se pode romper esse círculo vicioso.

CAPÍTULO 3
A UNIDADE DO
PENSAMENTO LIBERAL

INTRODUÇÃO

Concluirei, agora, minha crítica do pensamento liberal. Meu objetivo é demonstrar a unidade das ideias psicológicas e políticas do liberalismo e descobrir a fonte de sua unidade em conceitos ainda mais fundamentais que os que foram discutidos nos capítulos anteriores. Desse modo, prepararei a base para uma tentativa de irmos além da crítica total rumo a uma revisão de nossas ideias.

O capítulo divide-se em duas partes. A primeira é uma dissertação sobre o método no estudo da sociedade. Um dos objetivos dessa dissertação é esclarecer o sentido em que os princípios do pensamento liberal são interdependentes e mostrar as limitações e as utilizações de uma crítica que encare o liberalismo como um sistema de conceitos. Outro propósito é o de sugerir uma visão geral das características do fenômeno social, o pano de fundo contra o qual as inter-relações e as falhas das ideias liberais podem ser vistas mais claramente.

À luz da discussão metodológica, a segunda parte do capítulo examina o que torna o pensamento liberal uma unidade e como se pode iniciar sua reconstrução. Começarei por examinar as relações entre os dois primeiros postulados da psicologia liberal e os dois primeiros postulados da teoria política liberal. Os princípios da razão e do desejo arbitrário são reciprocamente ligados aos princípios das normas e valores e do valor subjetivo.

Conhecimento e política

Voltar-me-ei, então, para o relacionamento entre os princípios psicológicos da análise e o princípio político do individualismo. A visão analítica do conhecimento e o conceito individualista da sociedade são gêmeos. Constituem-se nas fundações metodológicas de todo o pensamento liberal e, portanto, de grande parte do pensamento moderno. Esquecemo-nos, no entanto, de como estão perto um do outro. Embora muitos dos mais importantes movimentos do pensamento social desde o século XVII sejam ligados à reformulação dessas duas ideias, nenhum desses movimentos fugiu às limitações de uma crítica parcial. Todos eles, ou não perceberam a ligação entre a análise e o individualismo, ou deixaram de apreender o que unia ambos ao restante do pensamento liberal.

Os princípios da análise e do individualismo têm em comum uma visão do todo como a soma de suas partes, que denomino a ideia da agregação. Os princípios contrastantes da síntese e do coletivismo visualizam tudo o que representa um todo, em conhecimento e em sociedade, como algo diverso da soma de suas partes – um conceito que denomino a ideia da totalidade. Depois de estabelecermos a interdependência das ideias sobre a mente e a sociedade no liberalismo, discutiremos a maneira mais importante pela qual o pensamento moderno tentou reformar a teoria liberal – a substituição da agregação pela totalidade como esquema de pensamento. O argumento procede, através do exame de dois métodos como estruturalismo e realismo, ao refinamento do pensamento liberal pelo desenvolvimento da ideia da totalidade. No entanto, mesmo as formas mais profundas e de maior alcance da crítica parcial à teoria clássica liberal ficam aquém de seus objetivos. O problema das partes e do todo, no conhecimento e na sociedade, não pode ser abordado eficazmente quando separado dos outros aspectos da psicologia e da teoria política.

Para levarmos a crítica ao pensamento liberal a um nível mais alto de generalidade e abstração, e para encontrarmos a saída que o estruturalismo e o realismo não puderam fornecer, precisamos reexaminar as antinomias da teoria liberal. As antinomias entre teoria e fato, entre razão e desejo, entre normas e valores são os problemas centrais em torno dos quais todos os

A unidade do pensamento liberal

outros revolvem. É notável o fato de que essas antinomias surgem de uma noção idêntica da maneira pela qual conceitos universais (teoria, razão e normas) se relacionam com conceitos particulares (fato, desejo e valores).

No momento em que vamos dar o último passo na reconstrução e na crítica ao pensamento liberal, e na formulação do problema do universal e do particular, chegamos, também, ao ponto crítico de toda essa investigação. A partir da crítica completa, para onde iremos? Imaginando um conceito diferente da relação entre o universal e o particular e, por conseguinte, entre teoria e fato, entre razão e desejo, entre normas e valores, poderíamos colocar a doutrina liberal de cabeça para baixo. Poderíamos construir um sistema de pensamento que seria, sob todos os aspectos, o oposto do liberalismo. Tornar-se-ia evidente, contudo, que tal sistema seria tão inadequado quanto a própria teoria liberal, e criaria dificuldades que, embora diferentes, seriam tão sérias quanto as que viria substituir. Como encontramos um melhor ponto de partida? A última parte do capítulo volta-se para essa questão.

A UNIDADE DO PENSAMENTO LIBERAL E O PROBLEMA DO MÉTODO

No caminho percorrido pela crítica total há um momento da mais severa dificuldade, quando as exigências da busca exercitam ao máximo os poderes da mente e submetem sua determinação a um verdadeiro teste. É o momento em que o sistema de pensamento que está sendo criticado já pode ser visualizado na sua totalidade, mas os fundamentos de sua unidade permanecem ainda pouco claros. Uma vez descobertos, uma compreensão mais profunda pode determinar maior clareza ao argumento.

O mais importante obstáculo à descoberta das raízes da unidade na doutrina liberal é a tendência a tratar a mente e a sociedade como dois campos de investigação completamente distintos.

Mesmo as mais extensas críticas parciais frequentemente fracassam devido a sua inabilidade de perceber o que os próprios autores da doutrina clássica liberal compreenderam profundamente – o fato de que os princípios da

Conhecimento e política

teoria psicológica e política são tão intimamente associados que, ao dividi-los, não podemos ir muito longe no caminho da filosofia.

Os princípios que defini nos primeiros dois capítulos não são os únicos através dos quais o pensamento liberal poderia ser descrito. Muitos outros postulados podem ser formulados para descrever aspectos do sistema que não foram discutidos e, mesmo os princípios que estudamos, poderiam certamente ter sido expressados de maneira diversa. Ainda assim, duas virtudes devem ser atribuídas à minha investigação. Primeiro, ela considera seriamente o preconceito moderno segundo o qual o conhecimento e a sociedade apresentam problemas fundamentalmente diversos à especulação filosófica. A unidade dos problemas não pode ser assumida; ela deve ser provada. Essa é a razão do esforço para situar as ideias psicológicas e políticas independentemente umas das outras. Em segundo lugar, a própria colocação das proposições já chama a atenção sobre sua interdependência, sem deixar de levar em conta o que as separa. Mas, já agora, a questão levantada na Introdução, como parte do problema da linguagem, deve ser examinada novamente. Que espécie de laço firma os diversos elementos internos da psicologia e da teoria política para ligá-las, a seguir, entre si?

Por estar tratando o pensamento liberal como um sistema de conceitos e proposições teóricas, emprego o método da lógica formal e descrevo as ligações entre os princípios como relações de implicação lógica. No entanto, em cada caso, à prova da dependência recíproca falta a perfeição de um argumento baseado na lógica. Novas deduções devem ser introduzidas, analogias de forma devem ser colocadas no lugar das condições indispensáveis, ou consequências prováveis terão que ser substituídas por conclusões necessárias. É tentador, em tais circunstâncias, lembrar a advertência de Aristóteles de que não devemos insistir em maior precisão do que permite a natureza do assunto.[1] Mas, na verdade, o problema não advém do próprio assunto, e sim da ineficácia dos métodos de pensamento disponíveis, métodos esses produzidos pela própria modalidade de pensamento contra a qual os empregarei agora.

Estudar o liberalismo através dos processos da lógica formal é estudá-lo no nível das ideias, assim como examinar causalmente o crescimento e a

A unidade do pensamento liberal

influência dos critérios e das instituições liberais equivaleria a visualizar o liberalismo no nível dos fatos ou dos acontecimentos. A divisão do mundo numa ordem de ideias e numa ordem de acontecimentos, com seus métodos correspondentes de análise lógica e explanação causal, não deve ser aceita como o destino eterno do pensamento. Entre a ordem de ideias e a ordem de acontecimentos existe um terceiro plano – o da consciência, ou da mente, para a compreensão do qual não são adequados nem o método lógico nem o método causal. Em vez disso, requer um método de aposição ou interpretação simbólica que descreverei dentro em breve.

Por lidar sempre com elementos isolados de um único sistema, a crítica parcial é facilmente levada a visualizar um determinado assunto como uma simples série de conceitos, abstraídos de sua situação histórica e apropriados para a análise lógica. A crítica total, levada pela ambição de perceber a totalidade, evita menos facilmente o problema da relação entre o pensamento e a existência. Só a compreensão dessa relação elucida plenamente a unidade da doutrina que a crítica ataca e as condições sob as quais essa doutrina pode ser transformada. Toda a forma geral de pensamento que domina as ideias de uma época deve ser compreendida mais como um fenômeno da consciência do que como uma simples teoria.

Que significa falarmos de um domínio da consciência e quais os métodos necessários para estudá-lo? Comecemos por sugerir três características que distinguem o domínio da consciência das ordens das ideias e dos acontecimentos.

Primeiramente, na esfera da consciência há sempre uma correlação entre uma forma de existência social e uma maneira de refletir sobre a mente, a sociedade e a própria natureza. Nessa esfera não se pode falar em uma ordem de ideias, ou numa ordem de acontecimentos, como mundos independentes. Para cada característica do modo pelo qual a sociedade é organizada há uma contrapartida no modo como os homens concebem o mundo social. Cada prática e cada instituição social é mediada pelas categorias da mente de modo que a maneira pela qual os homens compreendem uma organização social é um aspecto inseparável dessa própria organização.

Conhecimento e política

Consequentemente, não podemos jamais compreender plenamente um fenômeno da consciência como um ritual religioso, uma obra de arte, um ato de obediência à lei, a não ser que o encaremos, ao mesmo tempo, como uma forma pela qual os homens apreendem o mundo e organizam suas relações com seus semelhantes. Para apreendermos o que um fenômeno da consciência significa, como forma de reflexão, precisamos ser capazes de descrever o lugar que ele ocupa nas relações sociais. Para compreendê-lo enquanto prática social, quer se trate de uma obra, quer de uma ação, temos que descrever o que seus participantes, coprodutores ou agentes pensam a respeito dele. O traço recíproco que une a existência externa e seu reflexo interior é chamado de significado. A não ser que o significado seja levado em consideração, um método de estudo social não atinge aquilo que é peculiarmente social na matéria focalizada.[2]

A reflexão que ocorre dentro da esfera da consciência não deve ser confundida com uma análise lógica ou uma explanação causal. Incontestavelmente, é possível ao homem desenvolver teorias lógicas na ordem das ideias, ou causais, na ordem dos acontecimentos. Essas teorias podem ser julgadas de acordo com critérios aprovados de consistência e verificação; não precisam ser interpretados por referência a uma forma de existência. Mas existe também um tipo de conhecimento que consiste na representação de uma forma de existência, ou de uma modalidade de arranjo social, por aqueles que deles participam. Tais representações, que tomam a forma, por exemplo, de doutrinas religiosas ou políticas, ou de obras de arte, constituem exemplos típicos de todos não analisáveis, conceito este a ser debatido numa seção ulterior. Percebemos que são unidades, embora não possamos definir a unicidade de seus elementos em termos causais ou lógicos.

A relação causal e a relação lógica são sequências; b se segue a a; num caso, dentro da dimensão do tempo; no outro caso, fora dele. São também necessárias: dado a, b deverá seguir-se a a. No entanto, parecemos frequentemente acreditar que os elementos de um trabalho de arte, ou de uma categoria de convicções religiosas ou políticas, mantêm-se unidos a despeito de não serem suscetíveis de uma ordem sequente e de ser,

A unidade do pensamento liberal

sua coexistência, mais contingente que necessária. Seu traçado é descrito, na linguagem da moderna teoria social, como estrutura, tipo ou estilo. É uma unidade de harmonia, ou de aposição, que tem por base a referência comum dos diferentes elementos do todo à forma de existência que eles representam.[3]

Um segundo aspecto do domínio da consciência é o de que a compreensão reflexiva que os homens têm de suas organizações sociais desrespeita, tipicamente, a linha divisória entre descrição e avaliação. Isso se torna tanto mais verdadeiro quanto mais amplo for o tipo de reflexão que se tem em mente. Assim, as crenças religiosas, as combinações gramaticais e as interpretações jurídicas compartilham, todas, essa característica. Nossos pontos de vista sobre o que é verdadeiro, relativamente ao mundo como um todo, ou sobre como a linguagem é realmente falada, ou sobre a posição da lei em relação a um determinado tópico, não podem ser claramente separados de nosso conceito do que é bom, ou de como a linguagem deve ser falada, ou de que maneira deve ser resolvido um aspecto discutido do direito. A percepção do fato e a escolha dos valores ligam-se entre si, no nível mais profundo da consciência.

O terceiro aspecto distinto do domínio da mente é a ambiguidade do significado. Os símbolos da consciência apresentam sempre uma dupla referência, ou um duplo fator, determinante do significado. Por um lado, todo trabalho, ou todo ato, possui um significado que lhe é atribuído pela intenção do seu autor ou agente. Nesse sentido, interpretar é determinar o que ele tinha em mente. Por outro lado, contudo, o trabalho analisado pode ter um significado determinado pelos propósitos ou interesses do observador, advindo, talvez, de uma cultura distante ou de um momento posterior e totalmente desinformado quanto às intenções daquele que o criou.

Nesse segundo sentido, interpretar a coisa criada é estabelecer o que esta pode significar para uma terceira pessoa que a observa, na verdade, de fora para dentro. O artista que pinta um quadro pode ter um conceito de seu significado que só podemos compreender no contexto de sua existência e da sociedade a que pertence. No entanto, o mesmo quadro pode assumir um

Conhecimento e política

significado totalmente diverso para alguém que se defronta com ele muitos séculos depois. Esse último significado será, também, produto da contribuição que o quadro possa trazer à autorreflexão do próprio observador, contra o pano de fundo das circunstâncias particulares de sua vida.

Tudo isso é simples e suficientemente familiar. Mas quando comparamos a terceira característica do domínio da consciência, ambiguidade do significado, às duas primeiras, a relação entre a reflexão e a existência, e a convergência do fato e do valor, surge uma notável dificuldade. É uma dificuldade que se situa no centro de muitos dos grandes problemas do método no pensamento social. Dissemos que, para compreender plenamente uma prática social ou um trabalho, para compreendê-lo no seu sentido social peculiar, é necessário levar em conta o que essa prática representou para aquele que a exerceu inicialmente, ou o trabalho, a obra, para seu criador. O significado original possui sempre, além do seu sentido moral, um aspecto descritivo; a visão expressa na obra de arte reflete tanto uma compreensão quanto um ideal e, quanto mais perfeito o trabalho, maior a unidade entre os dois. O problema enfrentado pelo observador, remoto no espaço e no tempo, é de que ele só pode aproximar-se do trabalho do ponto de vista das condições de sua própria existência e de suas próprias ideias sobre essas condições. Não é o autor da obra; sua perspectiva em relação a ela difere da do autor e, no entanto, precisa, de algum modo, incorporar a perspectiva deste à sua para chegar a uma compreensão completa. Precisa solucionar a ambiguidade do significado. E como poderá fazê-lo sem estabelecer compreensões e valores comuns com o autor, ou o artista, cujo trabalho interpreta, ou com o agente, cujo ato observa?

Examinando os três aspectos do domínio da mente, podemos ver que cada um deles exige uma característica particular para o método empregado no estudo do fenômeno da consciência. E cada uma dessas características pressupõe uma solução para cada antinomia do pensamento liberal.

A primeira característica do domínio da consciência exige um método que possa interpretar a existência do ponto de vista da reflexão e a reflexão segundo a perspectiva da existência. Tal processo não respeitará a

A unidade do pensamento liberal

diferença entre a ordem das ideias e a dos acontecimentos, nem se satisfará com as explicações lógicas e causais que correspondem a estes. Mas a distinção entre a ordem das ideias e a ordem dos acontecimentos é o próprio cerne da visão moderna da ciência e da natureza e a fonte da antinomia entre teoria e fato.

As convicções que caracterizam o domínio da consciência tendem a unir descrição e avaliação. A interpretação do fenômeno da consciência deve, por conseguinte, incorporar uma experiência pré-teórica do mundo, que é estranha ao contraste entre fato e valor. Para sabermos como fazer isso, contudo, precisamos pôr de lado a distinção entre a compreensão dos fatos e a escolha dos fins, um dualismo que se encontra no âmago da antinomia entre a razão e o desejo.

Finalmente, o método do estudo social deve ser capaz de lidar com a ambiguidade do significado, a dupla referência à intenção do agente e à intenção do observador que todo fenômeno da consciência implica. A completa resolução dessa dificuldade pareceria requerer que entre o agente e o observador houvesse uma comunidade de compreensões e valores. Mas o conceito de tal comunidade é certamente inconsistente com a ideia de que os homens são unidos por normas e mantidos à parte por suas metas individuais e subjetivas – a própria ideia de que surge a antinomia entre normas e valores.

Um método que possua as três características precedentes não é simples fantasia. Pelo contrário, é precisamente o método tradicional das disciplinas que marcaram o principal percurso da cultura clássica humanística do Ocidente: teologia, gramática e doutrina jurídica. Só a ascendência do pensamento liberal e da visão da ciência que o acompanha quase conseguiu apagar nossa apreciação das diferentes formas de conhecimento que essas disciplinas representam. Francis Bacon estava, seguramente, certo ao observar que "o que em certas coisas é considerado um segredo possui, em outras, uma natureza manifesta e evidente que nunca será reconhecida enquanto as experiências e os pensamentos dos homens se envolverem somente com a primeira".[4] Um breve confronto das características da gramática, da teologia

Conhecimento e política

e da doutrina jurídica, e da moderna ciência empírica, derramará mais luz sobre o problema do método no estudo social.

Os fenômenos da consciência foram submetidos a dois tipos distintos de investigação. Um é representado pelo que denominarei de disciplinas dogmáticas ou simbólicas, de que são exemplos a gramática, a teologia e a doutrina jurídica, e inclusive os arrazoados de advogados e juízes sobre a interpretação do direito. O outro tipo de compreensão é aquele que visa às ciências empíricas, que denominamos linguísticas, a sociologia da religião e a sociologia do direito. Sob todos os aspectos importantes, o ponto de vista do primeiro grupo de disciplinas difere daquele que é o do segundo. A comum tentativa de reunir os dois grupos, sem mudar realmente as características de qualquer dos dois, revela uma incompreensão de ambos. Além disso, veremos que as disciplinas dogmáticas exemplificam peculiarmente cada uma das qualidades do método adequado de estudo social que descrevi anteriormente.

Para começar, a gramática, a teologia e a doutrina jurídica referem-se a uma linguagem, a uma religião ou a uma ordem jurídica específica e são, dela, parte integral. Quero dizer que, em nenhuma das disciplinas dogmáticas, há uma distinção clara entre o objeto que está sendo analisado e a própria análise. Por um lado, a gramática, a teologia ou a doutrina jurídica participam da evolução da linguagem, da religião ou do direito, contribuindo para definir sua forma e determinar sua orientação. Por outro lado, as características do gramático, as doutrinas do teólogo ou os argumentos dos advogados e juízes são extraídos da própria tradição que eles expõem e desenvolvem. Por fim, devido à íntima relação entre o relatório e seu objeto, qualquer alegação, numa disciplina dogmática, é uma elaboração de algum ponto de vista já presente na comunidade à qual essa disciplina pertence. Sendo assim, as ancestrais artes humanísticas parecem satisfazer ao primeiro requisito do método no domínio da consciência: a incorporação da experiência pré-teórica à própria teoria.

Comparemos, com isso, a abordagem das linguísticas, ou da sociologia da religião ou do direito, quando adotam o moderno ponto de vista da ciência esboçado no início do Capítulo 1. Querem tornar-se a ciência da linguagem,

144

A unidade do pensamento liberal

da religião ou do direito, em geral, e não as doutrinas de um idioma, de uma religião ou de uma ordem jurídica particular.[5] Como as ciências empíricas, tratam critérios sobre linguagem, religião e direito prevalecentes em sociedades específicas como parte do que precisa ser explicado, em vez de tratá-los como parte de uma explicação a dar. Quanto maior a independência que uma ciência adquire dos critérios pré-teóricos de qualquer grupo de homens, tanto mais universal e objetiva supõe-se que ela se torne.

Outra característica das disciplinas dogmáticas é sua indiferença ao contraste entre descrição e avaliação. Sob esse aspecto, preenchem o segundo requisito do método, no estudo social: uma regra gramatical é, ao mesmo tempo, descritiva e prescritiva. Descreve como a linguagem é na verdade falada. Mas também implica uma seleção de utilizações habituais, e serve de base para a crítica e a justificação de determinadas formas de expressão. Uma teologia expressa um ponto de vista sobre o mundo e define, ao mesmo tempo, um ideal do que é bom. Aceita e desenvolve a unidade do fato e do valor, que é um ponto alto das crenças religiosas. Assim, também, a crítica da teoria formalista da aplicação do direito já demonstrou que toda a compreensão de como a lei se pronuncia sobre um determinado assunto depende do conceito que se tem sobre seus objetivos, e do critério quanto ao que a lei deve realizar. As ciências empíricas da linguagem, da religião e do direito, por seu turno, orgulham-se do rigor com que consideram a linha divisória entre a compreensão e a avaliação.

As disciplinas interpretativas devem também lidar com a ambiguidade do significado peculiar ao fenômeno da consciência. Qualquer ato de expressão verbal, qualquer ritual ou crença religiosa, ou qualquer norma jurídica, possui um significado ou um propósito que lhe é facultado pela intenção do orador, do religioso ou do juiz. Esse significado deve, no entanto, ser sempre redescoberto por um intérprete que tem seus fins próprios e sua própria forma de existência. Que garantia existe, por conseguinte, de que o interpretado e o intérprete possam comunicar-se? A resolução da ambiguidade do significado é possível na medida em que o intérprete e o interpretado participam da mesma tradição e compartilham as mesmas crenças, crenças estas que são,

Conhecimento e política

ao mesmo tempo, compreensões e valores. Assim é, por exemplo, que o juiz define o propósito das leis que aplica através de uma combinação de sua visão das intenções dos legisladores ou juízes que o antecederam, e seu conceito quanto às exigências de sua própria situação social, na época em que o caso é solucionado. Essa combinação só pode ser realizada porque o juiz é capaz de se considerar um colaborador dos elaboradores de leis que o precederam e como possuidor de ideias e valores que não diferem totalmente dos deles. De maneira similar, o filologista que se depara com um texto antigo pode interpretá-lo simbolicamente, se for capaz de ter em mente a tradição literária que, a partir de sua própria perspectiva, o leva de volta àquela do autor.

A dificuldade de interpretação nas disciplinas dogmáticas advém do fato de que a comunidade de intenções nunca é perfeita e de que sempre ameaça ruir. Por isso, a ambiguidade do significado não pode ser resolvida completamente ou de maneira definitiva. Nas ciências empíricas, todavia, nenhuma tentativa de basear a compreensão nas intenções dos oradores, dos religiosos ou dos legisladores e juízes é realizada. Expressões verbais, objetos ou acontecimentos religiosos e normas jurídicas são tratados como fatos. E um fato é apenas um fato, e não um símbolo a ser avaliado segundo os propósitos que existem por trás dele.[6]

Há uma maravilhosa simetria no contraste entre as ciências empíricas e as doutrinas dogmáticas. As primeiras distinguem claramente a dimensão do assunto em pauta da dimensão da teoria que o descreve. Mas elas descrevem o assunto propriamente dito como uma matéria dimensional, que não precisa ser colocada contra o pano de fundo de intenções ou valores. As segundas, contudo, colocam o assunto, e o que o relata, numa só e contínua dimensão. Distinguem, no entanto, dentro do assunto, os dois aspectos do símbolo externo e da intenção ou do valor intrínseco. O segundo dá ao primeiro seu significado.

Se é verdade que o método que as disciplinas dogmáticas empregam é o mais adequado para o domínio da consciência, por que motivo foi ele levado do centro do estudo social para sua periferia? O motivo é que o império da doutrina liberal e do moderno conceito da ciência solapou as premissas que tornariam o método simbólico inteligível. A oposição da ordem das ideias

A unidade do pensamento liberal

e da ordem dos acontecimentos resulta na impossibilidade de vermos o ligamento entre a reflexão e a existência na sua verdadeira luz. Ele obriga o método a escolher entre a análise lógica dos conceitos e a explicação causal dos fatos, sendo que nenhum dos dois é indicado para a interpretação dos símbolos. O contraste psicológico entre a descrição e a avaliação dissolve o ponto a partir do qual o aspecto duplo, factual e moral, do fenômeno da consciência pode ser elucidado. Os princípios políticos do valor subjetivo e do individualismo destroem as fundações da comunidade de intenções entre o intérprete e o interpretado.

De todos esses fatores, é o último que pode exercer a influência mais decisiva sobre a tentativa de forçar o estudo social a assumir a forma de uma ciência causal dos acontecimentos. As disciplinas humanísticas pressupõem, sempre, a existência de uma comunidade particular, ou de uma tradição de compreensões e valores compartilhados. Eles pertencem a essa comunidade ou tradição. A fim de empregar o método simbólico, parecemos forçados a abrir mão das qualidades de objetivismo e universalidade, os próprios ideais a que mais se dedica a ciência moderna.

A história da moderna teoria social é uma história da tentativa de se combinar os atributos da interpretação humanística dos símbolos com a objetividade e a universalidade das ciências empíricas da natureza. Assim, por exemplo, o problema crucial da ambiguidade do significado foi às vezes resolvido pelo reconhecimento dos atos que derivam seu significado da intenção ou do propósito do autor, e pela definição de suas intenções de um modo ideal ou hipotético, como sendo a intenção de todos os agentes. Isso é o que fez a economia política ao tratar o objetivo da maximização do lucro como o propósito das transações econômicas.[7]

Outro recurso foi o de postular que, por trás das comunidades particulares de valor e crença, existem tendências universais ou categorias da mente em ação. Ao situar a origem do caminho percorrido pelo fenômeno da consciência nessas constantes, embora ocultas, tendências da mente, o método simbólico pode tornar-se objetivo e universal. Essa foi a solução adotada pelos proponentes do que poderia ser descrito como a metafísica do inconsciente.

Conhecimento e política

É o ponto de vista dos pensadores que, de Kant a Freud, Lévi-Strauss e Chomsky, procuram construir uma ciência do homem sobre o conceito de um aparelhamento mental universal, dotado de predisposições inerentes.

E houve outros, finalmente, como Vico, Hegel e Marx, que buscaram a resposta numa metafísica da História. Imaginaram que, no estudo da sociedade, tanto os intérpretes quanto os interpretados são levados pela mesma corrente da história – uma corrente que se move incessantemente em direção a um fim para cuja realização todos os homens, queiram ou não, colaboram. A teleologia da história estabelece uma comunidade de intenções entre os observadores e os observados a qualquer momento no tempo. Tratar-se-ia de proceder como se a própria história tivesse seus propósitos, e as intenções dos homens, ao agirem como agem, fossem, disso, sinais fragmentados, assim como se os multicoloridos raios de luz refletidos através do prisma se originassem de uma fonte comum.

Essas são as principais modalidades de tentativas de formular um método de estudo social, unindo a suposta universalidade e objetividade da ciência empírica aos poderes da antiga interpretação humanística dos símbolos. Ao voltarmos os olhos para essas tentativas como um todo, surpreende-nos ver como são parciais e dúbias nas soluções que oferecem. Embora procurem lidar com o problema da ambiguidade do significado, a tarefa de esclarecer a inter-relação do fato e do valor, e de definir um domínio da consciência entre a ordem das ideias e a ordem dos acontecimentos, permanece inacabada. Ainda mais perturbadora é a impressão de que, mesmo no que diz respeito ao problema da dupla intencionalidade, cada uma das supostas soluções mencionadas constitui, para falar francamente, um mero truque. Nas suas várias formas, o truque consiste em substituir intenções reais de intérpretes e interpretados por intenções hipotéticas ou ideais, quer elas sejam atribuídas ao mecanismo mental comum da humanidade, à história, ou simplesmente a uma conveniência explanatória.

Deve ter ficado claro, a esta altura, que o cunho parcial e dúbio das doutrinas resulta de sua tendência a tratar o problema do método como se ele pudesse ser separado da crítica das premissas capitais do pensamento liberal.

A unidade do pensamento liberal

Atender a cada um dos requisitos de um método apropriado do estudo do fenômeno da consciência exigiria a solução das antinomias da doutrina liberal. Na medida em que uma elaboração completa dessas soluções depende de transformações na vida da sociedade, tais transformações tornam-se também condições para uma solução da controvérsia sobre o método. Por exemplo, a reconciliação do reconhecimento humanístico da ambiguidade do significado e do ideal científico da universalidade pode depender do próprio aumento de comunidades com os mesmos objetivos.

Pode ser útil esboçarmos as premissas metafísicas de meu argumento. O liberalismo pode ser observado como um sistema de conceitos logicamente relacionados entre si, ou como uma forma de vida social. A fim de apreendermos o relacionamento entre essas maneiras de nos acercarmos do problema, devemos distinguir os vários sentidos em que algo pode existir.

Há três formas de existência: uma, a dos acontecimentos, outra, a da vida social (que, para determinados propósitos, pode ser chamada, mais estritamente, de um campo de conhecimento, mentalidade ou cultura), e a das ideias. Essas modalidades podem ser descritas, respectivamente, como sendo os domínios da natureza, da cultura e a da verdade ideal. A cada tipo ou maneira de ser corresponde um método: a causalidade, ao primeiro; a aposição ou interpretação simbólica, ao segundo; e a lógica, ao terceiro.

O domínio da vida social possui dois aspectos – aquilo em que se acredita e a conduta externa – e cada um dos quais adquire significado no contexto do outro. A forma mais generalizada de conceber as coisas constitui um sistema de cultura, a forma mais compreensiva de conduta, um modelo de organização social.

Tudo aquilo que não é da natureza humana deve pertencer à ordem dos acontecimentos. Assim, a não ser que seja tratado como símbolo de alguma preocupação humana, permanecerá sujeito apenas à explicação causal.

A conduta humana participa tanto da modalidade dos acontecimentos quanto da vida social. Assim, qualquer ato pode ser explicado como um fenômeno natural pela ciência empírica, ou pode ser interpretado como a contrapartida de alguma espécie de crença.

Conhecimento e política

As ideias existem em todos os três sentidos de existência, e são, por conseguinte, sujeitas a cada um dos métodos de conhecimento, de acordo com o aspecto de sua existência que se busca focalizar. Assim, uma ideia pode ser encarada como um simples acontecimento psíquico. Como todos os outros acontecimentos, possui causas e efeitos que podem ser estabelecidos pela ciência. As ideias podem, também, ser compreendidas como crenças ligadas à conduta humana de uma maneira que só o método interpretativo poderia definir apropriadamente. Finalmente, as ideias são o conteúdo do pensamento: os conceitos ou proposições através dos quais alguma coisa é atribuída a algo, ou a validade ou invalidade objetiva, a verdade ou a inverdade da própria atribuição. É exclusivamente nesse nível que um modo distinto de existir pode ser atribuído às ideias.

O desfecho dessa discussão é o esboço de uma antologia estratificada que justifica uma diversidade de métodos e relaciona cada tipo de compreensão a uma forma especial de ser. Há várias maneiras através das quais esta ontologia pode ser desmantelada; cada uma delas leva a um vício do pensamento. O esforço por assimilar a existência da vida social à das ideias produz o racionalismo e o idealismo no estudo social. A tentativa de negar totalmente a independência da esfera dos acontecimentos resulta no racionalismo e no idealismo metafísico. A vontade de lançar o domínio da vida social no dos acontecimentos constitui o "behaviorismo" na ciência social. A tendência a desprezar a independência da ordem das ideias é o signo do empirismo metafísico.

Alguns dos problemas mais intratáveis da filosofia têm a ver com o relacionamento entre essas três maneiras de ser. Assim é que ainda nos surpreende o fato de que as leis da natureza parecem ser escritas na linguagem da matemática, e o motivo de nossa perplexidade é o fato de não compreendermos a conexão entre as modalidades de ideias e de acontecimentos. Similarmente, intriga-nos que a interpretação simbólica possa harmonizar-se com a lógica e a causalidade, porque o relacionamento preciso da existência com os domínios dos acontecimentos e das ideias nos escapa.

São enigmas para os quais não conheço a resposta. No entanto, se fôssemos aguardar sua solução definitiva, poderíamos permanecer para sempre

A unidade do pensamento liberal

incapazes de refletir coerentemente sobre o homem e a sociedade. Devemos buscar, por conseguinte, soluções parciais e provisórias. No final deste capítulo, apresentarei um ponto de vista sobre universais e particulares que, como uma de suas implicações, sugere um meio através do qual os universais abstratos que habitam a ordem das ideias poderão ser encarnados nos particulares concretos, que são considerados como constituindo a ordem dos acontecimentos. E nas demais páginas deste livro essa doutrina dos universais e particulares será usada para relacionar a vida social às duas outras formas de existência. A lição do argumento será a de que existe uma profunda correspondência entre as estruturas internas dos três modos de ser, embora sua fonte nos permaneça oculta. Por enquanto, focalizamos a maneira pela qual o que resulta desta correspondência afeta quem quer que se engaje na crítica total de uma tradição dominante de pensamento.

Resulta de minha tese sobre o ser e suas várias modalidades que as crenças podem ser explicadas por suas causas, simbolicamente interpretadas e logicamente analisadas. A segunda espécie de compreensão é a única que poderia ser chamada de especificamente humana ou social, uma vez que se aplica exclusivamente ao homem, ao passo que as outras possuem um alcance maior. Há duas limitações para essa compreensão distinta da atividade humana.

Por um lado, em alguns aspectos da vida, o comportamento vai além daquilo em que se acredita. São as situações em que os homens produzem determinadas consequências, sem que tivessem a intenção de fazê-lo, ou em que são movidos por fatores determinantes de que não tinham consciência. Na medida em que isso ocorre, a conduta pode ser explicada por sua causa, mas não pode ser simbolicamente interpretada.

Outra restrição ao método interpretativo é o fato de que certas crenças se desenvolvem de acordo com critérios aceitos de verdade ou inverdade, validade ou invalidade, que não podem ser diretamente relacionados a qualquer tipo de organização social. Na medida em que estivermos interessados, ou na consistência lógica de um sistema de ideias, ou na verdade de suas representações, o problema da conexão dessas ideias com a conduta deverá ser relegado a um lugar inferior. Essa subordinação torna-se, porém, mais difícil

Conhecimento e política

ao lidarmos com crenças a respeito do homem e da sociedade, porque, como argumentei anteriormente, a veracidade dessas crenças não é nunca inteiramente separável de sua fidelidade à experiência consciente que o homem tem da vida social.

As ideias metodológicas e metafísicas formuladas nesta seção podem contribuir para elucidar os objetivos e as limitações de minha crítica ao pensamento liberal. O liberalismo é um sistema filosófico. Mas é, também, um tipo de consciência que representa e prescreve uma forma de existência social. Como filosofia, pertence, antes de mais nada, à ordem das ideias. Como uma espécie de consciência, participa da vida da sociedade. Como qualquer ponto de vista que formou toda uma era na história do pensamento, ultrapassa as fronteiras do domínio das ideias e lança raízes em toda uma forma de cultura e organização social.

Por ser uma "estrutura profunda" de pensamento, colocada na interseção de dois modos de ser, o liberalismo resiste a uma análise puramente lógica. O relacionamento entre suas partes é mais firme que sua consistência lógica, embora mais frouxo que seu vínculo recíproco. As incoerências fundamentais do pensamento liberal não chegam a ser contradições. Sua unidade evoca mais um todo significativo que um sistema lógico e suas tensões representam, antes, tendências conflitantes na cultura e na sociedade que contradições lógicas. Portanto a doutrina liberal pode, em última análise, ser considerada através de um método interpretativo capaz de estabelecer seu relacionamento com a vida social, em vez de combater-se apenas sua constituição interna.

Com que surpresa descobrimos, então, que as antinomias não solucionadas da filosofia liberal e as circunstâncias sociais associadas a elas são o que nos impede de chegarmos a um método interpretativo satisfatório para o estudo do liberalismo. Não podemos substituir o sistema de pensamento até que o tenhamos compreendido e não podemos compreendê-lo até que o tenhamos substituído.

Cercada por todos os lados, minha tática, apelando para um recurso do desespero, é recusar para melhor avançar. Continuaremos a lidar com o

A unidade do pensamento liberal

liberalismo como se fosse apenas um sistema de conceitos, a fim de nos aproximarmos, tanto quanto possível, da reconstrução de sua unidade, para demonstrar a consistência lógica, e da crítica de seus vícios, para chegarmos à prova da contradição evidente. Mas gradualmente, no próprio processo da reconstrução e da crítica, os elementos de um método alternativo começarão a surgir, prontos para serem levados adiante pela parte positiva de meu argumento. À medida que estudamos a relação entre a psicologia e a teoria política liberal, as imperfeições do tratamento liberal do domínio da mente se tornarão, pouco a pouco, mais claras, e um conceito superior começará a aparecer.

Aqueles que se sentirem desencorajados por esse processo devem se lembrar da observação de Neurath de que a tarefa do filósofo pode ser comparada à do navegante que precisa reconstruir sua embarcação em pleno oceano.[8] Isso é tanto mais verdadeiro naqueles períodos de crítica total em que a embarcação se vê cercada pela tempestade e os reparos a serem efetuados tanto têm de urgente quanto de difíceis e perigosos.

O DESEJO ARBITRÁRIO E O VALOR SUBJETIVO

Não é difícil perceber-se a interdependência recíproca dos princípios psicológicos da razão e do desejo arbitrário, por um lado, e os princípios políticos das normas e valores, e do valor subjetivo, pelo outro. Em verdade, os pensadores clássicos liberais não conseguiram, frequentemente, distinguir a diferença e, desde o início, trataram os problemas que essas duas categorias de princípios descrevem como uma só unidade. O fato de que a relação não pode, contudo, ser posta de lado como inteiramente óbvia é demonstrado pela marcha do pensamento posterior, que frequentemente o ignorou ou não o compreendeu. O principal problema em pauta é a conexão entre o lugar que os objetivos ocupam no indivíduo e sua posição na sociedade. Continuarei a empregar o termo desejo, ao enfatizar o primeiro, e o termo valor, ao chamar a atenção sobre o último, bem como outros termos análogos, genericamente.

Uma alegação primitiva, embora útil, é a de que o que separa o desejo e a compreensão é o que torna necessário o estabelecimento de uma distinção

Conhecimento e política

radical entre normas e valores, e, concomitantemente, de que a linha divisória entre normas impessoais e valores individuais e subjetivos requer que a compreensão e o desejo sejam tratados como faculdades totalmente separadas. A necessidade deve ser considerada, aqui, no sentido quase lógico invocado no final da seção anterior. Vejamos, agora, como pode ser desenvolvida essa noção preliminar.

Consideremos, primeiro, a dependência dos postulados políticos em relação aos psicológicos. A psicologia liberal admite que os desejos, como acontecimentos psíquicos, podem ser explicados causalmente. Mas nenhuma operação da mente pode estabelecer o que deveríamos desejar.

Suponhamos que não fosse assim. Se a compreensão fosse capaz de perceber, ou de estabelecer, os objetivos da conduta, as condições básicas da vida social teriam pouca semelhança com a imagem liberal da sociedade. Os valores seriam objetivos e não subjetivos. Sua validade existiria antes e independentemente de qualquer adesão a eles. Mesmo que ninguém os reconhecesse como são, poderiam reter ainda sua autoridade como repositórios do certo e do bom. Além do mais, tenderiam, com o tempo, a se tornarem comunais ao invés de individuais. Os homens dotados de um aparelhamento mental similar seriam, em princípio, capazes de chegar a possuir as mesmas categorias de objetivos. Finalmente, as normas já não representariam as amarras sociais preeminentes. Seu papel seria subsidiário: sistematizar, especificar ou, se necessário, reforçar as finalidades objetivas e comunais apreendidas pela mente. De forma alternativa, um regime de justiça formal poderia tornar-se desnecessário e as normas passariam a exercer um papel ainda mais insignificante, constituindo o que foi descrito anteriormente como condições de limitação num regime de justiça substantiva.

O contraste entre valor individual e subjetivo ou valor comunal e objetivo não fecharia as portas a outras possibilidades. Na verdade discutirei, mais tarde, o fato de que existe um conceito de comunhão de valores diferente daquele ao qual os liberais recorrem quando surgem problemas, que deveria ter prioridade sobre essas alternativas. Contudo, na ausência de dados quanto a esse terceiro conceito, dados que ainda não posso fornecer, o argumento

A unidade do pensamento liberal

indica que qualquer discrepância da simples antítese de descrição e avaliação teria consequências para as nossas ideias políticas. Na medida em que nos desviarmos da premissa de que a razão é cega, num mundo de objetivos determinados, as condições da ordem e da liberdade na sociedade se modificam.

Podemos voltar o assunto para o lado oposto e considerar a dependência em que se encontram os princípios psicológicos dos princípios políticos. Suponhamos que já não fosse válida a distinção entre normas objetivas e valores subjetivos individuais. Imaginemos, ainda, que as leis fossem vistas como uma enunciação de critérios do certo e do bem que não surgisse de qualquer combinação de finalidades individuais, e que, diversamente do conceito da liberdade tradicional liberal, fossem guias de conduta concretos e substantivos.

Há, de fato, duas versões familiares dessa noção na história do pensamento moderno. Cada uma delas constitui uma importante crítica parcial da doutrina liberal, e ambas deixaram suas marcas na ideia dos próprios pensadores liberais clássicos. Uma é a opinião, favorecida por algumas das modernas teorias racionalistas do direito natural, de que a razão é capaz de inferir o que é bom de uma investigação sobre as circunstâncias da vida social. A outra é a ideia coletivista, aceita pelos românticos e organicistas, de que existem valores comunais.

Logo que nos apartamos da doutrina política liberal, numa dessas duas direções, temos que realizar uma variedade de ajustamentos na nossa psicologia. Se há valores objetivos, não é verdade que a razão é apenas o instrumento do desejo: os objetivos podem ser construídos, ou descobertos racionalmente, e a separação entre o fato e o valor rui por terra. Se há valores comunais representados nas leis, os desejos já não são arbitrários em relação à compreensão. A questão moral sobre o que deveria ser feito já não precisa ser abandonada a uma escolha injustificável; pode ser atendida pelo estudo das tradições e das instituições de uma nação, de uma classe ou de um grupo. Consequentemente, a visão coletivista implica que se pode passar da descrição dos fatos à avaliação das escolhas sem interrupção.

A interdependência dos primeiros dois princípios da psicologia liberal e da teoria política pode ser resumida da seguinte maneira: a ideia de que a vida moral é opaca, para a mente, é o inverso da concepção de que os homens estão perdidos na sociedade, sem guias naturais, e precisam ser orientados por ameaças e imobilizados por normas.

ANÁLISE E INDIVIDUALISMO

O princípio psicológico da análise afirma que todo conhecimento pode ser analisado de volta às sensações ou ideias elementares de que se compôs e, a seguir, construído novamente a partir desses elementos. De acordo com o princípio político do individualismo, os atributos de um grupo são simplesmente uma coleção das características de seus membros individuais, inclusive aqueles que surgem da interação entre eles. Consequentemente, não há valores comunais.

Já foi observado que os princípios da análise e do individualismo, a despeito da aparente disparidade dos problemas a que eles se referem, possuem uma forma idêntica: a ideia de que o todo é simplesmente uma soma de suas partes. Por seu lado, os princípios da síntese e do coletivismo, que são, respectivamente, os opostos dos axiomas da análise e do individualismo, afirmam que o todo difere da soma de suas partes.

Traços recíprocos servem de base a essas analogias formais. O passo decisivo rumo à compreensão do que une a análise ao individualismo é apreciar as implicações de ambos no que foi descrito, na segunda seção deste capítulo, como sendo o domínio da mente. Quanto mais clara a conexão entre as duas ideias se torna, tanto melhor perceberemos as limitações de ambas.

Comecemos por considerar a dependência do individualismo em relação à análise, e depois nos voltaremos para a consideração da confiança que esta deposita no primeiro. A fim de mantermos a tese individualista, seria indispensável que fôssemos capazes de decompor todos os aspectos da vida em grupo numa das características da vida de cada indivíduo. Mais precisamente, não deve ser possível apontar fatos relativos ao grupo que nenhum grau de estudo de seus membros individuais, ou mesmo dos efeitos de um sobre o outro, sejam suficientes para explicar. De outro modo, a redução das características de grupo às individuais permaneceria incompleta.

A unidade do pensamento liberal

Quanto menos um fenômeno da consciência for capaz de ser compreendido pelo método da análise, tanto mais difícil será efetuar o tipo de redução ao fenômeno da conduta e das crenças dos indivíduos que o princípio do individualismo requer. Tomemos, por exemplo, o problema do estilo e do período estilístico na arte. Suponhamos que o estilo barroco, na história da arte europeia, pudesse ser apropriadamente descrito como uma coleção de pinceladas específicas, técnicas de composição musical e formas da narrativa literária. O conceito do barroco seria apenas uma categoria útil à classificação desses métodos particulares de expressão artística, considerados similares uns aos outros para determinados propósitos. Tal conceito representaria o que os escolásticos chamaram de nominal universal: suas únicas particularidades seriam as do limitado grupo de elementos que o definiriam exaustivamente.[9] A invenção e o emprego das pinceladas, das formas de composição, ou das técnicas narrativas, poderiam então ser identificadas com o trabalho de determinados artistas individuais e a influência que estes exerceram uns sobre os outros.

Mas há outra visão das características do estilo barroco segundo a qual o estilo seria um real universal. Possuiria o espírito ou o sentido que só pode ser manifestado em trabalhos de arte e formas de expressão específicas, mas que nunca foi completamente definido em nenhuma delas. Quanto mais estudássemos os exemplos de estilo, tanto mais estaríamos capacitados para compreender seu espírito. Esse estudo só seria, contudo, frutífero se já tivéssemos em mente um conceito do *animus* do estilo – a imagem da realidade e do homem que teria unificado suas manifestações. Longe de ser estranha, essa noção do estilo vem realizando uma carreira brilhante, embora agitada, desde meados do século XIX.[10]

O argumento a favor da dependência do individualismo na análise pode ser generalizado contra o pano de fundo de nossa discussão sobre o domínio da consciência. A validade da tese individualista depende da maneira pela qual visualizamos as formas de reflexão e de existência que caracterizam os grupos sociais. Os fenômenos da consciência, como linguagem, religião, ou comportamento econômico, só podem ser tratados como criações de

Conhecimento e política

indivíduos distintos, a partir de uma interação, se puderem ser satisfatoriamente fragmentados em unidades suficientemente pequenas e separadas para serem os produtos de esforços individuais. Na ausência de tal processo analítico, o fenômeno da consciência deve ser reconhecido como claramente social e não redutível à vida individual.

As mesmas considerações argumentam a favor da correspondente dependência do princípio da análise ao princípio do individualismo. Tão logo admitimos que os fenômenos da consciência são reais, e não nominalmente universais, o princípio da análise é atingido. Somos confrontados por crenças que não podem ser divididas em simples elementos e, por conseguinte, não podem ser tratadas como uma composição de tais elementos. A imagem analítica da casa construída de tijolos que podem ser usados para construir outra casa muito diferente torna-se inadequada.

A irredutibilidade do fenômeno da consciência é reconhecida pelo princípio do coletivismo que rejeita a tese individualista. Ele afirma ser impossível formular um relato satisfatório desses fenômenos buscando seus constituintes e suas origens na mente dos indivíduos. A base dessa impossibilidade é o fato de que o significado do todo não pode ser estabelecido, e sua história não pode ser explicada, por qualquer possível hipótese sobre a interação de elementos mais simples. Consequentemente, o princípio político do coletivismo implica o princípio psicológico da síntese, tal como os princípios opostos do individualismo e da análise dependem um do outro.

Não existe nenhuma prova, *a priori*, da superioridade do coletivismo e da síntese sobre o individualismo e a análise no estudo da vida social. A vindicação das premissas resulta dos aprofundamentos que elas tornam possíveis. Contentar-me-ei, como referência, em pedir que voltemos à discussão anterior sobre o papel que os princípios da análise e do individualismo desempenham, ao produzirem as antinomias do pensamento liberal, e os embaraços que causam ao estudioso da sociedade.

A mais séria dificuldade que confronta os princípios do coletivismo e da síntese é explicar a gênese dos todos não analisáveis que postulam. Quem são os autores desses todos, a não ser os indivíduos? Devemos concebê-los

A unidade do pensamento liberal

como entidades que preexistem nos espíritos por eles influenciados e atravessam a história como cometas presos ao seu próprio curso? A tese antiliberal não precisa aceitar o dilema da autoria individual, ou a realidade super-histórica dos todos. Pode argumentar que os mais importantes criadores dos todos não são indivíduos, mas grupos, classes, facções e nações.[11] Deixando para uma discussão posterior as ambiguidades dessa tese, passarei a usá-la como ponto de partida para uma observação final sobre a relação entre o individualismo e a análise.

É precisamente quando fragmentados os todos da vida social em partes infinitésimas, que tendemos a perder de vista seu caráter histórico. Por exemplo: a organização da vida econômica em mercados, no nível de existência social, pode ser correlacionada, no nível da reflexão, a uma aceitação da visão individualista do relacionamento das pessoas com os grupos. Porque a economia é vista como produto de inúmeras decisões individuais separáveis, embora interdependentes, as leis que a controlam parecem necessárias. Elas não são criadas por indivíduos; por conseguinte, não precisavam ter sido criadas. Similarmente, quando a linguagem é analisada nos inumeráveis atos expressos que a exemplificam e sua história é explicada como sendo a história da influência recíproca desses atos, uns sobre os outros, a linguagem assume a aparência de algo que nunca foi criado. Ela assume a forma de uma força da natureza que se move pela própria dinâmica. Em ambos os casos, os princípios da análise e o individualismo operam juntos para moldar a sociedade à imagem de uma natureza cuja evolução se processa além das decisões humanas. Por não levarem em consideração a unidade dos todos sociais, e por ser esquecido o fato de que os principais assuntos da história são assuntos coletivos, as circunstâncias da vida social são apresentadas como sendo uma necessidade não humana.

Estamos, agora, numa posição que nos permite compreender o relacionamento entre o conceito analítico da mente e os outros postulados da psicologia liberal. Ao colocar de lado o caráter totalizante do fenômeno da consciência, o princípio da análise torna possível evitar o confronto com o ponto em que a compreensão e a avaliação se fundem numa só realidade, no

Conhecimento e política

domínio da consciência. O analista fragmenta formas de consciência social em crenças individuais que, a seguir, divide em ideias supostamente distintas, umas descritivas, outras normativas. Dessa maneira, pode dar uma aparência de plausibilidade à noção de que opiniões sobre como o mundo é e ideias sobre como ele deveria ser são coisas inteiramente diferentes.

O Iluminismo e os pensadores românticos que desenvolveram a ideia moderna da imaginação tinham plena consciência do relacionamento de enfoque analítico com o contraste entre razão e desejo, porque viam a imaginação como uma faculdade que une o pensamento e o sentimento, ao mesmo tempo em que torna os homens mais atentos à totalidade orgânica de serem complexos. Nas mãos do historicismo moderno, essa visão da imaginação transformar-se-ia numa das mais importantes críticas parciais ao pensamento liberal.

AS PARTES E O TODO

Os princípios da análise e do individualismo criam sérios obstáculos a uma compreensão adequada da mente e da ciência. Não é, portanto, surpreendente que grande parte do esforço realizado pelo pensamento social moderno venha dedicando-se a romper os limites que esses princípios criam e a elaborar um método que respeite a integridade dos todos sociais.

Uma vez já estabelecida a interdependência dos postulados do pensamento liberal, podemos conceber a maneira pela qual as ideias analíticas e individualistas podem ser derrubadas. O principal propósito dessa discussão é demonstrar de que modo fracassa a tentativa de lidar com os problemas das partes e dos todos, separando-os dos outros problemas do pensamento liberal. Desse modo confirmaremos a unidade da doutrina liberal, reafirmaremos o que a crítica parcial tem de inadequada e prepararemos o caminho para a discussão sobre o relacionamento entre as antinomias do liberalismo, como parte final de minha crítica.

Demonstramos que a visão do todo como uma soma de suas partes, que a análise e o individualismo compartilham, é o sinal de uma dependência

A unidade do pensamento liberal

recíproca; os dois princípios são o avesso um do outro. É possível, por conseguinte, levar-se a declaração de princípios a um nível mais alto de generalização, afirmando que tanto a análise quanto o individualismo são formulações da ideia de que o todo é a soma de suas partes. Poder-se-ia chamar essa noção de princípio de agregação porque concebe cada todo como um agregado convencionalmente definido e como um universal nominal. Concomitantemente, a síntese e o coletivismo podem ser reduzidos à tese mais abstrata de que o todo difere da soma de suas partes. Isso pode ser descrito como o princípio da totalidade, porque o todo é tratado como uma unidade indivisível e como um universal real.[12]

Não há uma só tendência, na história do pensamento social moderno, mais notável pela sua persistência, ou de mais alto alcance quanto à influência por ela exercida, que o esforço por formular uma versão plausível da ideia da totalidade. Às vezes a ênfase é colocada no aspecto sintético ou psicológico; outras, no aspecto coletivista, ou político. Mas, explicitamente ou não, ambos esses aspectos estão sempre em jogo. Eis aqui alguns exemplos frequentes.

Os psicólogos da Gestalt afirmam que a percepção é a percepção de todos significativos. Só depois de reconhecidos esses todos é que os elementos particulares no seu interior adquirem um significado.[13] Chomsky e seus seguidores negam que as linguísticas possam ser construídas sobre a análise de partículas elementares do conhecimento. Chamam a atenção para o fato de que, em todos os idiomas, aqueles que os falam são capazes de construir um número infinito de frases formalmente corretas e significativas. A linguagem deve ser, portanto, uma unidade enraizada em categorias mentais universais e irredutível a atos específicos de expressão verbal.[14] Lévi-Strauss constrói uma antropologia cuja principal preocupação é a elucidação das estruturas inter-relacionadas de troca e comunicação que preexistem, organizam e dão sentido à interação de indivíduos e grupos.[15] Um pensador mais profundo e mais antigo, Karl Marx, já tinha desenvolvido uma teoria cuja implicação mais importante, segundo alguns de seus discípulos, é a de que toda sociedade é uma totalidade que nunca será compreendida até que a completa estrutura de sua ordem seja apreendida.

Conhecimento e política

A dificuldade inicial na interpretação dessas afirmações é definir o que quer dizer exatamente a diferença entre o todo e suas partes, ou, em outras palavras, de que modo a relação entre o todo e suas partes deve ser entendida ao aceitar-se o princípio da totalidade. De início, a noção de que o todo difere da soma de suas partes pode parecer ou trivial ou paradoxal. Trivial, se tudo o que isso significa é que duas coisas separadas não são a mesma coisa que duas coisas juntas, e paradoxal, se as partes são, por definição, as coisas que constituem o todo.[16] Mas não há trivialidade nem paradoxo na ideia de que certas entidades possuem características que nenhum tipo de combinação de entidades mais simples bastaria para explicar.

A essa altura, contudo, surge um segundo problema na interpretação da totalidade. Se as partes se tornam algo diferente e unitário no todo, o que nos autoriza a continuar a mencioná-las como sendo partes cuja soma ainda pode ser contrastada com o todo? A resposta é que, segundo o princípio da totalidade, o conceito de "parte" significa algo de diverso do que significa sob o princípio da agregação. Para este último, a parte é uma entidade real e separada, com seu próprio significado. Para o princípio da totalidade, no entanto, uma parte é apenas um todo observado de um determinado ponto de vista. Nenhum ponto de vista é suficiente, por si mesmo, para esgotar o significado do todo, no entanto cada um é ligado, sem descontinuidade, a todos os outros pontos de vista. Portanto, falamos em partes apenas por uma conveniência de expressão. Por exemplo, se, como marxistas, considerarmos a ordem social a partir da perspectiva das forças produtoras, ou das relações de produção, ou da superestrutura ideológica, nossa atenção pode enfatizar diferentes aspectos da sociedade, mas quanto mais perfeita nossa compreensão, tanto menos se modificará nossa visão anterior da sociedade segundo a mudança de perspectiva. Talvez a mais extrema formulação dessa ideia seja a visão de Leibniz do mundo como um todo completamente refletido por cada uma das suas partes.[17]

É como se nos movêssemos livremente numa planície com um horizonte imóvel. Qualquer que fosse a posição da qual olhássemos a planície, a paisagem que vislumbraríamos seria a mesma e o olhar chegaria aos limites mais

A unidade do pensamento liberal

distantes do horizonte de qualquer lado. Mas, devido à fraqueza de nossa visão, as coisas pareceriam maiores ou menores dependendo da distância que estivessem de nós.

Com esses esclarecimentos em mente, voltemo-nos para as duas principais interpretações do princípio da totalidade, com o objetivo de demonstrarmos como o reconhecimento de seus defeitos permite uma apreensão ainda mais profunda da unidade do pensamento liberal.

Segundo uma versão do princípio da totalidade, a diferença entre o todo e a soma de suas partes é estritamente uma convenção de método. Em outras palavras, é, às vezes, útil considerar certos fenômenos como todos não analisáveis, mas não estamos autorizados a assumir que esses todos correspondem a seja o que for no mundo dos fatos. Assim, aquilo que, para certos propósitos, é considerado como uma totalidade, pode ser tratado, para outros propósitos, como uma agregação na qual o todo se iguala à soma de suas partes. Essa visão do princípio da totalidade é habitualmente chamada de estruturalismo. Dos exemplos que dei anteriormente, a psicologia da Gestalt, a linguística de Chomsky e a antropologia de Lévi-Strauss podem ser consideradas estruturalistas, neste sentido.

Se, à maneira estruturalista, combinarmos a asserção de que o todo difere da soma de suas partes com a ideia de que os todos são convenções de método, o resultado seria negar que exista um processo histórico real através do qual as partes são transformadas pela sua inclusão no todo. A totalidade não possui uma história real, embora possa reivindicar uma gênese hipotética. Ela é postulada pelo teórico para ajudá-lo a explicar melhor as coisas; não emerge de uma sequência contingente de acontecimentos. Pode-se usar semelhante método para inferir o que deve ter acontecido e, a seguir, comparar as conclusões a que se tiver chegado com os fatos, mas não se pode usá-lo para descrever o que realmente aconteceu.

A versão estruturalista do princípio da totalidade é um desenvolvimento de um dos dois lados da moderna ideia da ciência descrita no Capítulo 1. Seu ponto de partida é o princípio de que os fatos são totalmente definidos por categorias teóricas porque as essências inteligíveis não existem. Dada a ausência de

Conhecimento e política

essências inteligíveis e o caráter convencional do pensamento e da linguagem, os todos podem ser tratados como categorias não analisáveis, mas não podem ser considerados como coisas existentes no mundo. Todos os vícios do estruturalismo são consequências do seu ponto de partida convencionalista.

Primeiro, o estruturalista é presa da antinomia da teoria e do fato. Embora negue que seus "todos" sejam algo mais que construções mentais, acredita, também, que algumas dessas construções são melhores que outras e que a história de sua ciência é progressiva. Como conseguirá reconciliar esses dois tipos de afirmações?

Segundo, porque não trata a gênese do todo como um processo histórico real, o estruturalista não pode explicar como o fenômeno de consciência que ele estuda aconteceu. Encontra-se na posição de um homem que conhece o teorema geométrico para a construção de um hexágono, mas não pode explicar como, nem por quê, os homens traçam figuras hexagonais. Seu recurso típico é postular, como um *deus ex machina*, uma capacidade mental para a percepção do teorema geométrico que tende a se expressar através de desenhos![18]

Parece, no entanto, ser comum no desenvolvimento do fenômeno da consciência, quer como formas de existência, quer como formas de reflexão, que dois elementos se combinem, interagindo entre si, de modo a formar um terceiro cujas características não podem ser reduzíveis às de seus constituintes. A formação convencionalista do estruturalismo termina, contudo, por condená-lo a não levar em conta, ou a distorcer, o caráter histórico do fenômeno social e a perder-se numa lógica de categorias históricas e de capacidade da mente.

Uma terceira objeção à formulação estruturalista da ideia da totalidade é a de que, por tratar os todos como convenções de método, ela é levada a separar o problema de partes e todos, no conhecimento, de outros temas do pensamento liberal. O estruturalista aceita uma versão invertida do princípio da totalidade e nem chega a tocar nos outros princípios do liberalismo. O estruturalismo coloca a ênfase no sintético e despreza o aspecto coletivista da totalidade, tratando o problema dos todos como um problema relativo ao conhecimento, ou, no máximo, ao conhecimento da sociedade, mas não à própria sociedade. Além disso, o estruturalista respeita, caracteristicamente, a distinção entre

A unidade do pensamento liberal

compreensão e avaliação segundo a visão que tem de sua própria ciência. Não será, por conseguinte, surpreendente que, ao abordar os aspectos políticos da totalidade, ele continue a tratar as regras prescritas como uma base da ordem social, perpetuando, assim, a teoria política do liberalismo.

A interpretação convencionalista da totalidade, que ergue uma muralha entre a teoria e o mundo, reforça, e é reforçada, pela aceitação tácita de todas as ideias liberais, exceto o próprio princípio da análise. Mas, se o ponto de vista das seções precedentes deste capítulo forem corretos, não é possível rejeitar-se de maneira válida o princípio analítico sem que se repudie todo o sistema do pensamento liberal. A incapacidade de compreender que a ideia de estrutura é apenas um incidente, no mapa mais vasto da teoria psicológica e política, é um dos aspectos do pecado básico do estruturalismo.

Uma quarta observação sobre o estruturalismo não se constitui, ainda, numa objeção, mas há de transformar-se nela à medida que meu argumento positivo se for desenvolvendo. Ao reconhecer, embora inadequadamente, o princípio da totalidade, o estruturalismo representa um avanço sobre a doutrina liberal. Num outro sentido, contudo, mantém-se aquém do liberalismo. Ao abraçar um ponto de vista francamente convencionalista do estudo social, e ao negar que os todos existam no mundo do fato, o estruturalista não acredita que suas doutrinas possam servir como base para opções. Ele corta o elo existente entre a teoria da mente e a sociedade, por um lado, e a deliberação política, por outro, elo este que o liberalismo nunca destruiu completamente. Reduz o estudo social a uma técnica para a associação e a reassociação de conceitos.[19] Para o estruturalismo, o pensamento não pode nunca apreender realmente a ordem social como um todo e determinar as condições de sua transformação.

Outra maneira de expressar o mesmo ponto é verificarmos que, ao visualizar fenômenos sociais, como a linguagem e o intercâmbio econômico, como se fossem expressões de categorias universais da mente, ele obtém o mesmo efeito político que o autêntico liberal ao dissolver todos os todos num número infinitésimo de particulares. Nesse último caso, as inumeráveis interações entre os que fazem uso da palavra e os comerciantes dão a impressão de que

Conhecimento e política

a linguagem e a economia se movem através de uma força que escapa ao controle humano, como se fossem parte da natureza. No primeiro caso, a universalidade das categorias que expressam empresta à organização linguística, ou à econômica, a aparência de que ela se mantém acima da história e, por conseguinte, fora da alçada da política. O conceito estruturalista da totalidade ilustra a poderosa aliança do ceticismo e do conservadorismo no pensamento político.[20]

Há uma segunda interpretação do princípio da totalidade que deixou sua marca no pensamento moderno, e da qual a teoria social de Marx é o mais completo exemplo. Ela foi prenunciada por Spinoza e desenvolvida por Hegel. Podemos denominá-la realismo. O elemento básico do ponto de vista realista é a noção de que os todos não analisáveis são coisas reais no mundo dos fatos. No que diz respeito à sociedade, isso significa que os todos são históricos. Consequentemente, a incorporação das partes em novos todos é um processo real que ocorre na história. Nesse sentido, a relação entre as partes e os todos é dinâmica. Por exemplo: o intercâmbio de certas técnicas produtoras com um tipo de organização social resulta numa sociedade que difere, tanto na sua organização quanto na sua tecnologia, da sociedade ou da organização social anterior. O desenvolvimento dos todos só causará uma modificação das partes que os constituem se esta emergir como um processo temporal atual, e não apenas como um processo lógico.

As virtudes e os defeitos do realismo resultam de sua tentativa de ir além da separação entre a ordem de ideias e a ordem de eventos, pela implicação de que os todos não analisáveis, na realidade social e na teoria social, são aspectos diferentes do mesmo fenômeno. O realismo não é apenas o oposto simétrico do estruturalismo. Não se limita a acentuar o aspecto não convencional da moderna noção da ciência – a possibilidade de comparar a teoria com a experiência pré-teórica. Seria impossível justificar uma crença na possibilidade da experiência pré-teórica sem aceitar a doutrina das essências inteligíveis. Essa doutrina afirma, no entanto, que tudo possui uma essência imutável; não pode ser consistente com a relação dinâmica das partes e dos todos que o realista procura elucidar.

A unidade do pensamento liberal

O realismo é uma tentativa de dispensar totalmente a separação entre a ordem das ideias e a ordem dos acontecimentos. Por esse motivo, é o mais profundo e audacioso de todos os criticismos parciais do pensamento liberal. Apesar disso, o realismo é alvo de ataques que só poderiam ser evitados se o realista tivesse solucionado a antinomia entre teoria e fato, e as antinomias que a ela se relacionam. Isso, os realistas não fizeram, como indicam as dificuldades inerentes à sua posição, que citaremos a seguir.

Primeiramente, como interpretarmos o conceito realista da verdade? Não é suficiente afirmar que os todos não analisáveis, aos quais a teoria se refere, representam fenômenos históricos reais. O teórico deve ter ainda critérios que lhe permitam escolher entre possíveis interpretações conflitantes do fenômeno. O problema da escolha, na construção de uma teoria, não pode ser solucionado por um apelo à ideia da representação. O problema é, precisamente, determinar que representação do fenômeno é correta, ou o que essa representação significa.

Em segundo lugar, se as partes se modificam realmente no curso da emergência do todo, o que nos autoriza a identificá-las como sendo as mesmas entidades em momentos diversos?

Em terceiro lugar, se as categorias do pensamento são historicamente relativas, que razão haverá para vermos, no próprio método realista, algo mais que uma ilusão, ou a necessidade de uma época? A asserção da relatividade histórica de todas as ideias não nos forçará a cair, novamente, na repudiada asserção estruturalista de que os todos não analisáveis são simplesmente convencionais?

Em quarto lugar, o método realista parece confundir duas noções distintas: a ideia de uma mudança na própria vida social, mudança, esta que ocorre, necessariamente, com o tempo, e a ideia de uma organização puramente teórica, ou lógica, dos conceitos que não tivessem uma dimensão temporal. É como confundir o ato de desenhar uma figura hexagonal com a ideia da construção geométrica de um hexágono.

Se observarmos o último ponto, em primeiro lugar, veremos, ao mesmo tempo, como o realista responderia a todas essas objeções e de que maneira

Conhecimento e política

sua resposta não seria satisfatória. Precisamos determinar o que tornaria possível uma resposta satisfatória.

A quarta objeção, como as precedentes, surge de nossa incerteza quanto ao relacionamento entre a teoria e a experiência histórica. Quando fazemos uma distinção entre a ordem das ideias e a ordem dos acontecimentos, há sempre um ponto em que precisamos indagar: qual é a relação da lógica interna dos conceitos, através dos quais explicamos os acontecimentos, com o relacionamento factual entre os acontecimentos? Considerando qualquer proposição, o teórico terá que propor, a si mesmo, dois tipos de pergunta.

Primeiro, indagará o que se segue a uma dada tese. Será ela consistente, como proposição com as outras proposições de sua explicação teórica? Caso não seja, como reformulará seus pontos de vista? Tendo respondido a esta pergunta, será confrontado por outra.

Qual é a relação entre a operação através da qual se vai de uma proposição a outra, na lógica interna de suas proposições teóricas (*a* determina *b* etc.), e a maneira pela qual descreve a interconexão dos acontecimentos históricos? Em outras palavras, se imaginarmos a história como um sistema e a teoria social como outro, qual é a relação da maneira pela qual os elementos da primeira são ligados entre si e a maneira pela qual são ligados também uns aos outros os componentes desta última? Não pode haver resposta a essa segunda pergunta, dentro dos limites de nosso atual modo de pensar, precisamente porque, nesse modo de pensar, todas as relações pertencem a uma de duas categorias: ou são relações entre ideias ou são relações entre acontecimentos. A mesma charada aparece, sob um disfarce diferente, como um dos problemas básicos das filosofias da natureza e da matemática. Qual é a conexão entre o depoimento funcional e o depoimento causal das leis naturais? Ou, em outras palavras, o que torna a matemática aplicável ao mundo?

O realista poderá responder à acusação de que confunde a ordenação lógica dos conceitos com a sequência histórica dos eventos apontando o fato de que é, precisamente, seu propósito abandonar o ponto de vista a partir do qual é concebida a distinção entre a ordem das ideias e os acontecimentos.

A unidade do pensamento liberal

Continuará então a lidar com as outras objeções à posição por ele assumida do mesmo modo.

Insiste em que as categorias que define destinam-se a ser representações reais dos acontecimentos históricos e de suas inter-relações. Protestamos argumentando que a dificuldade está precisamente em decidir o que constitui uma representação correta. Responde-nos que, no seu pensamento, as ideias não são, em absoluto, representações de acontecimentos. São, como arguiu Spinoza, outro "atributo" dos próprios acontecimentos.

Nossa objeção é de que, se as partes se modificam, no curso de sua incorporação aos todos, não temos meios de identificá-las, em momentos diferentes, como sendo as mesmas e, por conseguinte, não há como sabermos se se modificam. O realista retruca que o problema da identificação não ocorre porque nossas ideias são expressões imediatas de acontecimentos.

Contudo, essa defesa da interpretação realista do princípio da totalidade pressupõe a possibilidade de uma síntese da ordem das ideias e da ordem dos acontecimentos, sem descrever sua natureza precisa, ou demonstrar como ela pode ser alcançada. Permanece o fato de que podemos escolher entre diversas concepções do mesmo fenômeno. Não é, portanto, suficiente postular que ideias e acontecimentos são diferentes "atributos" das mesmas coisas (Spinoza); de que as ideias são atualizadas no mundo (Hegel); ou de que a existência determina a consciência (Marx). Todas essas doutrinas evitam o confronto com a antinomia entre a teoria e o fato. Não a resolvem.

O debate sobre o realismo leva a uma inquietante conclusão: a distinção entre a ordem de acontecimentos e a ordem de ideias, entre a explanação causal e a análise lógica, é um corolário inevitável da separação entre a mente e o mundo, ou entre o sujeito e seus objetivos. A antinomia entre teoria e fato não pode ser solucionada pela simples supressão dessa distinção. Há mais ainda, porém.

A formulação de um método satisfatório de pensamento sobre a mente e a sociedade requer o reconhecimento das peculiaridades do que foi descrito anteriormente como sendo o domínio da consciência. Nesse domínio, o

Conhecimento e política

princípio da totalidade se mantém. Precisamos definir o princípio da totalidade de um modo que explicite correspondência entre a reflexão e a existência, na esfera da consciência, e que permaneça livre dos vícios do estruturalismo. Para alcançar esse objetivo, precisamos ser capazes de esclarecer a relação da ordem de ideias com a ordem de acontecimentos, porque é entre eles que se localiza o domínio da consciência.

O realismo é a mais incisiva de todas as críticas parciais do pensamento liberal – aquela que vai mais longe na tentativa de solapar o liberalismo e sugerir as premissas de um sistema alternativo de pensamento. No entanto, mesmo o realismo, a mais subversiva das doutrinas, é tolhido nas suas intenções revolucionárias pelo fracasso em resolver a antinomia entre teoria e fato – antinomia essa que representa o problema da ordem de ideias e da ordem de acontecimentos.

O último passo na minha crítica ao liberalismo consistirá em examinarmos, além da antinomia entre teoria e fato, o problema que domina todas as antinomias do pensamento liberal e que as cinge num só laço.

O UNIVERSAL E O PARTICULAR

As antinomias entre teoria e fato, entre razão e desejo e entre normas e valores são problemas fundamentais da doutrina liberal. Os dois últimos representam as principais dificuldades enfrentadas, respectivamente, pela psicologia e pelo pensamento político liberal. O primeiro é o enigma proposto pelo moderno conceito da ciência e da natureza: a psicologia liberal e a teoria política constituem um único sistema de pensamento. São unidos ao conceito moderno da ciência e da natureza por uma comum fidelidade à noção de que não há essências inteligíveis.

Deve ficar bem claro que o pensamento liberal pode ser consistente com uma visão diversa da ciência da natureza, porque aquela que descrevi não é, necessariamente, a única interpretação do que implica a inexistência de essências inteligíveis. É, contudo, a interpretação que passou a prevalecer. Podemos, por conseguinte, tratar a antinomia entre teoria e fato como parte

A unidade do pensamento liberal

do mesmo sistema de pensamento do qual derivam também as antinomias entre razão e desejo e entre normas e valores.

Em cada uma dessas antinomias estabelece-se uma distinção entre um elemento universal e um elemento particular.[21] Assim é que, na antinomia produzida pela concepção moderna da ciência e da natureza, a teoria é o universal, e o fato, o particular. Na antinomia psicológica, a razão é o universal e o desejo, o particular. Na antinomia política, as normas são o universal e os valores, o particular. Nos três casos, o universal se mantém à parte do particular, não varia, como este último, e nunca determina plenamente o conteúdo do particular. Permitam-me ilustrar esses pontos.

Quanto mais perfeita uma teoria se torna, tanto maior o número de fatos aos quais ela se aplica. A teoria, quando é verdadeira, não modifica sua formulação quando os fatos mudam; pelo contrário: a medida do seu poder é a capacidade que tem de se manter firme em face das transformações dos fatos, aos quais é dirigida. Finalmente, como a teoria se desenvolve através de uma crescente abstração, não descreve nem explica todos os aspectos do fenômeno que estuda, tal como estes são apreendidos pelo senso comum. Sem dúvida, podemos imaginar que uma ciência completamente unificada seria capaz de dar conta de tudo o que se pode saber sobre um determinado cavalo através das leis gerais da física. Mas, nesse ponto hipotético, o que é importante não é tanto o fato de a teoria universal ter determinado plenamente dados particulares, mas o de que a própria noção da particularidade das coisas tenha se tornado sem sentido.

Na psicologia liberal, as moralidades do desejo e da razão convergem em negar que a razão varia de acordo com os desejos particulares. Rejeitando a possibilidade de qualquer passagem da descrição à avaliação, a moralidade do desejo confina a razão ao seu papel de obter o conhecimento necessário à realização de nossos objetivos, quaisquer que eles sejam. Todos os homens, por um lado, podem se aproximar de uma idêntica compreensão objetiva do mundo, a despeito da individualidade de seus objetivos. Por outro lado, uma moralidade racional coerente, na medida em que é possível, deve basear-se em normas cuja validez é independente dos desejos do indivíduo.

Conhecimento e política

Na teoria política liberal, as normas devem ser impessoais no sentido de que nem sua elaboração nem sua aplicação são determinadas por valores individuais e subjetivos. No máximo serão elaboradas e aplicadas de acordo com uma combinação de valores que não deve, ela própria, ser individual e subjetiva. Só assim pode subsistir um regime de justiça formal.

O conceito do universal, agindo nessas áreas do pensamento, é o de uma imutável forma abstrata, separada de uma substância concreta variável. Todas as antinomias do pensamento liberal existem a partir do fato de que é, ao mesmo tempo, necessário e impossível assegurar a separação da forma e da substância, do abstrato e do concreto.

Na antinomia entre teoria e fato, o fato, que é o elemento substantivo ou particular, deve permanecer independente da teoria, que é o elemento universal ou formal. É parte do que entendemos por uma teoria a circunstância de ser ela, num determinado ponto, capaz de comparação com os fatos. A não ser que os fatos possam ser independentemente definidos e compreendidos, a não ser que possamos partir de uma experiência pré-teórica, tal comparação é inviável. Ao mesmo tempo, contudo, os fatos só podem ser classificados, definidos e explicados na linguagem de uma teoria específica: daí resulta a necessidade tanto de afirmar quanto de negar a separação do universal e do particular, da forma e da substância.

O mesmo resultado está implícito na antinomia entre razão e desejo. De acordo com a moral do desejo, a razão pode esclarecer o relacionamento entre fins, mas não pode, em última análise, mostrar-nos quais os fins a serem mantidos. Deve haver uma separação completa da vontade, que faz suas opções, e da razão, que produz o conhecimento objetivo. No entanto, a não ser que existam critérios gerais de escolhas entre desejos, a moralidade do desejo não pode responder à questão que se propôs resolver – o que devemos fazer? Do mesmo modo, uma moral coerente da razão depende da definição de preceitos de conduta puramente formais que assegurem nossas finalidades, sejam elas quais forem. No entanto, é só preferindo determinadas metas a outras que somos capazes de tornar os critérios da moralidade racional suficientemente concretos para que funcionem como critérios de

A unidade do pensamento liberal

escolha. De um modo ou de outro, o universal deve, e ao mesmo tempo não pode, ser separado do particular.

De acordo com a antinomia política, as normas e os valores deveriam ser considerados como sendo independentes um do outro. As primeiras são impessoais ou objetivas; os segundos, individuais e subjetivos. No regime de justiça substantiva, que é a contrapartida política da moral do desejo, julgamos todas as coisas como meios de atingir nossos fins e dispensamos as normas, ou as tratamos, a todas, como sendo instrumentais. No entanto, sem normas não instrumentais que determinem o que conta como um meio permissível, a justiça substantiva é inconcebível. No regime da justiça formal, o equivalente político da moral da razão, os resultados da legislação e da sua aplicação não podem ser justificados simplesmente pela sua utilidade para os valores individuais e subjetivos. Acima de tudo, deve haver um método neutro de adjudicação que nos permita aplicar as normas a despeito de considerações de valor ou propósito. Tal método é necessário por dois motivos: a individualidade e a subjetividade de todos os propósitos e a contradição entre os requisitos de conduta segundo as normas e os da racionalidade instrumental. A discussão em torno da teoria formalista da aplicação do direito mostrou que esse método não pode existir. A justiça formal e a justiça substantiva, o julgamento segundo as normas e segundo os valores, o universal e o particular, na política, ao mesmo tempo em que devem ser separados, não podem sê-lo.

A relação das partes e dos todos descrita pelo princípio da agregação é ainda outra variação do conceito de universais e particulares que sublinha as antinomias do pensamento liberal. Enquanto universal, o todo se torna tanto mais abstrato e formal quanto maior o número ou a gama de partes, ou particulares, que ele subentende. Se o todo é conhecimento complexo, isso significa que a teoria se desenvolve reduzindo ao mínimo a substância ou a concreção de fatos particulares. Se o todo é um grupo social, isso representa que a unidade do grupo é preservada e compreendida só na medida em que as variações entre seus membros não forem levadas em conta.

Conhecimento e política

Por motivo do contraste entre o universal e o particular, que acentua as antinomias do pensamento liberal, e do conceito liberal das partes e dos todos, dois processos ressurgem constantemente em todas as áreas do pensamento. Um é a evisceração dos particulares; o outro é a reificação dos universais.

A evisceração dos particulares consiste em tratá-los como exemplos evidentes de alguma qualidade abstrata. Certo é que os particulares, como partes, são reconhecidos como sendo mais concretos e, por conseguinte, mais reais, que os universais como todos. Isso é sugerido pelo princípio da agregação. No entanto, à medida que a concreção dos particulares aumenta, aumenta, no mesmo grau, sua individualidade. Torna-se, assim, impossível pensar ou falar neles em termos de categorias gerais e, por conseguinte, dada a natureza da linguagem e do pensamento, é igualmente impossível pensar ou dizer a respeito deles, seja o que for. Isso está implicado na antinomia entre teoria e fato.

A única saída é tratar os particulares como se representassem exemplos de uma entidade abstrata ou formal que não existisse, realmente, no mundo. No curso dessa misteriosa transposição, os particulares começam a perder sua substância, sua concretude e, por conseguinte, sua individualidade. A particularidade em que sua existência consiste é eviscerada. A particularidade dissolve-se exatamente dessa mesma maneira, quando se trata o homem como sujeito de direito, ou quando diferentes objetivos confluem num conceito de interesse geral ou, ainda, quando um acontecimento é resumido numa lei explanatória; deixamos então de refletir sobre o que faz com que as pessoas, as finalidades ou os acontecimentos sejam diferentes uns dos outros.

Logo que se inicia a evisceração dos particulares, um processo complementar se estabelece: a reificação dos universais.[22] As qualidades abstratas assumem uma vida própria, por serem os únicos objetos passíveis de pensamento ou linguagem. A despeito do reconhecimento de que os universais são abstrações ou convenções, todos falam e agem como se realmente existissem, como se, na verdade, fossem as únicas coisas reais no mundo.

A unidade do pensamento liberal

Extraem-se consequências, para o pensamento ou para a conduta da natureza da personalidade jurídica, dos interesses econômicos, ou da classe de acontecimentos interpretada por uma lei científica, embora seja apenas por uma questão de conveniência que os tratamos como se tivessem uma natureza própria.

Da evisceração dos particulares e da reificação dos universais resulta um espetáculo que seria estranho, se já não fosse suficientemente conhecido para ser notado. Embora aos particulares seja atribuída uma realidade concreta, é aos universais que o pensamento e a ação se dirigem. Os fantasmas cantam e dançam no palco, enquanto as pessoas reais permanecem sentadas, apaticamente, na plateia abaixo. O observador pode ser perdoado por não saber mais quem está vivo e quem está morto.

Todas as questões fundamentais da filosofia moderna são variações sobre as três antinomias e o problema das partes e dos todos. E todas elas são expressões do problema mais fundamental do universal e do particular. O universal, enquanto forma, e o particular, como substância, devem ser separados um do outro se quisermos que nossas ideias científicas, morais e políticas façam sentido. Mas, em cada caso, sua separação parece impossível. Quando começamos a pensar neles como sendo independentes um do outro, terminamos por reconhecer sua interdependência. Quando começamos por concebê-los como sendo interdependentes, somos forçados a chegar à conclusão de que devem ser independentes.

De pouco valeria sugerir que as ideias sobre a unidade e a separação do universal e do particular deveriam ser reconciliadas, considerando-se que cada uma delas contém uma parte da verdade. O problema está precisamente no fato de que o sistema de nosso pensamento é constituído de tal maneira que nenhuma espécie de reconciliação pode ser obtida, porque ela não é possível sem a reconstrução de nossas premissas. As antinomias nunca foram, e nunca serão, resolvidas até encontrarmos a saída da prisão do pensamento liberal. O quadro nas páginas 178 e 179 resume o esquema das antinomias em sua relação com os princípios do liberalismo e com o contraste entre o universal e o particular.

DA CRÍTICA À CONSTRUÇÃO

A unidade de universais e particulares

A tarefa de seguirmos para além da crítica total à teoria liberal, rumo a uma doutrina alternativa, é-nos imposta pela necessidade de lidarmos com o doloroso problema do universal e do particular. Uma das maneiras de solucionar o problema do universal e do particular, e, consequentemente, as antinomias do pensamento liberal, consistiria em simplesmente negarmos os termos em que ele se propõe. Em vez de assumirmos a separação do universal e do particular, começaríamos a partir da premissa de sua identidade. Assim, numa simples moção, poderíamos colocar o pensamento liberal de cabeça para baixo, na esperança de escapar às suas contradições internas.

Num sentido, a unidade do universal e do particular pode significar a identificação dos próprios universais e particulares que o pensamento liberal contrasta: teoria ou ideias e fatos ou acontecimentos – razão e desejo –, normas e valores. Essa doutrina antiliberal aceitaria a visão de Spinoza de que as ideias e os acontecimentos são diferentes "atributos" das mesmas coisas. Em psicologia, isso representaria o conceito de uma personalidade constituída de tal modo que todos os desejos coincidiriam espontaneamente com os mandamentos universais da moral racional. A ideia da "vontade sacrossanta", de Kant, que não exige que a inclinação seja sacrificada ao dever, porque ela sempre se inclina naturalmente para o que é certo, exemplifica essa posição.[23] Na teoria política, a identificação do universal e do particular apontaria para uma sociedade na qual os critérios de conduta seriam tão completamente identificados com as finalidades buscadas pelos indivíduos, que a distinção entre as normas públicas e os valores particulares já não teria sentido. Muitos ideais de harmonia social, como a doutrina da República de Platão, ou o Estado bem-ordenado de Confúcio, aproximam-se dessa visão.

Em outro sentido, unificar o universal e o particular pode significar o repúdio de qualquer distinção entre a universalidade e a particularidade, seja qual for a sua forma.

A unidade do pensamento liberal

Se a união do universal e do particular for interpretada como uma simples negação das dicotomias do pensamento liberal, isso levará a resultados descritivos e a resultados prescritivos indesejáveis e revelará uma incompreensão da relação entre a teoria e a história. Ao ser tomada, mais amplamente, como uma rejeição do próprio contraste entre a universalidade e a particularidade, parecerá desprezar alguns aspectos inamovíveis da vida e do pensamento humano.

Em ambos os casos, a negação total das diferenças, que o liberalismo transforma em oposições, não levaria em conta alguns aspectos cruciais de nossa experiência do mundo como ele é ou de nossas intenções como seres morais. A identidade da ideia e do acontecimento torna impossível compreender como podemos ter falsas ideias e permanecer, por conseguinte, em silêncio quanto ao critério de escolha entre teorias rivais. A unificação da compreensão e do desejo, como base para uma teoria do conhecimento, contradiz a noção de que o mundo pudesse ser diferente do que pensamos que ele devesse ser, levando, assim, à santificação da atualidade. Como base para uma ética, descreve uma situação em que não houvesse nenhum ponto de vista crítico de onde nossos desejos atuais pudessem ser avaliados, porque estes se teriam tornado, por definição, o bem. A tensão entre a razão e o desejo, embora seja a fonte do descontentamento e da desintegração, parece ser, também, a fundação de uma consciência moral crítica. Finalmente, como matéria descritiva, a identificação de normas e valores solapa nossa capacidade de compreender a individualidade das pessoas. Como ideal, destrói qualquer apoio à crença em que a individualidade deva ser protegida.

Assim, a identificação do universal e do particular leva a dificuldades insuperáveis em explicar aspectos da experiência tão fundamentais quanto a possibilidade do erro e do mal e a separação das pessoas. Além disso, esquece a necessidade de opção no pensamento, na moral e na política, e o valor que a necessidade de escolher nos dá. Pareceria, portanto, que o que estamos buscando não é a negação da separação entre o universal e o particular, porém, mais corretamente, um conceito diferente da relação entre eles. Em vez de uma doutrina liberal invertida, precisamos de uma síntese do liberalismo com seu oposto.

QUADRO 1

As antinomias do pensamento liberal

Natureza e ciência

(Não há essências inteligíveis; a linguagem é convencional etc.)

Psicologia liberal

1. princípio da razão e do desejo
2. princípio do desejo arbitrário
3. princípio da análise

Teoria política e jurídica liberal

1. princípio de normas e valores
2. princípio do valor subjetivo
3. princípio do individualismo

⎣⟶ princípio da ⟵⎦
agregação

As antinomias partem das premissas acima e são ligadas às distinções entre meios e fins, forma e substância, vida pública e vida privada, técnica e teoria.

A antinomia entre teoria (ideias) e fato (acontecimentos) subverte a concepção do conhecimento.

a1 A identidade dos fatos é definida pelas teorias.

A antinomia entre a razão e o desejo subverte a concepção da personalidade.

a1 A moralidade do desejo somente é adequada na medida em que for estruturada pelas normas da razão.

A antinomia de normas e valores subverte o conceito de sociedade.

a1 A prática de selecionar meios para atingir fins (raciocínio instrumental) exige a observância de normas prescritivas (aplicação do direito).

a2 Faz parte do nosso conceito de fato que este seja distinguível da teoria que o explique.

a2 A moralidade do desejo não se coaduna com a atribuição de qualquer mérito normativo à razão.

a2 O raciocínio instrumental é inconsistente com a aplicação do direito.

b1 As teorias existem somente como sistematizações dos fatos.

b1 A moralidade da razão somente é adequada na medida em que lhe deem conteúdo.

b1 A aplicação do direito pressupõe julgamentos segundo o raciocínio instrumental.

b2 Faz parte do que chamamos por uma teoria que esta seja distinguível dos fatos para os quais é formulada.

b2 A moralidade da razão não se coaduna com a atribuição de qualquer mérito normativo ao desejo.

b2 A aplicação do direito é inconsistente com o raciocínio instrumental.

Forma geral das antinomias

(a1) O particular (fatos, desejos, valores) existe somente através do universal (teoria, razão, normas),

(a2) mas precisa ser separado dele.

(b1) O universal existe somente através do particular,

(b2) mas precisa ser separado dele.

Conhecimento e política

A inadmissibilidade de uma doutrina puramente antiliberal pode ter se originado de uma incompreensão do relacionamento entre a teoria e a história. As premissas do pensamento liberal descrevem uma forma de existência e de consciência social. A separação entre o universal e o particular, e o contínuo conflito entre eles, corresponde à experiência que temos como indivíduos morais e políticos. A incapacidade de chegarmos a uma diferente compreensão da conexão entre normas e valores e razão e desejo é apenas parte dessa situação histórica mais ampla. Na verdade, a não ser que as antinomias do pensamento liberal revelassem algo profundo sobre a maneira pela qual vivemos, não estaríamos interessados nem em compreender nem em resolver essas antinomias.

Se os princípios do liberalismo retiram o seu poder e importância do fato de iluminarem uma situação histórica, é ilusão supor-se que os problemas que produzem podem ser solucionados por uma simples substituição de postulados. Precisamos compreender os aspectos da existência e da consciência que as antinomias teóricas descrevem, descobrir se a situação histórica, ela própria, já contém soluções possíveis e buscar uma teoria que possa contribuir para essas soluções. Nesse processo, a teoria desempenha um duplo papel. Elucida possibilidades já presentes e, pelo próprio ato de elucidação, abre possibilidades que ali não se encontravam anteriormente. De modo superficial, a tentativa de resolver as antinomias pela simples formulação da doutrina na qual elas não existiriam pode parecer um desejo de fugir à especulação. Na verdade, contudo, torna a teoria autônoma apenas por reduzi-la a uma impotência frívola, pois rompe o ligamento entre o progresso do pensamento e a transformação da sociedade.

A doutrina antiliberal é, por conseguinte, inaceitável como solução para os problemas do pensamento liberal. Precisamos descobrir como evitar, tanto na teoria quanto na experiência, a oposição de ideias e acontecimentos de razão e desejo, de norma e valor, sem negar sua separação. Precisamos encontrar um meio de tornar o universal e o particular ao mesmo tempo idênticos e diversos.

De início, contudo, deve ficar bem claro que essa busca não envolve uma rejeição dos conceitos da universalidade e da particularidade, nem é

A unidade do pensamento liberal

inconsistente com o reconhecimento de que pode haver aspectos centrais da existência nos quais o antagonismo do universal e do particular é inevitável. Precisamos, por isso, aprender a distinguir as antinomias liberais, produtos de uma forma transitória de pensamento e de vida, dos conflitos mais básicos e menos erradicáveis entre a universalidade e a particularidade que surgem na moral, no conhecimento e na política. Esses conflitos representam os limites extremos de nossa habilidade em escapar à tragédia na vida.

Examinemos a moral. Há três tipos principais de conduta moral. O primeiro é a moralidade das consequências. Julgamos nossos atos pelos seus resultados porque nos preocupamos com os outros e com o mundo. O segundo é a moral dos princípios. Não podemos julgar segundo as consequências apenas, porque só apreendemos parcialmente as consequências de nossas ações e porque pode ser mais fácil determinar a retidão dos princípios do que os benefícios de resultados concretos. Um homem que só agisse de acordo com um cálculo dos benefícios a serem obtidos e dos danos que pudesse causar ficaria indeciso, se fosse lúcido, porque ninguém pode ver tão longe que lhe seja possível medir o bem e o mal que terá realizado em última análise. Assim, o problema da conduta moral é similar ao de um jogo que só funciona devido ao fato de que os jogadores conhecem algumas consequências de suas jogadas, mas não podem conhecê-las todas. A moral das consequências e a moral dos princípios são, ambas, éticas universalistas: contêm julgamentos que cortam através do espaço e do tempo e se aplicam, uniformemente, a todas as pessoas ou a categorias gerais de pessoas.

Mas há um terceiro tipo de conduta moral, a ética da solidariedade, a expressão do amor, que leva o pastor a colocar a salvaguarda da ovelha perdida acima da segurança do rebanho. Valoriza a pessoa presente e imediata mais que o que se encontra ainda distante e rompe todas as regras morais em favor do ser amado. Tais atos parecem, sempre, irracionais, porque nosso próprio conceito da racionalidade se identificou com a ideia de seguir as normas. Por isso que todo amor humano é uma relação particular entre pessoas particulares, precisa rebelar-se contra as tendências universalizantes de éticas presas a consequências e a normas.

Conhecimento e política

A supressão de qualquer das três morais perverteria a vida moral por desconsiderar um aspecto básico da existência humana. No entanto, as formas de conduta moral são conflitantes entre si, e seu conflito se torna especialmente agudo na rivalidade entre a ética universalista e a ética particularizante.

O antagonismo entre o particular e o universal, nas éticas morais, é mais claramente exemplificado pelo confronto entre o amor e o direito ou justiça, se estas últimas forem mais especificamente definidas como questões de normas. Quando o amor se lança contra a justiça que segue as normas jurídicas, dois resultados emergem. Do lado do amor há a misericórdia, que reconhece os laços da reciprocidade mas os desata através do perdão. A misericórdia é aquilo em que o amor se transforma quando encontra a justiça, assim como a comunidade é aquilo que o amor se torna quando toca a sociedade e a reciprocidade. Do lado do direito, o encontro do amor e da justiça produz a ideia de um direito à satisfação de nossas necessidades dentro da lei, a doutrina das causas excludentes de culpabilidade no direito penal, e a ideia da equidade na justiça privada. Mas enquanto a compaixão é simplesmente um ornamento e uma exigência do amor, a satisfação de necessidade, a doutrina das causas excludentes de culpabilidade e a equidade solapam o império da lei. Favorecem a individualização dos julgados tendo em vista a pessoa humana e suas circunstâncias singulares. Desse modo, quando a batalha entre o amor e a justiça é apaziguada pela interferência da misericórdia, o amor é o combatente mais forte que domina o seu rival na luta pelo domínio da vida moral.

Nos domínios do conhecimento e da política, as exigências do universal e do particular encontram tantas resistências quanto na ética. Em conhecimento, existe a separação entre a compreensão abstrata, ou julgamentos dos universais, que é a teoria, e a intuição concreta e a escolha dos particulares, que é a prudência. Na política, existe a contestação entre as exigências da comunidade íntima e as da comunidade universal. Tanto a questão cognitiva quanto a questão política serão examinadas num estágio posterior do argumento.

A unidade do pensamento liberal

A interação de universais e particulares

A despeito do infindável conflito da universalidade e da particularidade, em alguns aspectos da experiência, outros aspectos encarnam uma relação bem diversa entre o universal e o particular. Essa alternativa, de cuja verdadeira natureza só tomamos consciência vagamente, poderá nos mostrar como ir em frente. O universal deve existir como particular, assim como uma pessoa é inseparável de seu corpo. Não há uma universalidade formal, isto é, não existe nenhuma circunstância na qual o universal possa ser abstraído de sua forma particular. Ele existe sempre de maneira concreta.

No entanto, nenhuma encarnação particular do universal exaure seu significado ou suas possíveis modalidades de existência. Assim, não existe um só estado do corpo de uma pessoa que, num dado momento, ou no curso de sua vida, revele todas as facetas dessa pessoa. Nem pode uma condição física determinar ou provar a identidade da pessoa. A condição pode mudar e, ainda assim, dizemos que a pessoa permanece a mesma, sob alguns aspectos, embora não em relação a outros, e nunca poderíamos afirmar que as diferentes condições físicas representam essa pessoa.

Segundo este conceito, o universal e o particular são igualmente reais, embora representem diferentes aspectos da realidade. O universal não é nem abstrato nem formal, não podendo ser identificado com um particular único, concreto e substantivo. É, em vez disso, uma entidade cuja universalidade consiste, precisamente, num conjunto aberto de determinações concretas e substantivas sob as quais se pode manifestar. Novamente é a universalidade de uma pessoa em relação aos estados de seu corpo, ou a de um organismo para com suas diferentes condições, e não a de um número com respeito à categoria à qual possa pertencer.[24]

É esse um ponto de vista sobre o universal e o particular de difícil compreensão por ser estranho aos nossos hábitos aceitos de pensamento. Além do mais, se meu argumento sobre a teoria e a história for correto, não podemos esperar compreendê-lo plenamente de uma só vez. Consideremos,

Conhecimento e política

contudo, alguns aspectos de nossa experiência moral, artística e religiosa que exemplificam esse ponto de vista.

Temos frequentemente consciência do fato de que as tentativas de reduzir nossas crenças morais a princípios abstratos e universais fracassam. Caracteristicamente, tais princípios levam a resultados paradoxais ou absurdos. A moral da razão e a moral do desejo, na psicologia liberal, exemplificam o problema. A fonte da dificuldade é a aceitação do moderno conceito do universal, o critério de conduta certa como uma forma pura suscetível de ser separada do particular e os contextos nos quais as opções devem ser feitas. Assim é que procuramos impor a ordem a nossas ideias morais através do mesmo tipo de razão abstrata adotado pelas ciências da natureza.

Os antigos, no entanto, reconheciam que os critérios morais são casuísticos. Não podem ser expressados adequadamente quando abstraídos das situações verdadeiramente concretas às quais se aplicam. É a isso que os metafísicos clássicos se referiam ao falarem da ética como domínio da razão prática. O conhecimento moral é o estudo e a lembrança do que foi correto fazer em casos individuais; daí o emprego da parábola e da anedota paradigmática. Nesse sentido, o universal não pode ser separado de sua corporificação particular. Ao mesmo tempo, a lição contida no caso individual vai além do próprio caso. Outros casos podem ser considerados analogamente, em virtude de nossa capacidade de encontrarmos, no acontecimento que serve de exemplo, uma lição geral que não pode ser reduzida a uma norma abstrata. O universal nunca se exaure em qualquer de seus particulares.

Na obra de arte plástica ou narrativa, a universalidade do significado atinge-se, frequentemente, não através de uma abstração da particularidade de coisas individuais, mas pelo próprio vigor com que representa essa particularidade. A obra fracassa ou quando carece de um significado geral ou quando representa ideias e ideais comuns que não se acham plenamente expressos no próprio trabalho, mas que foram deixados em condições formais ou abstratas. No primeiro caso, a arte se torna frívola; no segundo, didática. Mas, na grande obra de arte, os homens podem perceber que ali algo está sendo mostrado que possui um significado amplo e duradouro e ilumina aspectos

A unidade do pensamento liberal

ocultos de muitas situações. Esse algo, o universal, não pode ser reduzido a proposições abstratas. Encarnou-se numa expressão. No entanto, o universal não permanece inteiramente confinado a essa expressão; pode ser redescoberto alhures.

No âmago da religião cristã há uma visão similar da relação entre o universal e o particular. Os dogmas da encarnação e da ressurreição do corpo referem-se, simultaneamente, aos problemas do divino e do humano, da pessoa e do corpo, do universal e do particular, porque esses três problemas são ligados uns aos outros. De acordo com a doutrina da encarnação, através do nascimento de Cristo, Deus tornou-se homem, abrindo mão de sua divindade. Deus é o infinito, isto é, o ser universal; o homem, o finito, isto é, o ser particular. De acordo com a doutrina da ressurreição do corpo, os homens serão libertados de tudo o que é finito e contingente no outro mundo, embora continuem a existir como seres individuais, com seus corpos individuais. O espírito é incapaz de conceber como é possível a Deus confinar-se aos limites da humanidade, ou, à sua criatura, libertar-se das marcas de sua finitude. Por isso, a teologia tradicional cristã costuma afirmar que a encarnação e a ressurreição do corpo são mistérios que a fé pode compreender, mas que a razão não pode apreender.

A imagem do universal e do particular representada nessas doutrinas morais, artísticas e religiosas é justamente aquela que devemos, agora, buscar na história.

CAPÍTULO 4
O ESTADO DE BEM-ESTAR DENTRO DO CAPITALISMO

INTRODUÇÃO

O argumento desenvolvido até agora apresenta duas limitações. Em primeiro lugar, é mais crítico que construtivo. Em segundo lugar, como crítica, sofre de uma certa estreiteza de visão porque trata a doutrina liberal como uma categoria de conceitos interligados cuja relação com a sociedade não é considerada. O estudo da estrutura interna da teoria foi levado por diante à custa de um desconhecimento de seu significado social. Há, no entanto, muito, no pensamento liberal, que uma interpretação como essa, desligada da história, não esclarece. Este capítulo tem por objetivo remediar a segunda dessas deficiências, preparando o terreno para lidarmos com a primeira.

A doutrina liberal é a representação de um certo tipo de vida social, na linguagem do pensamento especulativo. Deriva grande parte de sua unidade e riqueza de sua associação com essa forma de vida. Assim, para completar o programa do criticismo total, é necessário compreendermos a natureza dessa associação.

A investigação histórica servirá, porém, a um segundo e mais importante propósito sugerido por minhas observações anteriores sobre a relação da teoria com a História. Atingimos um impasse na busca de uma alternativa ao pensamento liberal. A tentativa de inverter o liberalismo, a fim de formular uma doutrina que constitua seu oposto simétrico, leva a conclusões absurdas

Conhecimento e política

porque não concebe de maneira adequada a ligação entre a filosofia e a experiência social.

O pensamento liberal comanda nosso interesse e nossa aprovação porque seus princípios descrevem grande parte da maneira pela qual pensamos e vivemos. O liberalismo representa essa experiência porque expressa seu significado. (A representação é a expressão do significado.) Minha tese é a de que este modelo básico de vida social vem se transformando de modo a exigir a reconstrução de premissas filosóficas e a guiar-nos rumo a esta reconstrução.

Mas em que sentido uma experiência diversa de pensamento e sociedade exigiria novos postulados metafísicos? Novos conceitos podem ser necessários quando se modifica o que a metafísica descreve, no sentido em que a metafísica possa ser descritiva. Isso representaria algo de novo na matéria que a filosofia estuda. Alternativamente, circunstâncias diferentes podem nos colocar em melhor posição para apreendermos as verdades eternas relativas à mente e à sociedade. O argumento que começarei a desenvolver rejeita ambos esses pontos de vista. Ele se inicia a partir de outro postulado, que deverá ser justificado pela espécie de visão da sociedade e do eu que ele torna possível.

A verdade em relação ao conhecimento e à política, como afirma este princípio, é forjada e descoberta pela história. É forjada porque o que uma época considera como sendo mais fundamental para a natureza da mente e da sociedade, outra é capaz de desmascarar como tendo sido peculiar a uma situação histórica transitória. A crítica total surge nas pegadas desta revelação. Apesar disso, a verdade sobre o conhecimento e a política é, num certo sentido, eterna. Cada mudança básica na experiência psicológica e política permite aos homens enxergarem, no sistema de pensamento por eles estabelecido, um exemplo específico de uma doutrina mais completa na qual prévias visões parciais foram, ao mesmo tempo, preservadas e revistas.

A razão pela qual conceitos anteriores podem ser conservados é que, em meio às mais drásticas transformações, a mente e a sociedade conservam sempre a marca de certas características ideais ou de certos ideais característicos da espécie humana. Há momentos em que estas características se

O Estado de bem-estar dentro do capitalismo

desenvolvem de maneira mais completa que a que tinham alcançado até então, o que permite que elas sejam compreendidas mais profunda e claramente. Assim, as revisões fundamentais do pensamento social se iniciam, tipicamente, através de tentativas de apreender o que é peculiar às situações históricas em que foram desenvolvidas. O desenvolvimento teórico resultante desta apreensão não é nunca automático nem passivo. E, ao completar-se, modifica a condição que pretendeu descrever ou julgar, pondo a descoberto possibilidades ocultas, aprofundando o reconhecimento do ideal e servindo de instrumento na luta por sua atualização.

O mesmo princípio do método que explica por que a transformação da vida social requer a substituição de ideias metafísicas sugere de que modo o estudo filosófico da história pode servir de guia. O mínimo que ele faz é atrair a atenção para alternativas que o vocabulário teórico existente ou despreza ou confunde. Deve ficar bem claro, contudo, desde o início, que a história não pode, em última análise, justificar uma escolha de doutrinas metafísicas, especialmente quando as doutrinas envolvem julgamentos morais e julgamentos descritivos. Na verdade, a própria ideia que fazemos do significado moral das transformações históricas deve ser estabelecida independentemente.

O capítulo começa com uma distinção entre a consciência e a ordem, como representando dois aspectos de vida social. A seguir, passa à descrição de dois tipos de sociedade que se sobrepõe no tempo – a sociedade liberal e o Estado assistencialista corporativo. Na sociedade liberal existe uma consciência social dominante mantida através de um ideal secularizado de transcendência; existe uma ordem social marcada por um certo relacionamento entre a classe e o papel social; e uma instituição clássica – a burocracia. À medida que a sociedade liberal se transforma no Estado socialista e no Estado assistencialista corporativo, surge uma modalidade de consciência que expressa um ideal de imanência, e o principal conflito dentro da ordem social vem a ser a oposição entre a classe, ou papel social, e tipos de comunidade hierárquica ou igualitária que começam a surgir. A nova experiência sugere nova base para o pensamento.

CONSCIÊNCIA E ORDEM SOCIAIS

Todo tipo de vida social pode ser encarado a partir de duas perspectivas complementares, como forma de consciência e como modalidade de ordem. Tanto a consciência como a ordem pertencem ao domínio da mente. A distinção entre elas reafirma a correspondência entre a reflexão e a existência.

Cada forma de consciência social é ligada a um tipo de ordem social distinto. Ambas constituem uma forma de vida social, um Estado ou uma sociedade. A forma de vida social não se constitui numa categoria abstrata que possa ser exemplificada em qualquer momento da história: é a relação entre os elementos de uma situação social particular. Tal relação é governada pelo princípio da totalidade. Daí surgem várias consequências, cada uma das quais será ilustrada no presente capítulo.

Os tipos de consciência social e ordem social não podem ser dissolvidos nos elementos que os constituem sem uma crucial perda de compreensão. Quando a totalidade representada por uma forma de vida social é considerada historicamente, verifica-se que os elementos a partir dos quais o todo se desenvolveu originariamente modificam-se com sua emergência. Outra implicação pertinente do princípio da totalidade é o fato de que qualquer tentativa de reduzir uma modalidade de consciência social aos postulados de mentes individuais, consideradas individualmente, ou de reduzir um tipo de ordem social ao comportamento de agentes individuais, é inadequada. Finalmente, as várias modalidades de consciência e de ordem possuem uma unidade que, não sendo a de uma necessidade lógica ou causal, não pode ser justificada por uma análise lógica ou uma explicação causal. Pode-se dizer que certos aspectos tornam outros mais prováveis, mas esta linguagem, quase causal, é simplesmente uma primeira tentativa de aproximação da verdade.

A unidade do todo é uma unidade de aposição ou de adequação. Isso significa que é uma unidade de significado baseada no fato de que cada forma de consciência, com o tipo de organização social que a ela se relata, representa uma maneira de ser do eu. A descrição metafísica destas maneiras de ser e

O Estado de bem-estar dentro do capitalismo

de suas raízes na teoria da natureza humana é o principal objetivo deste capítulo. Vejamos, agora, como alguns dos pontos precedentes ajudam a definir o caráter geral da consciência e da ordem social.

O conceito da consciência social refere-se a uma maneira amplamente compartilhada de conceber a sociedade e sua relação com a natureza e os indivíduos. Abraça os conceitos e os ideais mais generalizados sobre a vida social. Estes pontos de vista não precisam ser considerados explicitamente como doutrinas, mas acham-se implicados em crenças mais particulares. As precursoras da ideia de uma consciência social foram as noções do espírito ou da mentalidade de uma época, e um de seus análogos é o conceito do estilo na história da arte.

A consciência social possui as características definidas em minha discussão anterior sobre o domínio da mente. Por isso é sempre ligada a um tipo de existência ou de ordem social conforme definirei mais adiante. Desrespeita o contraste entre o fato e o valor porque é colocada como um horizonte num ponto em que se esvaece a distinção entre compreensões e ideias. E coloca o problema da ambiguidade do significado: a relação entre o significado e o conceito dominante da mente e da sociedade para aqueles que mantêm o seu significado e para aqueles que, sem aderir a ele, desejam compreendê-lo.

Outras características da consciência social resultam do princípio da totalidade. Duas destas características são, particularmente, a natureza unitária e a natureza social da consciência. Um tipo de consciência social é, na verdade, um todo que pode ser expressado com mais ou menos vigor por meio de um número indefinido de maneiras. Uma vez estabelecida sua visão central, ou seu princípio unificador, é possível descobrir nele novos aspectos sem que se modifique o conceito básico de suas características. Do mesmo modo, a descoberta de novos exemplos de um estilo artístico pode enriquecê-lo sem que transforme, fundamentalmente, a definição deste estilo.

Uma determinada forma de consciência social só existe na medida em que ela se projeta nas crenças dos indivíduos. Mas nenhum estágio determinado de crenças individuais pode ser identificado com um tipo de consciência social. Um indivíduo só pode abraçar uma fração do vasto manancial

Conhecimento e política

de compreensões e ideais associados a uma mentalidade específica. E em cada indivíduo há sempre um conflito entre várias espécies de consciência. Além disso, ele pode defender teorias e aceitar ideais que não se encaixam numa só delas.

Resta, contudo, o fato de que em cada situação social pode existir uma consciência dominante. O que faz com que ela seja dominante não é o fato de ser favorecida pela maioria da população nem mesmo pelos grupos mais poderosos daquela sociedade. Em vez disso, uma determinada mentalidade se torna dominante porque, entre as diversas categorias de crenças que disputam a atenção, torna-se atualizada nas principais formas de ordem social.

Assim, um conhecimento dominante precisa satisfazer dois critérios. Primeiro, deve possuir os atributos gerais do conhecimento, dos quais o mais básico é constituir-se numa experiência mental ativa. Algumas vezes essa experiência será comum a muitos grupos na sociedade. Em outras ocasiões será consideravelmente restrita. Em segundo lugar, deve haver uma forma dominante de ordem social que distribui indivíduos e grupos de acordo com a maneira pela qual o tipo de conhecimento imagina as relações existentes entre eles. É neste sentido que se pode falar de um laço de aposição ou de significado comum entre esta consciência, ou conhecimento, e a ordem.

Ao lado da mentalidade dominante, várias espécies divergentes de conhecimentos podem existir. Cada um deles, quer seja o dominante, quer o divergente, pode ser compartilhado por muitas mentes individuais. No entanto algumas das raízes de uma consciência dominante podem ser tênues. Crenças que, num determinado momento, ainda permaneciam ocultas no cérebro de alguns pensadores podem, noutro momento, vir a tornar-se uma visão dominante da sociedade. Na verdade, toda grande doutrina moral e política tira muito de sua força da capacidade que possui de prever o surgimento de uma forma de consciência social, contribuindo, a seguir, para sua emergência e participando da sua história.

O fato de ainda não possuirmos um conceito satisfatório da consciência social é consequência dos vícios da crítica parcial da doutrina liberal. Enquanto a teoria da sociedade continua a ser, primordialmente, um relato

O Estado de bem-estar dentro do capitalismo

da organização social, a teoria da consciência permanece sendo, em grande parte, um estudo da psique individual. A categoria da consciência social se situa entre estes dois pontos.

A ordem, isto é, a organização, é o segundo aspecto da vida social. É a forma externa e observável da sociedade. Quando as relações sociais são observadas do ponto de vista das crenças que as inspiram, emprego o termo consciência. Quando são estudadas como fatos "em si mesmos", que existem fora da mente de seus participantes, com uma realidade que lhes é própria, refiro-me à ordem. Trata-se de uma questão real verificar se, dada a natureza da correspondência entre reflexão e existência, qualquer distinção de ordem e conhecimento faz algum sentido. Ela é, no entanto, importante porque, como veremos, a relação entre a reflexão e a existência é sempre imperfeita e capaz de desfazer-se.

Em que sentido, portanto, podemos falar numa forma de ordem social e sua relação com a consciência? O método cujas utilizações este capítulo ilustrará começa pelo princípio de que as formas de ordem social representam certas compreensões e ideais da sociedade menos diretamente que as teorias ou mentalidades, porém tão autenticamente quanto elas.[1] Em qualquer situação social, alguns esquemas básicos de relações sociais são repetidos, com uma constância relativa, em todos os aspectos da vida social, dos mais breves encontros de duas pessoas à luta entre grupos, na sociedade como um todo. Cada um destes esquemas atualiza um ideal de organização social e dispõe os elementos das relações sociais de acordo com um número limitado de princípios gerais. O ideal da comunidade hierárquica, por exemplo, é governado pelos princípios de parentesco e de estamentos.

Cada princípio de ordem social constitui-se, portanto, numa regra hipotética para a disposição dos indivíduos e dos grupos na vida social. Pode ser visto como a atualização de um conceito geral de vida social. Neste sentido, possui um significado. Assim, podemos ligá-lo e compará-lo a diversas espécies de consciência social, segundo o princípio de aposição ou significado comum.

Entre os muitos esquemas de relações sociais que coexistem em cada circunstância histórica, um será usualmente supremo. A forma dominante

Conhecimento e política

de ordem social tenderá a atualizar os mesmos conceitos de personalidade e de sociedade representados pela forma prevalecente de consciência social. O traço comum entre uma consciência dominante e uma ordem dominante é a base da definição de um tipo de vida social.

O ESTADO LIBERAL

A primeira forma de vida social a ser considerada é o Estado liberal – a sociedade da qual a doutrina liberal é a representação teórica. Começarei com um conceito do Estado liberal tão simples e comum quanto me for possível descrevê-lo, com a intenção de aprofundar e rever este conceito à medida que o argumento se for desenvolvendo.

O Estado liberal é a sociedade estabelecida pelas transformações sociais e culturais decisivas do século XVII que culminaram com a Revolução Francesa e a Revolução Industrial.[2] É uma categoria que descreve, com maior ou menor fidelidade, as características de muitas sociedades ocidentais e de sociedades assimiladas até a emergência do Estado assistencialista corporativo e do Estado socialista. Os elementos tradicionais empregados na sua definição podem ser agrupados em duas principais categorias. Uma tem a ver com o caráter da organização econômica; a outra, com a relação entre a sociedade e o que é chamado de Estado no sentido estrito e familiar de governo.

O Estado liberal é uma sociedade industrial e capitalista. Sua forma distinta de atividade econômica é a produção industrial para o consumo em massa. Seu tipo característico de organização econômica é a posse particular da propriedade.

Quanto à sua organização social e política, a sociedade liberal é definida pela dissolução do sistema aristocrático pós-feudal de estamentos ou das posições sociais prefixadas, e a consequente distinção entre o status político e a circunstância social. A posição social já não define o status político. Todos os indivíduos, em princípio, adquirem uma igualdade formal como cidadãos e como pessoas jurídicas; adquirem deveres e direitos políticos e civis semelhantes. Uma gama relativamente extensa de desigualdades nas

O Estado de bem-estar dentro do capitalismo

circunstâncias sociais e econômicas é, no entanto, tolerada e tratada como sendo algo diferente da igualdade político-legal. O alcance da política é restringido por medidas constitucionais mais ou menos explícitas que substituem o "direito" fundamental implícito das sociedades feudais e pós-feudais. Há setores da vida particular econômica e moral nos quais não é lícito ao governo penetrar. E, finalmente, a organização política tende a ser tanto democrática quanto constitucional. O poder é exercido através da representação eleitoral.

Os partidários da visão analítica do conhecimento e do conceito antinômico da história não tardam em apontar para o fato de que neste *pot-pourri* de evidências patentes nada existe além de meias-verdades, e raramente existe mais que uma conjunção causal de coisas, que tanto podem estar juntas quanto separadas. Contudo, se contemplarmos este quadro apenas como um sinal que oriente nossa atenção para certas direções, seremos capazes de caminhar rumo a um melhor conceito do Estado liberal.

A CONSCIÊNCIA SOCIAL NO ESTADO LIBERAL

Poderíamos começar pela hipótese de que existe de fato uma consciência dominante no Estado liberal. Esta mentalidade não monopolizou jamais a crença dos grupos mais influentes de qualquer sociedade nacional e, ainda menos, da população como um todo. O que lhe empresta extraordinário interesse é a peculiar intimidade de seu relacionamento com a organização social do Estado liberal, bem como com as premissas do pensamento liberal. Devido a este relacionamento, a consciência dominante tende a ocupar um espaço cada vez maior na imaginação das elites que governam e, eventualmente, no espírito de seus subordinados. As classes trabalhadoras, porém, partem de uma visão da sociedade diferente e até antagônica.[3] É parte da hipótese de que se pode encontrar uma unidade fundamental de perspectivas entre as diversas formas de cultura nacional no liberalismo.

Há reivindicações empíricas. Elas podem ser testadas, em princípio, em face das particularidades da experiência histórica. Em vez de discutirmos o

Conhecimento e política

problema da verificação aqui, proporei que examinemos este ponto como enfoque sugestivo para o reexame das questões teóricas que são o alvo de minha preocupação.

Instrumentalismo

Um aspecto da consciência dominante tem a ver com a relação entre o homem, como pensador e agente, e o mundo, como um todo. O segundo dirige-se ao relacionamento entre indivíduos e grupos. Um terceiro, ainda, descreve o conceito do lugar que ocupam o emprego e a posição social do indivíduo na sua vida.

O primeiro aspecto da consciência dominante surge como um tipo de conduta, a postura manipuladora em relação ao mundo e, como forma de pensamento, de racionalidade instrumental. O pensamento e a conduta, juntos, constituem o instrumentalismo.

A postura manipuladora para com o mundo assume a forma de uma negação da imutabilidade da natureza e da sociedade. É a tendência a considerar e a tratar tanto o fenômeno da natureza quanto os arranjos da sociedade como se fossem, na sua totalidade, objetos próprios da vontade humana. O grau em que a natureza e a sociedade podem ser adaptadas a propósitos conscientes é limitado a qualquer momento. Mas não há nada que seja necessário ou benéfico em tais limitações.

Numa situação ideal, o que quer que acontecesse no mundo nacional e social reagiria aos objetivos escolhidos pelos processos morais e políticos corretos. Este ideal pode tornar-se gradualmente mais próximo, embora nunca possa ser totalmente alcançado. O homem, em face da natureza e da sociedade, é o grande manipulador. Tudo o que existe no mundo externo já foi ou poderá ser um dia transformado pela sua ação. Essa capacidade de transformar o mundo à imagem de suas intenções é o desafio ao destino.

Na consciência social dominante, a relação manipuladora com a natureza é tão intimamente ligada à imagem da sociedade que ambas podem ser tratadas, para muitas finalidades, como uma unidade. A crença numa organização

O Estado de bem-estar dentro do capitalismo

estável de níveis sociais, estamentos ou classes, coexiste, de acordo com o princípio de aposição, com o conceito de que muitos dos fenômenos da natureza são sagrados e, por conseguinte, devem ser respeitados pelo homem. Diante de tal consciência, as harmonias interligadas da natureza e da sociedade exibem o que há de irresistível e divino num mundo preconcebido. É por isso que se fala numa ordem natural da sociedade e se concebe a natureza como que modelada na ordem social percebida.[4]

A consciência dominante do Estado liberal vê, contudo, as posições e os arranjos sociais como sendo transitórios. Há um ponto de vista segundo o qual todos os aspectos da vida social devem ser eventualmente justificados como um meio de levar adiante objetivos sociais aceitos. Nenhum grupo é inerentemente legitimado ao exercício do poder. As ideias concernentes à relatividade das posições e à transitoriedade dos costumes podem ser, a despeito de seu poder, violentamente contestadas pelas circunstâncias objetivas da sociedade. Por enquanto, contudo, é suficiente compreendermos que o conceito da ordem social, como consequência da vontade, é ligado, por aposição, à noção de que nada existe na natureza que seja necessário, ou moralmente preordenado. Mesmo o nascimento, a morte e as formas físicas da vida humana podem ser transformados de acordo com objetivos determinados.

A mesma relação com o mundo que se expressa na conduta, enquanto manipulação, reaparece, no pensamento, como racionalidade instrumental. A operação característica do espírito é a escolha dos meios para que determinados fins sejam alcançados. A razão opera no domínio neutro dos meios; a escolha dos fins permanece além de seu alcance.[5] A distinção entre os meios e os fins é paralela à dos fatos e valores.

Há numerosas dificuldades em definir o conceito da racionalidade instrumental – dificuldades já encontradas na discussão da justiça substantiva. Na raiz dessas dificuldades encontra-se o problema da dependência recíproca dos julgamentos de acordo com as normas e dos julgamentos de acordo com os valores, propósitos ou fins. O que representa um meio num contexto pode representar um fim noutro contexto. Deve haver critérios para distinguir a categoria das coisas que podem servir de meios. Além do mais, a racionalidade

Conhecimento e política

instrumental, como um instrumento para a organização do conhecimento ou da sociedade, requer um processo para a definição dos fins em cujo benefício devem os meios ser escolhidos. No entanto, é precisamente porque a razão não pode escolher os fins que a racionalidade instrumental é aceita como modalidade característica de pensamento. A consciência dominante lida com esses problemas suplementando a racionalidade instrumental com o conceito formal da razão e com as noções de normas prescritivas e comunhão de valores.

A razão formal é o complemento cognitivo da racionalidade instrumental. É uma espécie de pensamento que não depende diretamente da escolha dos meios e, por conseguinte, não corre o risco dos embaraços que são criados pela necessidade de tal escolha. É o domínio do conhecimento puro, no qual a teoria significa contemplação, ainda que seja utilizada para fins práticos. A razão formal produz a compreensão através da percepção do que é universal numa categoria de particulares, e não através da escolha de meios ou da promoção de fins.

O complemento político da racionalidade instrumental é o sistema de normas prescritivas que situa os limites das categorias de meios e fins permissíveis. (Às vezes a razão formal é, ela própria, mobilizada para a elaboração de normas, como sucede em relação às teorias formais da liberdade.) Alternativamente, confia-se num cerne de valores comuns a fim de definir as finalidades de uma opção e de tornar possível, assim, a racionalidade instrumental.

No Estado liberal os sistemas de planejamento são visualizados como suportes institucionais da racionalidade instrumental, assim como a tecnologia e a política social são tratadas como expressões da postura manipuladora para com a natureza e a sociedade. Mas isso não significa que o preço e os sistemas de planejamento sejam exigidos pela racionalidade instrumental como processo de opção social ou de que, na verdade, preencham o ideal da razão instrumental.

A relação manipuladora para com o mundo e a racionalidade são, cada uma, o avesso da outra. A primeira traduz em termos de conduta o que a segunda apreende como pensamento. O instrumentalismo afirma-se pelo raciocínio instrumental. E tratar a razão como sendo a descoberta dos meios é considerar seus objetos como de manipulação.

O Estado de bem-estar dentro do capitalismo

Individualismo

Um segundo aspecto da consciência dominante é sua visão do relacionamento entre as pessoas. O cerne desta visão é a da sociedade como sendo uma associação de indivíduos radicalmente separados, destinados a lutar uns contra os outros, mesmo quando seus antagonismos são temperados por uma aceitação e uma colaboração recíproca. Este aspecto da consciência dominante pode ser chamado de individualismo.[6] O pensamento político liberal representa sua interpretação teórica.

O individualismo reconhece a realidade dos laços sociais, mas trata esses laços como precários e ameaçadores da individualidade. São precários devido à fragilidade de qualquer comunhão de valores e à impossibilidade de administrar um sistema de normas na ausência de objetivos compartilhados. São ameaçadores porque, quanto maior a partilha de objetivos, tanto mais é eviscerada a substância da individualidade.

Há maneiras diversas de definir o modo pelo qual a consciência dominante representa o relacionamento dos indivíduos entre si. Num sentido, é a experiência da misteriosa coexistência, em cada pessoa, de uma humanidade universal e particular. Ao considerarem a si próprios e aos outros como objetos da ciência, ou como meios de satisfazerem ou de alcançarem as finalidades de cada um, os homens são capazes de se tratarem como iguais. Separam o que resta como sendo universal em meio à sua particularidade. Assim, há momentos em que, devolvidos de repente a eles próprios, e aliviados, temporariamente, das preocupações de uma escolha instrumental ou de uma observação científica, aparecem, um ao outro, como de tal modo estranhos que, entre eles, só o silêncio seria verdadeiro. Os sentimentos de identidade e de alienação, do universal e do particular na personalidade, são igualmente fundamentais e permanecem sempre em luta na consciência dominante.

Outra maneira de descrever o conceito individualista de vínculo social é apontar para sua visão do relacionamento ambíguo de cada homem com seus semelhantes. O pensamento político liberal afirma que a necessidade e a hostilidade mútua possuem a mesma fonte. A experiência correspondente da consciência social é o contraponto entre o impulso de buscar a companhia dos outros e o medo do perigo que a associação apresenta para a individualidade.

Sozinho um homem se vê privado dos apoios necessários à sua individualidade. Sem as produções sociais da cultura, ele é incapaz de desenvolver suas capacidades humanas características. Sem o reconhecimento de sua personalidade pelos outros, não pode chegar a uma definição de sua própria identidade. Mas, na companhia dos outros, precisa conformar-se às suas expectativas, de modo a ser compreendido e a ser reconhecido. Esta submissão solapa sua singularidade. Assim, os homens se encontram na posição dos porcos-espinhos de Schopenhauer que se amontoam buscando protegerem-se do frio, porém, uma vez juntos, ferem-se mutuamente nos próprios espinhos.[7]

Posição social

Uma terceira faceta da consciência social dominante tem a ver com a maneira pela qual o indivíduo concebe sua relação com o próprio trabalho e com o lugar que ocupa na sociedade. Dirige-se a aspectos da vida social com os quais lidam a psicologia liberal e a doutrina política liberal: a relação entre o papel que desempenham e a personalidade e entre a personalidade e a sociedade. Por enquanto empregarei os conceitos de localização social e papel social sinonimamente, a fim de descrever as maneiras pelas quais o indivíduo se encaixa na divisão do trabalho. E a divisão do trabalho faz referência, de maneira geral, tanto à diferenciação das formas de vida individual quanto à distribuição dos empregos.[8]

Todos devem ter um emprego; cada um deve desempenhar um papel específico. Há, nisso, mais que a necessidade de ganhar o próprio sustento. O desempenho de um papel é o meio através do qual as capacidades são desenvolvidas e o reconhecimento obtido. É o que dá unidade e continuidade ao eu.

Em outro sentido, contudo, cada posição social é experimentada como sendo algo mais ou menos externo à substância da personalidade individual; não, como se verifica com o corpo, como sendo parte dele. É uma fatalidade

O Estado de bem-estar dentro do capitalismo

à qual devemos nos submeter ou um troféu que podemos conquistar, mas, acima de tudo, em ambos os casos, é a máscara que usamos. Vivendo na sociedade, os homens se transformam, eventualmente, nas suas próprias máscaras. Assim é que a ordem social torna realidade a metáfora estoica do mundo como um palco em que cada homem desempenha seu papel.[9]

Observe-se, então, que existem duas maneiras de encarar a relação do indivíduo com sua posição social. Nenhuma das duas deve ser esquecida. Uma é a aceitação do trabalho e da colocação social como sendo uma necessidade e um bem. A outra é a experiência de considerar esta colocação social como um fardo e uma agressão à identidade. A violência desta agressão reside, por um lado, na maneira pela qual ela reprime a plenitude de expressão da individualidade e, por outro lado, na necessidade de nos submetermos às exigências das convenções sociais que modificam ou destroem o impulso, muito embora lhes falte uma autoridade moral objetiva. Um homem é, e não é, ao mesmo tempo, representado pela sua posição social, e uma parte dele condena o que a outra deseja. Assim reaparecem os mesmos temas encontrados na discussão sobre o individualismo, embora sob outra forma.

Há várias armadilhas a serem evitadas na descrição do modo pelo qual a consciência dominante visualiza o trabalho e a posição social. Um dos erros é a impressão de que a mentalidade prevalecente no Estado liberal não vai além da aceitação fatalista do papel a ser desempenhado, quando, em vez disso, o pensamento social crítico, na sua sabedoria mais profunda, apreende os males e os riscos da resignação. Pelo contrário, se pensadores como Rousseau e o jovem Marx foram capazes de apresentar um incisivo relato deste aspecto da consciência dominante, é precisamente porque eles o extraíram do conhecimento comum, trazendo a um nível mais alto de clareza e abstração informações já presentes na vida quotidiana. Outro engano é supor que só alguns grupos na sociedade, como o de trabalhadores manuais, são afetados pelo conceito de colocação social que descrevi. A relação ambivalente com o trabalho e o papel que o homem desempenha atravessa toda a ordem social e pode cair, com mais peso, precisamente sobre os grupos mais poderosos e prósperos da sociedade.

O ideal da transcendência

Os diferentes aspectos da consciência dominante são unidos uns aos outros pelo princípio da adequação ou do significado comum porque eles expressam, de maneira particular, uma visão mais geral do mundo: a ideia ou o ideal da transcendência. Na sua forma teológica primária, a transcendência pode ser descrita como sendo a diferenciação entre Deus e o mundo, entre o divino e o humano, ou entre a alma e o corpo.[10]

O conceito religioso de realidade constitui o nível básico da consciência social em vários sentidos. A religião representa a expressão mais geral das crenças que alimentam e unificam as várias ramificações de um tipo de consciência social na sua forma mais pura e mais completa, e acha-se sempre envolvida, mais ou menos diretamente, em cada transformação dos ideais e das convicções sociais. Por isso, a consciência religiosa lida com a totalidade da experiência.[11]

Como modalidade de reflexão sobre o mundo, é inseparável de um tipo de vida. Nem a modalidade de reflexão nem o tipo de vida podem ser compreendidos separadamente. O contraste entre a compreensão e a avaliação é estranho à consciência religiosa porque suas crenças em relação ao mundo são, simultaneamente, descrições e ideais. Não há como distinguir claramente a religiosidade de outros aspectos da consciência social. A noção de um Deus específico ou de um elemento divino, ou de um domínio sagrado, caracterizam, certamente, apenas algumas formas de religião. Volto, por conseguinte, ao ponto inicial: a religião é simplesmente a dimensão mais geral da consciência social – o horizonte no qual todas as perspectivas se encontram.

A transcendência é a manifestação da consciência religiosa. Possui uma história; suas raízes mais importantes são encontradas nas religiões de salvação do Oriente Próximo, que instituíram o conceito de que o mundo foi criado por uma divindade que o domina. Devemos lembrar-nos, contudo, que há muitas linhas paralelas de desenvolvimento deste conceito, como a elaboração, na teologia grega pré-socrática, de uma geração biológica do mundo por um Deus unitário.[12] A transcendência surge com a crença na existência

O Estado de bem-estar dentro do capitalismo

de um Deus acima do mundo, uma pessoa divina cujos atributos são incomensuráveis com os do mundo sensível. Quando a divindade é concebida como um elemento impessoal e não como um ser pessoal, a linha que separa o divino e o humano se torna muito tênue.

Três crenças complementares acham-se incluídas no conceito da transcendência: uma é cosmogônica, outra é cosmológica e outra, ainda, pessoal. O componente cosmogônico é a ideia da criação divina do mundo. O elemento cosmológico é a distinção entre os dois mundos: céu e terra, esta subordinada àquele ou contida dentro dele. O elemento pessoal é o contraste entre o corpo e a alma em virtude do qual a separação dos dois mundos encontra-se dentro do próprio indivíduo. Através de sua alma, o homem participa do mundo superior de que ele se recorda, devido à vida prévia, e que ele almeja, na vida futura, ou percebe vagamente em meio a sua existência presente.

O polo oposto desta consciência religiosa é a imanência, que é a forma típica da religião antiga e selvagem. Na sua forma teológica pristina, a religião da imanência nega a separação entre Deus e o mundo. Não possuindo uma cosmogonia da criação do mundo por Deus, tende à visão de que o mundo é eterno, e não criado. Sua cosmologia recusa-se a aceitar o contraste entre céu e terra. Em vez disso, encontra uma série de objetivos ou atividades sagradas no mundo profano. Às vezes vai longe e afirma a onipresença do divino em todos os aspectos da realidade. No seu conceito da personalidade, a religião da imanência substitui a teologia da alma e do corpo pela ideia da participação da pessoa humana total na divindade. O panteísmo é sua forma característica e a filosofia de Spinoza, a sua mais ampla asserção metafísica. As características que a definem são exatamente o inverso das que definem a transcendência. Não admite a criação do mundo, mas tende a concebê-lo como sendo eterno. O divino aparece como parte de uma categoria particular de fenômenos naturais e sociais, isto é, o sagrado, ou como o mundo na sua forma total, e não apenas como realidade extraterrestre. Por conseguinte, a alma não participa de nenhuma ordem superior.[13]

A oposição da imanência e da transcendência, embora real, é apenas relativa. As religiões da imanência indicam o contraste dos dois mundos, ao

Conhecimento e política

distinguirem o sagrado do profano.[14] Mesmo as mais preconceituais versões da transcendência concedem alguma coisa às afirmações da imanência. Por exemplo, as tradições teológicas, cuja ênfase se situa nas feições transcendentais do cristianismo, podem, ainda assim, representar a presença divina no mundo através de dogmas como o da encarnação e o eucarístico. Vejamos agora de que maneira o ideal da transcendência se acha envolvido em cada um dos aspectos da consciência dominante, primeiro como causa histórica e, em seguida, acima de tudo, como elo de significado comum, de acordo com o princípio da aposição.

Os conceitos da natureza e da sociedade, como possíveis e apropriados objetos, cuja manipulação é ilimitada, tornam-se disponíveis quando o mundo é considerado profano, e não uma incorporação do sagrado. Como o mundo já não representa o divino, as formas particulares que assume num dado momento não exigem reverência. Os aspectos da natureza e da sociedade são apreciados como meios de atingir objetivos, ou como metas, por si sós, quando sua perpetuação é objeto do desejo. Mas não são nunca meritórios em virtude apenas de sua existência. O fato de existir não implica a santidade.[15]

A religião da transcendência contribui também, de várias maneiras, para o desenvolvimento do individualismo. Grupos, ou a sociedade como um todo, não são divinos e não há parte alguma da vida social que seja sagrada. A maior parte das religiões da transcendência evitam levar ao extremo o conceito do que há de profano na vida social. Podem reconhecer que toda associação humana possui um significado sobrenatural e que a Igreja é um corpo sagrado e, ao mesmo tempo, profano. No entanto é sua tendência a desmistificar a sociedade que ocupa maior espaço na consciência.

Ao mesmo tempo, essas religiões afirmam a possibilidade de um único e direto elo que une a alma individual a Deus. Quanto mais a consciência religiosa abraça a transcendência, tanto mais forte é a tendência a minimizar o papel de organizações sociais, como a Igreja, na relação do indivíduo com Deus. Isso é ilustrado pela evolução da religiosidade protestante.[16]

Acreditar na profanação da sociedade e na autonomia da alma individual é afirmar a prioridade da vida individual sobre a vida em grupo e colocar o

O Estado de bem-estar dentro do capitalismo

problema de como indivíduos, com almas separadas, podem comunicar-se. Só a paternidade universal de Deus permite aos homens colaborarem e falarem uns com os outros, porque ela acende em cada alma a centelha da personalidade divina.

Finalmente, a transcendência favorece o conceito do trabalho e da colocação social característica da consciência dominante. "Feito à imagem de Deus", o indivíduo contém, dentro de si, um elemento universal ou absoluto que chamamos de alma. O seu ser nunca pode ser expresso de maneira adequada, ou tornar-se completo através de qualquer trabalho particular que execute, ou da posição que ocupa na sociedade. Por isso receia assumir qualquer posição social ou tarefa como ameaças que representam à plenitude do seu ser.

No entanto, o indivíduo não é Deus. É uma criatura particular e finita. Sua particularidade é demonstrada, singularmente, por possuir um corpo e sua finitude, pelo fato da morte. Por ser particular e finito, precisa viver em posições sociais particulares e realizar tarefas específicas. Essas tarefas e posições dão unidade e uma forma determinada à pessoa. Assim, a religiosidade da transcendência é uma fonte do relacionamento ambivalente com o trabalho e a posição social na consciência dominante, assim como é uma causa do instrumentalismo e do individualismo.

Consideremos, agora, duas objeções ao tratamento precedente do espaço ocupado pelo ideal da transcendência na consciência dominante: uma, metodológica; a outra, histórica. Primeiro, este tratamento percebe a transcendência de um ponto de vista causal como causa comum de diferentes aspectos da consciência social. Mas não se move com suficiente clareza, além da explicação causal, rumo a uma verificação da maneira pela qual a transcendência é o princípio do significado comum que une diferentes aspectos da consciência dominante. Segundo, seja qual for o papel que a transcendência possa ter realizado no desenvolvimento da consciência dominante, devemos ainda esclarecer a parte que ela desempenha na sociedade liberal. E o enigma inicial que confronta quem tenta fazê-lo é o fato de que a consciência prevalecente e a metafísica a ela associada foram sempre mais ou menos seculares. Desde o início estiveram sempre em revolta contra as antigas exigências da teologia.

Conhecimento e política

Uma característica fundamental do liberalismo, como tipo de consciência social e como doutrina, é sua tendência a abandonar a forma explicitamente teológica da religiosidade da transcendência, colocando, no lugar por ela ocupado, um conceito implicitamente teológico. O agnosticismo é o sinal mais óbvio do que surge como sendo o colapso da transcendência, mas é, na verdade, pelo menos por curto prazo, a secularização da transcendência. A distinção entre o céu e a terra é transformada nos contrastes da cultura e da natureza, do Estado e da sociedade. A oposição da alma ao corpo torna-se a da razão em face do desejo.

A natureza e a cultura são concebidas como domínios sem continuidade, incomensuráveis em relação um ao outro. A cultura é o domínio da consciência, dos símbolos e da liberdade. Ela é construída através do controle da natureza em torno do homem e dentro dele. Ergue-se como o triunfo da inteligência sobre a cega e estúpida resistência das coisas à vontade humana. Quanto mais a cultura controla a natureza, tanto mais suas transações com o mundo natural se assemelham às de Deus com sua criação.

Similarmente, o Estado como associação política de cidadãos sob normas impessoais é, para a sociedade, o que Deus é para o mundo. Quando confrontamos os homens como cidadãos que elaboram, aplicam e respeitam leis impessoais, e que são, formalmente, iguais uns aos outros, abstraímo-nos de suas paixões e valores particulares. Colocamos de lado tudo o que os divide e os torna peculiares. A sociedade, pelo contrário, é o domínio do conflito e da particularidade. É o Estado que se coloca acima da sociedade e impõe sua ordem à desordem da vida social, assim como Deus ergue-se acima dos homens e lhes impõe Sua lei.[17]

Há um sentido no qual, dentro deste conceito, a razão é, para o desejo, o que a alma é para o corpo.[18] Ela representa o elemento universal na mente, ao passo que o desejo é o elemento particular.

Do ponto de vista da experiência da escolha, a mente é o domínio da necessidade; a vontade, o da contingência. No entanto, por já não se considerar que esta razão secular participe de uma sabedoria verdadeiramente divina, sua relação com o desejo é, às vezes, transformada no inverso da relação

O Estado de bem-estar dentro do capitalismo

entre a alma e o corpo. Em vez de comandar, ela obedece. A esta reversão voltaremos em breve.

Os contrastes da cultura e da natureza, do Estado e da sociedade, da razão e da paixão, possuem em comum a divisão entre uma humanidade universal ou abstrata e uma humanidade particular e concreta. Agora já podemos perceber que este dualismo possui um aspecto teológico. O liberalismo seculariza, embora preserve parcialmente, o significado da separação entre dois mundos na religião transcendente. Como criador de cultura, cidadão do Estado e possuidor da razão, o homem é, como Deus, um ser universal que conhece e usa, para seus propósitos, elementos particulares da natureza e da sociedade. Como ser humano no domínio da natureza, que persegue seus valores subjetivos e é escravo da paixão, o homem, como as criaturas de Deus, só pode alcançar o bem através da obediência, quer impensada, quer inteligente ao plano por Ele estabelecido para a sua criação.

Os diferentes aspectos da consciência dominante especificam esta visão mais geral, sem se afastarem dela. O instrumentalismo expressa o ideal da subordinação da natureza e da sociedade à vontade humana, colocando a humanidade no lugar de Deus. O individualismo extrai as implicações do conflito entre o elemento individual e o elemento social na personalidade, o primeiro, representado pela sociedade e pela paixão, o segundo, pelo Estado e pela razão. O mesmo conflito entre dois mundos é repetido sob a forma de uma luta travada, no próprio indivíduo, entre considerar o trabalho que exerce e o lugar que ocupa como constituindo, ao mesmo tempo, a realização e o sacrifício de sua personalidade. Um ponto de vista atende aos apelos da universalidade, ou do céu. Outro, os da particularidade, ou da terra. Assim, uma vez que aprendemos o espírito da transcendência secular, percebemos claramente o elo não causal e não lógico de significado comum existente entre os diferentes aspectos da mentalidade dominante.

A transcendência secular é, por sua própria natureza, precária e transitória. O próprio conceito sabe o paradoxo. Nas religiões da transcendência, o céu é realmente outro mundo, e nossa relação com ele, por mais intimamente associada que seja à vida secular, não pode tornar divina a cidade terrena. Mas

Conhecimento e política

quando o divino é transformado em cultura, em Estado e num dos elementos da personalidade; quando Deus se transforma na humanidade, parte do mundo secular é santificada. Essa santificação é um passo rumo à inversão das reivindicações da religião transcendente. É apenas mais um passo estendendo a deificação da cultura à natureza, do Estado à sociedade e da razão ao desejo, até que o relacionamento de subordinação entre os elementos de cada uma das dicotomias seja revertido. Uma vez admitida a inerência do divino no mundo, tudo o que é mais "natural" e menos sujeito à vontade pode parecer mais sagrado. A secularização da transcendência leva de volta à imanência.

A ruptura e a negação de um relacionamento com Deus significa que os homens precisam tentar obter, uns dos outros, o que antes obtinham d'Ele. Sem uma alma imortal, uma vocação sobrenatural, ficam à mercê uns dos outros. Cada homem será o que a sociedade faz dele, porque não há uma base ultrassocial na qual a consciência do eu possa encontrar repouso. Acima de tudo, a morte torna-se a grande redutora, a condenação ao nada da qual os homens só podem fugir através da imersão nas preocupações da vida social. Se pudéssemos descrever o sentimento da mortalidade como a premonição final da morte e o sentimento da sociedade como a experiência da preeminência das normas e dos papéis sociais sobre os desejos e os valores individuais, então poderíamos afirmar que o sentimento de mortalidade aumenta o sentimento do social. Neste sentido produz o mesmo resultado que a necessidade de reconhecimento, para assegurar o que somos, e de aprovação, para confirmar o que sabemos.

Como sucede, então, que a consciência liberal dominante, que representa a religiosidade da transcendência em vestes seculares, parece levar, inevitavelmente, à total destruição da religiosidade? Não há problema mais importante para a compreensão da história do pensamento moderno. A consciência liberal é uma transição inerentemente contraditória entre dois estágios da consciência religiosa, um no qual a transcendência é acentuada e outro que reafirma, sob forma diversa, a primitiva religiosidade da imanência. O liberalismo é a forma de consciência que secularizou a transcendência, sem que tivesse sofrido as consequências ou compreendido o significado implícito

O Estado de bem-estar dentro do capitalismo

desta secularização. Mantém um equilíbrio precário entre a forma teológica pura da transcendência e a reafirmação da religião imanente. Este equilíbrio é, para a consciência, o significado das dicotomias seculares, características do pensamento liberal. O que parece simples contradição, do ponto de vista da lógica, faz sentido ao reexaminarmos o problema contra este pano de fundo.

Aí se encontra o esclarecimento de um mistério no pensamento liberal que sempre nos escapará enquanto insistirmos em tratar a teoria liberal simplesmente como uma doutrina metafísica, recusando-nos a estudá-la, também, como uma representação da consciência social cuja unidade não resulta apenas da coerência lógica. Os filósofos que geralmente consideramos como os mais profundos expoentes da doutrina liberal – Hobbes, Rousseau, e Kant – podem ter partido da determinação de tornarem o mundo um lugar seguro para a individualidade, mas concluíram, invariavelmente, de um modo ou de outro, pela defesa do Estado contra o indivíduo, ou da espécie contra seus membros e da humanidade universal ou abstrata contra a humanidade particular e concreta. A suposta apologia da liberdade individual parece sempre desembocar no implacável sacrifício da autonomia da sociedade. Por quê? Foi o gênio, e não a perversidade, que os levou às conclusões que tanto chocaram seus contemporâneos. Apreenderam as implicações a longo prazo da secularização da transcendência, no liberalismo, e previram as reivindicações que seriam propostas futuramente. Quando, em data posterior, e em aparente oposição ao pensamento liberal, Hegel deificou o mundo, ou Comte e Marx, a humanidade, ou Durkheim, a sociedade, estavam de fato dando os últimos passos de uma transformação teórica iniciada muito tempo antes.

A ORDEM SOCIAL NO ESTADO LIBERAL

Princípios da ordem social

Uma ordem social é um sistema de elementos; cada um dos quais é definido através de sua relação com todos os outros. Os elementos são indivíduos e grupos. Seu lugar no sistema é a posição social. Um tipo de ordem social

Conhecimento e política

distingue-se do outro pelo seu próprio princípio: a ideia ou norma hipotética de acordo com a qual os elementos são dispostos. Voltar até tais princípios generativos de uma organização social é como explicar os traços característicos de um estilo artístico como resultantes de um conceito mais geral da ordem. Em ambos os casos, as inter-relações entre as partes do sistema obedecem ao postulado da totalidade.

Cada indivíduo vive numa situação social em que um ou vários tipos de ordem social são dominantes. Os princípios generativos destes tipos são um dos principais fatores determinantes da maneira pela qual uma pessoa define sua própria identidade, vê, a si própria, como sendo determinada espécie de pessoa e concebe sua posição na sociedade. Os princípios mais comuns da ordem social são: parentesco, estamento, classe e papel social. Os últimos três são de particular interesse para o estudo do tipo dominante de ordem social do Estado liberal.

O aspecto marcante do princípio dos estamentos é a união da posição social e do status político ou jurídico. Dentro do sistema de estamentos, cada indivíduo possui uma posição social fixa que governa quase que a totalidade de sua vida na sociedade: o que se espera que ela faça e saiba, os bens que possui e seus deveres ou direitos. A participação neste estamento é geralmente determinada pelo seu nascimento. E cada estamento tem uma definição jurídica, fortes laços de solidariedade interna, um número limitado de empregos que lhes são permitidos e que se encontram à disposição de seus membros e um tipo de poder ou representação política que o distingue de outros estamentos. Tanto a sociedade feudal europeia quanto o que é descrito como sendo o *Ständestaat* europeu pós-feudal, ou sociedade dos estamentos, exemplificam este princípio.[19]

O princípio de classe pode ser definido por contraste ao do estamento. É uma característica básica da ordem social no capitalismo moderno. Suas características objetivas são a separação parcial da posição social e econômica e dos direitos jurídicos e políticos e a preeminência de bens herdados ou ganhos como um fator determinante da posição social. Todos os homens são, em princípio, formalmente iguais como cidadãos e pessoas jurídicas.

O Estado de bem-estar dentro do capitalismo

O poder de um estamento, como um todo, é inseparável de sua riqueza, mas o empobrecimento de um indivíduo não destrói, necessariamente, sua posição estamental, que é fixada para sempre ao nascer. A participação de um indivíduo numa classe flutua de acordo com seus bens. A liberdade de dispor os bens é a própria liberdade de fazer uso do dinheiro; ela é encorajada pela comercialização na história do capitalismo. Finalmente, o princípio de classe tem um lado subjetivo. Classe é um conceito polêmico; sua história é a história da rejeição da ideia de uma hierarquia social fixa, na qual cada grupo social deve obedecer a determinados deveres ou exercer certos direitos de governar. Neste sentido, é uma transição do estamento para o papel social.[20]

O papel exercido pelo indivíduo é o princípio de acordo com o qual a ordem social é concebida e organizada como divisão de trabalho. Na divisão de trabalho há tarefas particulares; para o desempenho de cada uma delas, certas habilidades e talentos são exigidos. Cada papel abrange uma parte limitada e frequentemente reduzida da vida do indivíduo. Cada indivíduo exerce uma pluralidade de papéis que ele pode considerar como inteiramente diversos e que se ligam uns aos outros na sua vida, simplesmente pelo fato de que é ele quem os exerce. O nascimento age de maneira indireta distribuindo, desigualmente, tanto os talentos naturais quanto as oportunidades para a aprendizagem de técnicas e conhecimentos.

No entanto, o mérito, definido como sendo a soma total de esforços realizados, conhecimentos adquiridos e talentos naturais, é o ideal estabelecido da divisão de trabalho sob o princípio do papel social. Todas as outras bases para a definição da situação ou da localização social são ilegítimas, na perspectiva traçada por este princípio. Ao passo que a classe é, desde o início, um conceito descritivo e pejorativo, o papel social começa como um ideal.[21]

De muitas maneiras, parentesco, estamento, classe e papel são etapas do mesmo espectro. Descrevem situações sociais nas quais a identidade individual distingue-se cada vez mais da existência do grupo, ou o eu é cada vez mais separado dos outros. São, também, partes de uma continuidade, no sentido em que frequentemente se sucedem umas às outras como princípios dominantes de ordem social, na sequência em que foram enumeradas.

Conhecimento e política

A razão disso advém de um certo relacionamento entre a história e o eu, que discutiremos no próximo capítulo.

Um novo princípio de ordem social nunca desloca completamente aqueles que o antecederam. Os princípios anteriores são preservados ao lado dos que emergem numa posição subsidiária. Assim, em cada situação devemos encontrar uma variedade de formas de ordem, mesmo quando uma delas é dominante.

Classe e papel social

No Estado liberal, o parentesco é subordinado, os estamentos se desintegram e os princípios de classe e do papel coexistem. Diz-se que a sociedade liberal europeia se formou a partir da substituição dos estamentos pelas classes. Mas a circunstância fundamental da ordem social no Estado liberal, e primeira mola de seu impulso e transformação, é a relativa autonomia da divisão de trabalho segundo o papel social, a partir da estrutura de classes da sociedade.

Existem, portanto, dois tipos dominantes de organização social no Estado liberal, cujo relacionamento se modifica de tempos em tempos. Um deles é a determinação do lugar social por classe.

A experiência do indivíduo de pertencer a uma classe, na qual geralmente nasceu, preexiste às tarefas particulares que ele exerce na sociedade. Determina seu acesso ao consumo material, ao poder e ao conhecimento. E embora não estabeleça, de maneira definitiva, os tipos de papel que ele possa desempenhar, coloca alguns deles mais ao seu alcance que outros.

À primeira vista, a classe e o papel social reforçam, simplesmente, um ao outro. Como a divisão do trabalho é colocada contra o pano de fundo da classe, a posição de classe influencia enormemente a distribuição de empregos. Do mesmo modo, a existência de empregos com uma vasta gama de capacidade de acesso ao poder, ao dinheiro e ao conhecimento fortalece o sistema de classe preexistente. Os elos entre a classe e o papel social, entre a estratificação social e a divisão de trabalho, são tão numerosos que os dois podem aparentar não se distinguirem um do outro.

O Estado de bem-estar dentro do capitalismo

Existe, no entanto, sob esta aparente convergência, uma oposição fundamental em ação. O princípio do papel expressa o ideal do mérito e o interesse na eficiência, ambos os quais acentuam, independentemente da classe, a capacidade que um indivíduo possua de executar determinada tarefa. Como tipo distinto de ordem social, a divisão do trabalho por papel possui sua própria e implacável dinâmica, a que voltaremos na próxima seção.

É melhor, no momento, examinarmos a competição entre a classe e o papel social. Inicialmente, a distribuição de empregos na divisão de trabalho é determinada, sobretudo, pelo lugar que cada indivíduo ocupa na estrutura social existente e é, por conseguinte, formada por bens herdados e oportunidades. O sistema dos papéis sociais é uma resultante da ordem de classe.

Cada vez mais, no entanto, o relacionamento entre os princípios pode ser revertido. É o papel obtido através do mérito reconhecido que dá acesso ao consumo, ao poder e ao conhecimento. Se essa tendência se estendesse além do seu estágio atual de desenvolvimento, mesmo na mais socializada das democracias ocidentais, o resultado seria um princípio de classe truncado, sobrevivendo como fruto do princípio do papel social.[22] Só se poderia, então, falar em "classe" num novo sentido, segundo o qual os membros de cada categoria, nos diferentes papéis que exercessem, teriam espécies semelhantes de vantagens, interesses e ideais, em virtude de exercerem os mesmos papéis sociais. A classe seria, neste caso, mais uma consequência que uma causa do papel social, porque o fator determinante do papel social seria um grau de mérito independente.

Tal situação requer algo mais que o declínio da importância de uma fortuna herdada. Pressupõe, também, que os papéis dos pais pouca influência exercem sobre os dos filhos. Isso, por seu turno, implica a possibilidade de distinguirmos claramente entre a herança de oportunidades sociais e a transmissão hereditária de talentos naturais.

Normas impessoais e dependência pessoal

Os princípios de parentesco, estamento e classe possuem em comum o fato de confiarem na dependência e na dominação pessoal como instrumentos

Conhecimento e política

da organização social. Quero, com isso, dizer que aceitam um grau de subordinação da vontade de alguns às vontades de outros que não é mediada por normas prescritivas ou leis impessoais.[23]

No seu mais alto grau de desenvolvimento, o princípio do papel social atualiza, na sociedade, um ideal que possui dois elementos básicos: um é o conceito do poder ou liberdade; o outro é um critério para a determinação dos empregos que cabem a cada indivíduo. Todo o poder deveria ser disciplinado por normas prescritivas, cuja elaboração e aplicação possuíssem a característica de impessoalidade descrita no meu relato sobre o pensamento político liberal. Toda relação de poder não sujeita a tais normas seria injustificável e, por conseguinte, despótica. Envolveria a perda da liberdade, a experiência de dominação pessoal por alguns e de dependência pessoal por outros. A dominação é definida simplesmente como sendo o poder não justificado.

As regras impessoais, embora representem uma condição necessária para a justificação do poder, não são suficientes. Existe, ainda, a necessidade de determinar quem deveria exercer o poder. No que diz respeito ao governo, isso pode ser decidido através da democracia eleitoral. Mas o que se verificaria em relação aos vários graus de controle exercido, por uns sobre os outros, nas posições privadas, não governamentais? A não ser que a distribuição destes empregos, e do poder ou impotência que eles envolvam, possa ser justificada, voltaremos ao pesadelo do despotismo.[24]

Aqui é que surge o padrão do mérito. De acordo com o ideal social implícito no princípio do papel social, os empregos são distribuídos segundo o mérito, e não arbitrariamente. O mérito é concebido como sendo a habilidade em executar uma tarefa ou desempenhar um papel. Pressupõe, por conseguinte, a existência de uma base de comum compreensão da finalidade de várias espécies de emprego. Habilidades adquiridas, esforços realizados e talentos naturais participam, todos, do conceito do mérito, mas a última destas condições vem a ser o elemento mais trabalhoso.

A adoção do "padrão" de mérito é comumente justificada como sendo uma requisição de eficiência de interesse comum, incluindo o interesse dos menos privilegiados, para a realização de objetivos que se busca atingir. Às vezes, no

O Estado de bem-estar dentro do capitalismo

entanto, o mérito é abertamente identificado com o valor moral; aqueles que têm mérito "merecem" as vantagens que possuem e o poder que exercem, devido, simplesmente, às suas habilidades ou realizações. O principal conceito, em ambos os casos, é o de que, quando o poder é restringido por normas impessoais, e distribuído na base do mérito, as relações sociais podem ser esvaziadas de qualquer elemento de dependência ou dominação pessoal, sem que seja necessário estabelecer os fins precisos para os quais o poder deve ser exercido.

Numa sociedade completamente governada pelo princípio do papel a ser exercido, os homens podem agir, entre si, como possuidores de capacidades e talentos particulares. Cada indivíduo ocupa uma multiplicidade de papéis que não se relacionam uns com os outros de maneira clara ou estável. Cada papel abraça uma parte limitada de sua vida e personalidade. A organização da sociedade segundo os papéis sociais facilita um controle cada vez mais técnico da natureza e das relações sociais. Esta é a própria imagem da vida social invocada pelo pensamento político liberal e pela consciência dominante do Estado liberal. É na sociedade artificial, na qual os homens são unidos por normas impessoais, que o instrumentalismo, o individualismo e a aceitação do papel social são levados às últimas consequências.

Mas, a esta altura, devemos indagar se existe de fato uma completa unidade de significado entre a consciência dominante e a ordem social do Estado liberal; correspondência esta que parece estar implicada na tendência deste último a aceitar o princípio do papel social. De início, existe a sobrevivência da classe ao lado do papel social. A experiência de classe é, por definição, uma experiência de dependência e dominação pessoal. Penetrando, como faz, todos os aspectos da vida social, constitui-se numa refutação permanente do ideal de organização através de normas impessoais pressupostas pelo princípio do papel social. Mas por que serão a dependência e a dominação pessoal experiências tão ubíquas, mesmo em face do declínio do espírito de classe no sentido tradicional? O contraste entre a experiência da dependência pessoal e o ideal de normas impessoais faz mais que estabelecer um paralelo com o conflito dos sistemas de classe e do papel social; ele se faz presente na própria organização dos papéis a serem desempenhados.

Conhecimento e política

Consideremos os dois aspectos do princípio do papel social: o apelo aos graus de mérito e o compromisso de colocar toda a vida social sob o domínio das normas impessoais. Um dos elementos decisivos do conceito do mérito, juntamente com a habilidade e o esforço, é o talento natural. Mas a distribuição de heranças genéticas é totalmente caprichosa, no sentido de que não representa, ela própria, uma recompensa do que quer que seja. É injustificável. Na ausência de condições especiais, que mencionarei mais adiante, o exercício do poder por alguns homens sobre os outros, tendo por base a distribuição natural de talentos, deve ser, por conseguinte, interpretada como sendo uma rendição da sociedade às arbitrariedades da natureza e uma submissão, por parte dos dominados, à superioridade pessoal dos dominadores. Os fatos brutais das vantagens naturais tornam-se decisivos para a distribuição do poder. O conceito do mérito implica sempre uma ascendência ou uma subordinação pessoal.

Voltemo-nos, agora, para a outra face do princípio do papel social: o ideal da organização através de normas impessoais. O ponto de partida deste ideal é a noção de que toda a relação de poder não coibida por normas impessoais viola a liberdade, e toda partilha de valores é frágil e coerciva. O fato de que um programa de organização através de normas impessoais não pode ser efetuado é o que a discussão anterior sobre os problemas da legislação e de sua aplicação pretendeu demonstrar. Quer se tenha em vista as normas estabelecidas por um governo, por uma organização, ou por uma fábrica, tanto aquele que estabelece as normas quanto aquele que as aplica devem fazer opções que envolvam o sacrifício de alguns valores individuais e subjetivos em favor de outros. Tais opções são, elas próprias, individuais e subjetivas. Por este motivo, também, não há como escapar, sob o princípio do papel social, à dependência e à dominação pessoal.[25]

Permitam-me, agora, resumir a conclusão de minha discussão sobre a ordem social no Estado liberal até aqui. Superposta ao conflito entre a classe e o papel social, como tipos de ordem, existe, na sociedade liberal, um contraste penetrante entre a experiência da dependência, ou da dominação pessoal, e o ideal da organização através de normas impessoais. Essas duas

216

O Estado de bem-estar dentro do capitalismo

tensões tocam todos os aspectos da vida no Estado liberal e funcionam como agentes de instabilidade e mutação na história da sociedade.

Aqueles que reduzem a ordem social ao sistema de classes, e os que alegam a primazia do papel social sobre a classe, enganam-se igualmente. Os traços mais marcantes e centrais da organização da sociedade escapam-lhes das mãos. Similarmente, alguns tomam ao pé da letra o ideal de normas impessoais, minimizando a importância da dependência e da dominação pessoal, enquanto outros não levam em conta o ideal, senão como um simples véu que oculta o verdadeiro caráter da ordem social. Os primeiros confundem consciência e realidade; os segundos não percebem que a consciência que os homens têm de sua situação é parte desta própria situação. O ideal das normas impessoais introduz, na ordem social, uma fonte permanente de subversão de todas as formas de comunidade hierárquica. Em todos estes conceitos errôneos, um defeito do método oculta-se por trás da falha de visão.

A burocracia

O Estado liberal possui um tipo característico de instituição que reflete suas modalidades prevalecentes de ordem social. Os tipos de ordem social são as várias maneiras de dispor das relações entre indivíduos e grupos. São as formas ocultas e profundas de organização social. As instituições são os grupos organizados particulares aos quais os indivíduos pertencem. São a face imediatamente visível da vida social. Vários princípios de ordem social entram em ação, frequentemente, na instituição. Em qualquer situação social há princípios dominantes de ordem. Estudamos a ordem social através da análise da vida institucional, mas só podemos apreender plenamente o caráter desta depois de compreendermos a primeira.

A instituição principal do Estado liberal é a burocracia. Por ela entendo algo de mais amplo e, ao mesmo tempo, de mais limitado que o que este termo indica habitualmente. Consideremos alguns elementos familiares de uma definição mais limitada da burocracia.[26] Primeiro, a burocracia assume o compromisso da organização, através de normas impessoais, mas essas

Conhecimento e política

normas podem ser explícitas ou tácitas. Segundo, a hierarquia da autoridade existe entre os membros da instituição; há uma expectativa de que o poder será exercido dentro das linhas traçadas pelas normas. Terceiro, os indivíduos que participam das instituições têm papéis a desempenhar; há trabalhos específicos a serem executados. Esses trabalhos são definidos e padronizados de acordo com seus objetivos e as habilidades e talentos que requerem. Do ponto de vista da instituição, o que é mais importante, em relação ao indivíduo, é possuir os requisitos exigidos pelo papel que lhes foi designado.

Aceitar os três aspectos precedentes como sendo capazes de retratar adequadamente a instituição burocrática seria distorcer sua natureza, confundindo algumas das expectativas que ela gera com a modalidade real de vida que torna possível. Existe uma quarta característica da burocracia, tão determinante quanto as outras três, embora oposta a elas no que tem de mais incisivo. Este quarto atributo é a experiência penetrante da dependência e da dominação pessoal. A elaboração e a aplicação das normas institucionais envolvem, como se deduz corretamente, atos de vontade individual e subjetiva. A atribuição da autoridade é reconhecida como uma hierarquia de pessoas, na qual alguns ideais e interesses individuais triunfam sobre outros, e uma hierarquia de papéis sociais.[27]

A organização burocrática faz-se presente em toda parte no Estado liberal. É ela, a sociedade comercial, a empresa fabril e a associação particular tanto quanto o governo. Qualquer membro desta organização é, neste sentido, um burocrata.

Para compreender o lugar ocupado pela instituição burocrática no Estado liberal é necessário buscar-se a fonte de suas características. Por que insistir em normas impessoais, na hierarquia formal da autoridade e na distribuição meritocrática de papéis sociais? A alegação de que a eficiência assim exige pode ser questionada. O que se quer saber é o que torna essas medidas eficientes e em relação a que finalidade deve sua eficiência ser julgada.

É frequentemente lembrado que as origens históricas das instituições burocráticas, no sentido mais estreito em que o termo é geralmente empregado, resultam de transformações que acompanharam a emergência do

O Estado de bem-estar dentro do capitalismo

moderno Estado-nação europeu. Por um lado, o esfacelamento das formas feudal e pós-feudal da comunidade hierárquica, em que existiam valores estáveis e autoritários, tornou necessário aumentar o espaço ocupado pelas normas na organização das relações sociais. Por outro lado, os órgãos burocráticos, criados a fim de servirem às novas monarquias, adquiriram poderosos interesses próprios. Os sistemas de normas, uma hierarquia formal da autoridade e a institucionalização dos padrões de mérito podem ter, todos, ajudado os poderes políticos centrais a controlar a burocracia. No entanto produziram, também, o efeito oposto de entregar à burocracia meios de tornar legítimo seu próprio poder, como sendo de algum modo neutro e acima do jogo político, e de resistir tanto às pressões dos principais administradores políticos quanto às exigências de outros grupos sociais.[28] Seja qual for o significado da influência exercida por tais fatores no desenvolvimento inicial das instituições burocráticas, eles não parecem suficientes para explicar como a burocracia, tal como a defini, tornou-se a instituição característica do Estado liberal. Nem esclarecem, tampouco, o relacionamento entre as burocracias e as formas dominantes de ordem e de consciência social.

Como o próprio Estado liberal, a burocracia existe no contexto da organização da sociedade de classes. Está na natureza desta o exercício do poder por algumas classes sobre as outras, o que acaba representando uma dominação, tanto por parte do dominador como do dominado. Fica assim o poder sem justificativa. A instituição burocrática parece oferecer uma saída às restrições impostas pela sociedade de classes. Em lugar da experiência de dependência e dominação pessoal, promete colocar a impersonalidade das normas e dos papéis sociais. Qualquer desvio da impersonalidade significa, necessariamente, uma recaída na subordinação de algumas vontades a outras, segundo o princípio de classe. Por este motivo, a organização burocrática, com sua dedicação às normas, à distribuição formal de papéis, segundo essas normas, e ao ideal do mérito, renasce, continuamente, como a alternativa providencial ao despotismo de classe. Tudo acontece como se a instalação do próprio princípio de classe provocasse a existência de um

Conhecimento e política

tipo de organização social governado pelo princípio oposto do papel social. No entanto, a burocracia termina por não resolver os conflitos internos da sociedade liberal.[29]

Primeiro, o desempenho de um papel burocrático não representa nunca a totalidade de uma posição social; abrange apenas uma parte limitada e definida da situação daquele que o exerce. Na sua vida fora do emprego, o burocrata continua a pertencer a uma classe específica. A organização de classe da sociedade influencia a maneira pela qual os empregos são distribuídos e o relacionamento experimentado com a instituição burocrática.

Segundo, tanto a elaboração quanto a aplicação das normas, nas burocracias, exigem julgamentos quanto à política a ser seguida e opções entre valores diversos. Dado o caráter de todos os objetivos comuns, na sociedade liberal, estes julgamentos levam a instituição burocrática de volta ao exercício arbitrário do poder, de que ela parecia representar uma saída.

Por fim, consideremos, novamente, as implicações do ideal do mérito. Suponhamos que a noção institucional de princípio do papel consiga subordinar o sistema de classe à divisão do trabalho, segundo a habilidade e o talento de cada um, transformando, através disso, as condições gerais da ordem social e a natureza da classe. As novas "classes" sociais seriam, então, em grande parte, aqueles grupos cujos graus similares de acesso à fortuna, ao poder e ao conhecimento fossem determinados pela sua colocação dentro da divisão do trabalho.

Quanto mais a distribuição de empregos se aproxima do ideal do mérito, tanto mais decisiva a influência de talentos naturais na determinação da posição social. A hierarquia de talentos, distribuída pela natureza sem levar em conta os propósitos morais do homem, segue-se ao acidente dos bens herdados e da oportunidade. Os mais felizes podem, então, receber os benefícios dos favores que lhe foram dispensados pela natureza, como prostitutas cujo preço depende do fato de serem magras ou gordas. O exercício do poder pelos que possuem maior talento sobre os menos dotados torna-se, simplesmente, outra forma de dominação pessoal, a não ser que se encontre um critério moral capaz de justificá-lo e limitá-lo.

O Estado de bem-estar dentro do capitalismo

Deve estar claro a esta altura que a instituição burocrática não pode, em última análise, manter sua promessa de solucionar o problema da dominação pessoal. Ou cai na armadilha do mecanismo de classe ou produz um novo tipo de dependência. O princípio do papel social, institucionalizado na burocracia, pode ou sucumbir ao princípio de classe ou triunfar sobre ele. Mas se a luta entre a classe e o papel social for superada, outra dialética fundamental da sociedade liberal permanece: o conflito entre o ideal das normas impessoais e a experiência da dependência pessoal.

Cada organização burocrática é uma miniatura do Estado liberal. A vida na burocracia é, portanto, caracterizada pela prevalência de sentimentos morais que refletem a consciência dominante. Esses sentimentos revelam as implicações da ordem liberal para a comunidade e a personalidade.

Há, primeiro, o sentimento de irrealidade. Os relacionamentos sociais da vida burocrática são completamente cortados do relacionamento que cada indivíduo tem com a natureza. Não existe uma base natural para a definição da personalidade ou da comunidade. Consequentemente, as próprias relações sociais estabelecem quem nós somos. Mas somos diferentes em cada um dos papéis, aparentemente não relacionados, que exercemos. Qual é a pessoa real entre essas várias pessoas ou, se todas são máscaras, onde se encontrará a verdadeira face?

E há a sensação de isolamento. Os indivíduos conhecem-se e agem, em relação uns aos outros, como encarregados de determinados papéis, que possuem habilidades definidas e dos quais se espera a realização de tarefas definidas. Só na intimidade da família ou dos amigos quase chegam a se conhecerem e a tratarem uns aos outros como pessoas unitárias e completas. Mas mesmo este alívio é limitado porque o que os homens são e fazem, nos seus papéis públicos, só pode ser vagamente apreendido no círculo privado da amizade e da família.

A esses sentimentos deve ser acrescentado o de autorrebaixamento. O desempenho do papel burocrático é exercido sob um duplo constrangimento. É a expressão de uma faceta particular da personalidade à exclusão, quando não em prejuízo, de seus outros aspectos. E os interesses servidos pelo papel burocrático são sempre parciais e subjetivos. Não são ideais universais ou objetivos e, no final das contas, não é provável que possam ser tomados por tais. É, assim, difícil atribuir à execução de nossos papéis um valor duradouro. Todos eles parecerão ser e serão, em menor ou maior grau, algo que diminui o que descreverei como atributos do eu.

Muitas hipóteses sutis foram levantadas para explicar as modificações e os conflitos que caracterizam a história das instituições burocráticas. Por vezes, leis misteriosas de expansão econômica, renovação tecnológica ou da organização do poder foram invocadas. Talvez, porém, a principal explicação seja mais simples. Os homens querem ser mais humanos e a burocracia não satisfaz sua humanidade.

O ESTADO ASSISTENCIALISTA CORPORATIVO (NEOCAPITALISTA)

Os conflitos que ocorrem nos seus tipos dominantes de consciência e ordem social empurram o Estado liberal na direção do Estado assistencialista corporativo. Não sendo possivelmente o único sucessor do Estado liberal, como prova a existência de sociedades socialistas, constitui a tendência prevalecente, pelo menos nas democracias sociais do Ocidente.

A premissa da ideia do Estado assistencialista corporativo é a noção de que a sociedade capitalista contemporânea está sendo testemunha do advento de várias espécies de consciência e organização social estranhas ao Estado liberal e incompatíveis com muitos de seus traços principais. Essas formas emergentes de consciência e ordem não surgem, é claro, de uma vez, nem é possível determinar a data precisa de seu nascimento em qualquer sociedade. Apresentam-nos, no entanto, problemas e perspectivas que exigem novos conceitos e clamam, na verdade, pela reconstrução de toda a teoria da sociedade.

A teoria social clássica, a teoria que surgiu da sociologia da Restauração e atingiu seu pleno desenvolvimento nos trabalhos de Marx, Durkheim e Weber, representou, em grande parte, uma tentativa de compreender o Estado liberal. Quase todos os seus conceitos básicos sobre o homem e a sociedade surgiram no curso dessa tentativa, e foram formados pela

O Estado de bem-estar dentro do capitalismo

categoria peculiar de questões que ela envolvia. Assim sendo, o esforço de apreender a identidade do Estado assistencialista corporativo não pode ser satisfeito pela simples adição de novas interpretações da teoria social clássica. Exige, em vez disso, uma transformação da substância e dos métodos do estudo social.

Mas há, também, uma objeção mais profunda à teoria social clássica: sua contínua dependência de elementos mais ou menos extensos da doutrina liberal e seu correspondente fracasso em partir do criticismo parcial para a crítica total da tradição liberal. A ansiedade em assumir a postura da ciência e em separar drasticamente o estudo empírico da história da discussão de problemas metafísicos foi, ao mesmo tempo, um sinal e uma causa do fracasso. A crítica total zomba desta ansiedade, porque descobriu a unidade dos problemas da metafísica e das ciências especializadas, bem como a necessidade de solucionar ambas as categorias de problemas simultaneamente, caso eles possam ser solucionados.

O estudo do Estado assistencialista corporativo deve ser conduzido à luz desta descoberta e contribuir para a solução de suas implicações. O Estado emergente transforma a experiência da vida social, experiência esta de que a doutrina liberal é uma representação teórica. Por isso, requer um sistema não liberal de pensamento e contribui para a formulação deste sistema.

O conceito de uma segunda etapa da sociedade capitalista liberal é familiar, embora o verdadeiro caráter de sua identidade permaneça ilusório.[30] É útil lembrarmos, novamente, como orientação preliminar, algumas das formas habituais de caracterizar o sucessor da sociedade liberal clássica.

Primeiro, é um Estado no qual o governo assume uma extensa e evidente responsabilidade pela distribuição das vantagens econômicas e sociais, como complementação ou limitação do mercado. Isso é o que faz dele um Estado de bem-estar social ou assistencialista (*welfare state*). A franca distinção entre a igualdade formal do status político e jurídico e a quase ilimitada desigualdade da circunstância social é abandonada como premissa da política social.

Segundo, é um Estado no qual as entidades que servem de intermediárias entre o indivíduo e as agências do governo – corporações, uniões e

Conhecimento e política

associações – ocupam um lugar ainda maior na vida da sociedade. Isso é o que faz dele um Estado corporativo e democrata (*corporate state*). A história da sociedade liberal é, em parte, a história da contínua dissolução de todas as organizações comunais associadas à sociedade anterior de castas. Os princípios de classe e papel social contribuem para o desligamento do indivíduo dessas organizações e sua dependência dos mercados, das instituições burocráticas e dos governos nacionais.

No Estado assistencialista corporativo há um processo de dois gumes que torna particulares as organizações públicas, e públicas, as particulares. As instituições particulares assumem, em número cada vez maior, as responsabilidades previamente confiadas ao governo, ou, sem assumirem as responsabilidades daquelas, começam a imitar sua organização e o poder que exerciam. Este processo agrava as consequências da universalização da burocracia como forma institucional. Ao mesmo tempo surgem numerosas entidades públicas, perigosamente ligadas umas às outras, e tão próximas, em interesse, pontos de vista ou forma de organização, das instituições particulares quanto das tradicionais agências do governo. Essa tendência ao bem-estar e à organização em corporações destrói a distinção entre o Estado e a sociedade civil.

Por fim, o Estado assistencialista corporativo caracteriza-se, frequentemente, pela importância de um processo para a transformação da natureza e da tecnologia e pela preeminência de uma classe burocrática: a classe de profissionais, técnicos e administradores que dirigem as atividades (pertinentes ao bem-estar) do governo e administram as organizações corporativas. Ambas estas ocorrências têm raízes na história do Estado liberal. A tecnologia é o instrumento e a expressão externa do relacionamento manipulativo com a natureza e a sociedade. A classe burocrática é um exemplo típico da nova espécie de classe que é mais um produto que uma criação do sistema de papéis sociais.

Voltando, novamente, a olhar para essa lista de atributos do Estado assistencialista corporativo, surpreende-nos a sensação de que nenhum deles constitui uma ruptura fundamental com a sociedade liberal. De uma maneira ou de outra, cada qual já ocupava um lugar importante naquela sociedade.

O Estado de bem-estar dentro do capitalismo

Não conseguem criar uma forma de consciência e de ordem social capaz de estabelecer a identidade do Estado assistencialista corporativo e, através disso, permitir que possamos compreender seu alcance em relação aos problemas examinados neste ensaio. Mas não percamos de vista o fato de que o Estado assistencialista corporativo é menos uma realidade viva que um projeto, ou uma tendência, que visa à transformação da sociedade liberal.

A CONSCIÊNCIA SOCIAL NO ESTADO ASSISTENCIALISTA CORPORATIVO

O Estado assistencialista corporativo surge com a emergência de um novo tipo de consciência e de ordem. Não existe, talvez, nenhuma sociedade particular na qual as formas de consciência e de ordem que tenho em mente já sejam dominantes. Contudo, as manifestações capazes de prenunciar seu advento atingem com mais rigor alguns dos grupos e algumas das atividades de maior influência. A discussão em torno desta forma distinta de vida social será novamente apresentada como hipótese especulativa. É uma hipótese, porém, que pode iluminar muito do que existe de mais obscuro na circunstância do Estado e revelar a conexão entre vários de seus aspectos aparentemente mais disparatados.

Os aspectos dominantes ou característicos do Estado assistencialista corporativo já se acham prefigurados, embora de maneira dúbia, no próprio Estado liberal. Nas suas formulações mais drásticas, associa-se ao movimento romântico e aos arautos e descendentes do romantismo. A adoração da natureza, e inovação da comunidade hierárquica ou igualitária, e o repúdio da divisão do trabalho foram colocados, por estas tendências, de encontro aos modelos dominantes de consciência e ordem no Estado liberal. Às vezes a rebelião foi lançada em nome do passado, como ocorreu no conservativismo romântico com seu programa de restauração de modelos pré-liberais de comunidade hierárquica. E, outras vezes, o combate foi travado em nome do futuro por defensores utópicos ou socialistas da comunidade igualitária.

Mas tanto o conteúdo desta maneira de encarar a vida social quanto os grupos em que ela floresce mudam, como acontece com a mentalidade de

Conhecimento e política

uma sociedade emergente. Esta visão deixa de ser a prerrogativa de facções isoladas de revolucionários ou reacionários. Em vez disso, ela começa a infiltrar-se nas fileiras da classe profissional ou burocrática e dos técnicos e a modificar-se no curso dessa infiltração.[31]

A rejeição da consciência dominante

Primeiro há a tendência a rejeitar o instrumentalismo, enquanto relacionamento com a natureza e a sociedade e como conceito da razão. A reação à racionalidade instrumental assume a forma de busca de uma racionalidade e de uma crítica, mais ou menos explícita, da própria distinção entre meios e fins. Quando supervisiona as atividades do bem-estar do Estado, ou administra as corporações, a classe burocrática, numa democracia, deve poder justificar as metas escolhidas tanto quanto os meios empregados para alcançá-las. A orientação da política social, a avaliação dos avanços tecnológicos e mesmo a aplicação das normas exigem que objetivos conflitantes sejam colocados em ordem. Quando as decisões relativas às finalidades em vista não podem ser justificadas, assumem, inevitavelmente, o caráter de dominação pessoal. Ao lado desta tentativa de descobrir maneiras de julgar valores, existe um mal-estar quanto à noção de que qualquer aspecto da vida social pode ser tratado como sendo simplesmente um meio cujo valor deve ser medido em relação a algum objetivo definido independentemente. Em vez disso, aumenta a convicção de que cada coisa possui um valor positivo ou negativo.

A consciência emergente demonstra seu antagonismo com a postura manipuladora para a sociedade, pela facilidade com que aceita as implicações do conceito de que, ao serem sobrepujadas as circunstâncias da dominação, a ordem ideal de várias categorias de grupos surgirá, espontaneamente, do seu processo interno de interação. A ordem não deve ser imposta de cima para baixo; daí o interesse na descentralização e na desburocratização da vida institucional.

O aspecto mais sutil e de maior alcance do afastamento do instrumentalismo, na mentalidade em processo de desenvolvimento, talvez seja a nova

O Estado de bem-estar dentro do capitalismo

maneira de encarar a relação do homem com a natureza. Em lugar de uma visão desta como sendo um joguete do capricho humano, um instrumento para a satisfação de desejos, surge o crescente interesse na preservação da ordem natural e no respeito à continuidade do que une o homem à natureza. Às vezes esse interesse chega à deificação da natureza e à consequente reafirmação de uma religiosidade mística de unidade com o mundo natural.

Em relação ao individualismo, a tendência deste estado de espírito é de negar a oposição entre o particular e o universal – o individual e os elementos sociais da personalidade. O antagonismo ou é negado como sendo fictício ou, mais inteligentemente, é percebido como consequência de uma categoria particular de relações sociais. A tarefa está, então, em definir e estabelecer um tipo de ordem social no qual essa oposição não possa prevalecer.

O interesse nos problemas da solidariedade e, especialmente, na ideia de comunidade de propósitos comuns é uma das principais manifestações deste aspecto da consciência no Estado assistencialista corporativo. A tentativa de lidar com o conflito entre a experiência de dependência pessoal e o ideal de normas impessoais pode levar à busca de comunidades não hierárquicas com objetivos comuns que deixam de representar, então, a preocupação utópica de grupos marginais, para se transformarem num novo fator na política interna das instituições burocráticas. A atividade do governo, no que diz respeito ao bem-estar, pode transformar-se num instrumento para a subversão das circunstâncias de dominação de classe que tornam o problema da comunidade insolúvel. E as corporações são as organizações burocráticas cujos conflitos internos colocam o problema da comunidade no centro da política.

Finalmente, a consciência emergente se rebela contra o conceito de trabalho e da posição social que caracteriza a consciência dominante do Estado liberal. Já não concorda com a inevitabilidade do conflito entre a necessidade de aceitar uma posição social definida e o desejo de expressar, na vida social, as múltiplas facetas da personalidade. Em consequência disso, poderá opor-se às formas estabelecidas da divisão do trabalho, exigindo que a ocupação ou o papel social sejam organizados de maneira a constituírem uma representação, e não uma negação, da unidade e da dimensão do eu. Quando, por

Conhecimento e política

exemplo, operários técnicos se voltam contra a linha de montagem, é este aspecto da consciência que pode estar em jogo.

O antagonismo ao contraste liberal entre o trabalhador e seu trabalho pode também assumir uma forma que é a própria antítese da precedente. Trata-se do abandono da ideia de uma personalidade virtualmente multifacetada e da aceitação de que a posição de uma pessoa e seus deveres sejam sacrossantos. O indício de semelhante reação ao problema do trabalhador e do trabalho é o sentimento de resignação ao papel anteriormente descrito, como uma das características que atravessam toda a vida moral, na sociedade moderna. O estoicismo é a religião natural da burocracia; desempenhar o seu papel é aquilo de que o estoico pode ainda orgulhar-se depois de abrir mão de todas as outras esperanças, inclusive a de tornar-se uma personalidade completa.

O ideal da imanência

O princípio do significado comum, que une os vários aspectos da consciência emergente, é um conceito religioso do mundo e da sociedade. Mas quando procuramos definir esse conceito, descobrimos que ele possui dois aspectos distintos e que esta ambivalência se transmite a cada uma de suas manifestações particulares na consciência do Estado assistencialista corporativo. Seria loucura esperar de uma forma de consciência a clareza e a precisão de uma doutrina filosófica. Existe, porém, aqui, mais que falta de clareza e imprecisão; há uma brecha fundamental que se repete de muitas outras maneiras. A discussão sobre o tipo dominante de consciência no Estado liberal conclui-se com a sugestão de que a secularização da transcendência prepara o caminho para uma versão igualmente secular da religião da imanência. O Estado da mentalidade emergente confirma essa tese.

Uma versão secular do ideal de imanência estabeleceria o mesmo relacionamento com o panteísmo que a consciência dominante, no Estado liberal, estabelecida com a teologia da transcendência. Repudiaria o contraste entre os elementos universais e particulares na personalidade e, juntamente com esse contraste, as dicotomias entre a cultura e a natureza, o Estado e a

O Estado de bem-estar dentro do capitalismo

sociedade, a razão e o desejo. Isso é precisamente o que, partindo para uma interpretação extrema, a consciência emergente, o Estado assistencialista corporativo tende a fazer.

Através do ataque ao instrumentalismo, e particularmente ao relacionamento manipulativo com o mundo natural, o Estado assistencialista corporativo nega a descontinuidade entre a natureza e a cultura. A natureza seria concebida e tratada como a totalidade da qual as relações sociais são uma parte, em vez de serem uma categoria de objetos externos cujo valor resulta de sua capacidade de satisfazer os desejos humanos.

Dentro de um raciocínio semelhante, podemos interpretar o anti-individualismo da consciência emergente como sendo uma rejeição radical da ideia, ou do ideal de uma separação entre o eu e os outros. De acordo com essa forma de consciência, o ponto de vista segundo o qual há um elemento individual na personalidade, distinguível de sua natureza social, é, simplesmente, uma ilusão alimentada pela sociedade liberal. Ela desaparecerá quando as comunidades de objetivos comuns se tornarem uma realidade. Pelo mesmo motivo, a separação entre o Estado e a sociedade será abolida. Tanto na realidade política quanto no conceito existente, o Estado é, afinal de contas, apenas o grupo de instituições artificiais necessárias para conter interesses individuais conflitantes. Quanto maior a coerência e a autoridade do compartilhamento de objetivos, tanto menor a necessidade de uma ordem imposta.

Juntamente com a rejeição do instrumentalismo e do individualismo, a mentalidade que descrevo modifica a visão do relacionamento entre a personalidade e a posição social. A despeito de seu aparente antagonismo, tanto o ataque frontal à divisão do trabalho quanto o estoicismo da conformação com o papel que cabe a cada um procuram abolir a distinção entre o que o homem é e o que ele faz. Ambos concordam em que a personalidade, como unidade nata ou abstrata das capacidades latentes e das tendências, e a personalidade, como unidade terrena e concreta da posição social e do emprego, devem tornar-se uma só coisa. Os inimigos da divisão do trabalho propõem preencher o espaço entre ambas organizando a vida social de tal maneira que as tarefas executadas na sociedade possam refletir, de algum modo, as

Conhecimento e política

facetas múltiplas da personalidade. Os estoicos, pelo contrário, desejam santificar a divisão do trabalho e assumir o papel como sendo a base para uma definição da personalidade.

A união da imanência e da transcendência

De acordo com o relato precedente, o ideal religioso da imanência, transposto para uma forma secular, empresta uma unidade de significado à consciência emergente no Estado assistencialista corporativo. Existe, no entanto, outro ponto de vista, igualmente plausível, sobre o significado geral dessa mentalidade. Podemos ver, nele, o começo de uma síntese da transcendência e da imanência, em vez de uma reafirmação desta sobre aquela.

Assim sendo, o que está implícito na consciência do Estado assistencialista corporativo pode representar uma tentativa de desenvolver uma visão do mundo e uma ordem social correspondente, na qual a relação de uma pessoa com a natureza, com os outros e com seus próprios atos, tarefas ou posições é, de algum modo e ao mesmo tempo, uma separação e uma união. Talvez o reconhecimento da continuidade entre a natureza e a cultura possa e venha a ser desenvolvido de modo a respeitar a relativa autonomia de cada um. É possível que a supressão do conflito entre o indivíduo e os elementos sociais da personalidade possa ser realizada sem que isso se verifique através do sacrifício do primeiro aos segundos. Talvez a divisão do trabalho possa ser concebida e organizada de modo a superar o conflito entre a personalidade, como unidade de uma categoria abstrata de predisposição, e a personalidade, como unidade de uma categoria concreta de atos e tarefas, sem que uma tenha que se render à outra. Há um número de pontos a serem destacados nesse conceito alternativo da mentalidade emergente.

Inicialmente, é parte de minha tese sobre a consciência do Estado assistencialista corporativo o fato de que ambas estas interpretações são igualmente plausíveis. Qualquer uma das duas pode, eventualmente, tornar-se verdadeira, porque não sabemos em qual das duas direções a mentalidade, cujas manifestações ambas descrevem, se orientará. A hesitação

O Estado de bem-estar dentro do capitalismo

surge da própria circunstância histórica e não do que possa haver de incerto na teoria.

A seguir, nenhum dos dois aspectos da consciência emergente fornece-nos uma declaração clara e precisa sobre um sistema de pensamento não liberal. Não são, aliás, teorias, e não podemos esperar delas a clareza de uma doutrina filosófica. Além disso, o estudo da história da consciência social não nos fornece um critério através do qual possamos julgar os méritos dos pontos de vista e ideais em luta. Desenvolver e criticar, na linguagem do pensamento especulativo, o que a consciência emergente anuncia será o objetivo do próximo capítulo.

Uma última observação é relativa à possível reconciliação da transcendência e da imanência. O ideal transcendente não pode sobreviver por muito tempo ao desaparecimento da crença num Deus que se mantém acima do mundo, porque uma transcendência secularizada é inerentemente instável. Mas a religião da imanência é totalmente hostil ao conceito de um Deus pessoal e sobrenatural. O problema da natureza de Deus é, assim, envolvido na avaliação das questões levantadas pela consciência emergente e, especialmente, na ideia de uma união entre a imanência e a transcendência.

A ORDEM SOCIAL NO ESTADO ASSISTENCIALISTA CORPORATIVO

Os conflitos da organização burocrática

Quando a vida institucional deixa de ser simplesmente a manifestação da luta entre o papel social e a classe, entre o ideal das normas impessoais e a experiência da dependência pessoal, para tornar-se, em vez disso, uma resposta a esses conflitos, surge um novo tipo de ordem social. Ao querermos descobrir se existem sinais, no Estado contemporâneo, de um tipo de organização social realmente diversa, a pergunta a ser feita é a seguinte: Existem experiências que transformam os conflitos da sociedade liberal ou tornam possível superá-los? Por maior que pareça ser o alcance de determinadas transformações sociais, elas não modificarão o caráter fundamental

Conhecimento e política

da ordem social, a não ser que modifiquem esses conflitos subjacentes. Por mais sutis ou frágeis que sejam as modificações, elas indicarão a presença de um tipo diferente de ordem social, quando quer que interfiram com os princípios em vigor nas burocracias da sociedade liberal.

Tanto as atividades de organização social do governo quanto a proliferação de entidades corporativas parecem reforçar – e não solapar – ou restringir a importância da organização burocrática na sociedade. Longe de sugerir um rompimento com as características da organização social no Estado liberal, parecem favorecer seu triunfo final. As questões principais são, por conseguinte, aquelas que têm a ver com a organização interna das burocracias e com o relacionamento entre a maneira pela qual o poder é distribuído dentro dela e o controle exercido fora dela pelo poder do governo.

É, por conseguinte, importante que se distingam claramente os principais problemas da ordem social no liberalismo. Primeiro, persiste a contínua importância do sistema de classes e o contraste entre as exigências impostas por esta e as do papel social. Segundo, há o problema da justificação da distribuição do poder dentro da instituição, tendo por base o mérito e, particularmente, os talentos naturais. Terceiro, existem as implicações destrutivas do princípio vitorioso do papel social, para a comunidade e a personalidade, tal como elas se revelam na vivência dos sentimentos morais.

Os dois primeiros problemas colocam, de maneiras diversas, a questão do conflito entre o ideal do poder impessoal sob as normas e a experiência da dependência das decisões de outra pessoa. Ambas têm a ver com questões relativas ao poder. O terceiro poder é relativo ao caráter geral dos relacionamentos sociais. Embora os tópicos sejam interligados, seria mais aconselhável começarmos por considerá-los separadamente.

Existem, portanto, dois pré-requisitos para a solução do conflito entre o ideal da organização, segundo regras impessoais, e a experiência da dependência pessoal. Um é o enfraquecimento e, por fim, a eliminação do princípio do sistema de classes no seu sentido tradicional. O outro é o desaparecimento do novo tipo de dominação e de classe que surgem do princípio do papel social e do ideal do mérito.

O Estado de bem-estar dentro do capitalismo

A solução dos conflitos

As atividades do governo ligadas ao bem-estar e à institucionalização do princípio do papel social podem ou não conseguir anular a importância do princípio de classe. Mas, pelo menos, podemos visualizar de que modo isso resulta e como, às vezes, tem resultado da dinâmica interna do Estado liberal. É muito mais difícil imaginar o que significa a superação da nova forma de dominação introduzida pelo princípio do papel e que tipo de acontecimentos podem tornar evidente essa tendência.

Suponhamos uma ordem social na qual o princípio do papel social seja vitorioso em todas as frentes. Em tal situação um lugar decisivo seria dado ao mérito, na distribuição dos empregos e, por conseguinte, na distribuição do poder dentro das instituições burocráticas. Se assumirmos, também de acordo com as implicações do princípio do papel social, que as oportunidades para a aprendizagem de técnicas fossem iguais, a importância dada aos talentos naturais tornar-se-ia o ponto nevrálgico.

É possível imaginar-se uma condição sob a qual a distribuição do poder na burocracia não envolvesse a dependência ou a dominação pessoal. Isso poderia ser considerado como sendo a própria condição da democracia. O exercício do poder, baseado no mérito, deve ser subordinado aos propósitos comuns, democraticamente estabelecidos, dos que trabalham na instituição. Para que essa subordinação fosse eficaz, seria necessário que determinado número de exigências fosse atendido. A principal delas é a existência de um mecanismo independente, através do qual todos os membros da instituição participassem, igual e continuamente, na formulação dos objetivos comuns. Um alcance ainda maior é dado a esses objetivos comuns na determinação de metas e da estrutura interna da instituição. No que diz respeito à participação, a distribuição de talentos não é levada em conta. Esse mecanismo funcionaria através da democracia interna da instituição; descrevê-la mais completamente é um dos objetivos da teoria dos grupos orgânicos. Notemos que nossa opinião final sobre as reivindicações e as características da democracia, na organização interna das instituições, depende do conceito que temos sobre o valor da

Conhecimento e política

divisão do trabalho e do poder, segundo o mérito, e de nossa interpretação do lugar que cabe aos talentos naturais, de acordo com o ideal do mérito.

Estamos agora em posição de reexaminar o problema final da burocracia: as consequências, para a personalidade, da organização segundo o papel; e para o Estado, dos sentimentos morais. A sensação de isolamento é que descreve, de maneira mais imediata, o caráter da vida social na burocracia. Os homens agem, entre si, como encarregados de determinados papéis e têm consciência disso. Em cada um de seus diversos papéis, são identificados como exemplos de um tipo específico de habilidade ou talento. Em momento algum reconhecem, um ao outro, como pessoas totais. Se o reconhecimento for uma das bases da personalidade, o sistema de papéis não fornece base alguma para uma definição unitária da personalidade.

O pré-requisito de semelhante definição é a comunidade. Comunidade, no seu sentido mais geral, é a situação na qual as relações sociais baseiam-se em propósitos comuns, cuja autoridade moral é reconhecida, e na qual os homens consideram e tratam uns aos outros como seres concretos e completos, isto é, como indivíduos. Existe uma tensão, embora não chegue a representar um contraste necessário, ou uma contradição lógica, entre os dois elementos da comunidade: a comunhão de valores e o reconhecimento da individualidade concreta. É participando, cada um, dos objetivos do outro, que os homens passam a compreender e respeitar aquilo que, além dos limites de seus propósitos comuns, torna cada pessoa única. A justificativa metafísica deste ponto será dada na teoria do eu, e suas implicações institucionais serão desenvolvidas na teoria dos grupos orgânicos. Por enquanto, é suficiente verificarmos que, enquanto a democracia institucional pode requerer simplesmente uma limitação do princípio do papel, a condição de comunidade parece exigir um ataque frontal à organização burocrática. Ela coloca o grupo de indivíduos concretos, com propósitos comuns, no lugar do grupo de ocupantes abstratos de determinados papéis, designados para suas atividades por mérito, e que são mantidos juntos pelas normas.

Este é o caráter geral das soluções ideais para os principais problemas da burocracia: o enfraquecimento do princípio de classe, a democracia

O Estado de bem-estar dentro do capitalismo

institucional interna e a comunidade. A primeira representa o triunfo final do sistema burocrático do desempenho de papéis; a segunda, seu confinamento; e a terceira, sua transformação ou dissolução. Consideradas como um todo, essas soluções trazem de volta os problemas inter-relacionados da dominação e do valor. A subversão do sistema de classes e a democracia interna da instituição atendem ao problema da dominação. Uma é exigida pela outra; portanto, ambas devem ser alcançadas concomitantemente.

O Estado assistencialista corporativo é a sociedade cuja política é marcada pela relação, que descrevi, entre os problemas de classe, a democracia institucional interna e a comunidade. De modo mais particular, é a ordem cujo antagonismo característico deixou de ser o da classe contra o papel social ou, mesmo, do ideal de normas impessoais contra a experiência da dependência pessoal. Em vez disso, transformou-se no conflito entre as mesmas formas de dominação, pela classe ou mérito, e as reivindicações do ideal da comunidade. O problema do valor é o cerne do conflito. Tanto a autoridade moral de propósitos comuns, na comunidade, quanto o julgamento do que constitui dominação dependem da disponibilidade de uma alternativa ao princípio de valor subjetivo.

Sinais de mudança

Como possível fruto da burocracia, o marcante problema do Estado assistencialista corporativo atrai nossa atenção de várias maneiras ambíguas. Meus exemplos serão colhidos em duas áreas: a organização do trabalho na grande empresa e o direito. Algumas das experiências foram institucionalizadas; outras permanecem em projeto. Isto deve lembrar-nos de que o Estado assistencialista corporativo, bem como o tipo de consciência social à qual se acha intimamente associado, é mais que uma forma estabelecida de vida social.

Tomemos, primeiro, a situação das classes trabalhadoras. Uma questão familiar é a da transformação do próprio sistema de classe tradicional, através da importância que a capacidade e o conhecimento técnico assumem

Conhecimento e política

para o êxito econômico da atividade corporativa. O ideal do mérito torna-se, cada vez mais, o programa oficial das instituições burocráticas, e a abertura gradativa de oportunidades educacionais empresta-lhe um significado real, embora limitado.

Outro desenvolvimento característico é a luta do trabalhador pela participação, primeiro, no lucro e, depois, na gerência das empresas. Na medida em que a atenção dos trabalhadores, ou técnicos manuais, focaliza a distribuição do poder dentro da empresa, e não apenas a conquista de benefícios econômicos imediatos, apresenta-se o problema da democracia interna. E existe, ainda, a tendência da empresa a extravasar os moldes de uma unidade de produção e tornar-se, ao mesmo tempo, uma comunidade viva – uma comunidade que abrange muitos aspectos do trabalho e do lazer. As próprias empresas transformam-se, cada vez mais, em Estados com direitos próprios e sistemas internos de normas e mecanismos institucionais que apagam a demarcação clara entre a organização pública e a organização privada.

Essas modificações apresentam uma dupla face. São, por um lado, os instrumentos de uma sofisticada e incessante manipulação do trabalho. Reforçam a estabilidade da instituição burocrática e aumentam o controle exercido pelos diretores e pelas elites, aos quais estes pertencem. Nesse sentido não passam de uma simples perpetuação do Estado liberal. Mas podem, também, por outro lado, ajudar a criar as circunstâncias objetivas, nas quais os conflitos característicos da sociedade liberal podem ser substituídos pelos do Estado assistencialista corporativo. A instituição meritocrática é confrontada com a necessidade de justificar e limitar a distribuição do poder, através da democracia interna, e reagir, através do estabelecimento da comunidade, aos efeitos desintegradores da organização, segundo o desempenho de papéis. Assim, da mesma maneira indireta, não intencional e ambígua em que os cartéis, segundo Lênin, criam o socialismo dentro do capitalismo, a burocracia estabelece a comunidade no liberalismo.[32]

O desenvolvimento dos conceitos de justiça, no direito público e privado, fornece outra indicação da passagem da sociedade liberal para o Estado assistencialista corporativo. Na história das ideias de justiça do

O Estado de bem-estar dentro do capitalismo

pensamento liberal moderno, podemos distinguir dois estágios distintos, embora um quase incida sobre o outro. É possível seguir-lhe a pista na evolução dos critérios que regem o sistema de trocas no setor privado (justiça comutativa) e na dos que regulam a distribuição de benefícios pelo governo (justiça distributiva).

O primeiro estágio é o da justiça formal. Sua característica principal é a quase completa aceitação do princípio do valor subjetivo. Dada a individualidade e a subjetividade dos valores, não há critérios para a distribuição dos benefícios sociais. Disso duas consequências resultam: uma, para os critérios de justiça do sistema de trocas; a outra, para os critérios de justiça que possam resultar de atividades governamentais. A executoriedade dos contratos deve resultar de regras determinadas que possam ser formuladas e aplicadas independentemente de qualquer julgamento sobre a equivalência de suas realizações. A justiça comutativa segue nas pegadas da justiça distributiva e torna-se autônoma. O governo, por seu turno, deve aparentar neutralidade e confiar as decisões distributivas aos mecanismos, aparentemente automáticos, do sistema de preços. Tanto na esfera particular quanto na esfera pública, valor subjetivo significa valor de troca, e sua hegemonia é a hegemonia do mercado.

O segundo estágio diz respeito à justiça nas transações entre os indivíduos ou entre as instituições. Já não se assume que os resultados de transações do mercado sejam justos por definição. O processo de negociações entre indivíduos e instituições particulares deve atender, cada vez mais, a determinadas exigências. A principal delas é uma relativa igualdade de poder de barganha, na ausência da qual medidas corretivas devem ser tomadas. No direito contratual manifesta-se este estágio de justiça através de elaboração de princípios (*standards*) já existentes que controlam o processo de barganha e o emprego de coerção econômica.[33] No direito público, o enfoque deste critério de justiça oscila entre os indivíduos e as instituições e entre transações isoladas e permanentes relações de poder. O governo procura compensar as "deficiências" do mercado, em vez de promover uma redistribuição direta do poder, da riqueza e do acesso ao conhecimento. Realiza este objetivo

Conhecimento e política

encorajando o crescimento de algumas instituições (direito do trabalho) e limitando o escopo e o poder de outras (legislação antitruste).

Neste conceito de justiça há implicações contraditórias. Num sentido é uma tentativa de estabelecer, com maior segurança, as condições necessárias ao funcionamento do mercado e ao sistema de justiça formal. Noutro sentido, porém, leva, além da justiça formal, a um terceiro estágio de justiça substantiva. Na esfera particular, a este critério de justiça não fornece uma alternativa clara ao valor subjetivo, ou a um padrão para a limitação da autonomia privada. No setor público, não realiza o ideal burocrático da distribuição segundo o mérito.

O estágio da justiça substantiva é aquele no qual tanto as transações particulares quanto a promoção do bem-estar pelo governo são medidos por critérios de equivalência no sistema de troca ou, de mérito, na distribuição.[34] O interesse no controle do enriquecimento ilícito, na justificação da política de distribuição de rendas e na definição dos critérios de "interesse público" para o controle das agências administrativas avança todo na mesma direção. Os critérios de justiça substantiva sempre encontraram lugar no Estado liberal. Quanto maior, porém, a confiança que inspiram, tanto maior a urgência em romper com o princípio do valor subjetivo.

As exigências da modificação do sistema de classes e da institucionalização do papel social e do mérito tornam necessário desenvolver uma teoria jurídica da justiça substantiva. Mas esta teoria jurídica pressupõe uma solução para o problema do valor e também, por conseguinte, se meu argumento anterior for correto, para o desenvolvimento das comunidades de objetivos comuns. Tornam-se, assim, as questões fundamentais da justiça aquelas, também, do Estado assistencialista corporativo.

Significado da ordem social emergente

O conceito de uma ordem social emergente fornece-nos o quadro dentro do qual torna-se possível compreender as tendências, na organização jurídica e institucional da sociedade, às quais se refere a seção precedente. Qual é,

O Estado de bem-estar dentro do capitalismo

porém, o significado geral dessas tendências e dos tipos de organização social que elas exemplificam? Suponhamos que o conflito entre os princípios do papel e da comunidade sejam, realmente, solucionados pela subordinação do primeiro à segunda. Essa subordinação pode ocorrer de duas maneiras diversas; por isso que duas interpretações podem ser dadas ao ideal da comunidade.

Uma é a ideia de uma comunidade hierárquica ou fechada. Numa associação semelhante, os homens ocupam posições sociais determinadas; as relações de poder são santificadas por uma categoria particular de valores comuns e esses valores têm peso só porque representam os objetivos dos grupos particulares que os mantêm. Esse é o ideal do corporativismo conservador, que se assemelha à comunidade hierárquica estabelecida pelo princípio dos estamentos.[35] A alternativa é uma comunidade igualitária, ou aberta, na qual o exercício do poder é subordinado à condição de democracia interna. Os valores compartilhados de qualquer grupo são tratados como indicações do que é justo somente na medida em que a universalidade e a estabilidade com que são mantidos em outros grupos, e as circunstâncias democráticas em que foram elaborados, permitem-nos interpretá-los como expressões da natureza humana num determinado estágio de seu desenvolvimento. Grande parte dos próximos dois capítulos deste livro é dedicada a estabelecer os fundamentos metafísicos e as características institucionais do segundo conceito de comunidade.

A ordem social do Estado assistencialista corporativo não representa nenhum desses dois tipos de ideal comunitário. Ambos se acham contidos nela como possíveis respostas aos conflitos que gera. Encontra-se, aí, seu significado mais geral e os laços de sentido comum que a liga à consciência social emergente.

A escolha entre comunidade hierárquica e comunidade igualitária, ou entre dois conceitos correspondentes de valores compartilhados, é a contrapartida da dualidade na consciência emergente: imanência ou a síntese da imanência e da transcendência. A comunidade hierárquica, com sua santificação das relações de poder estabelecidas, e da ascendência de valores corporativos, atualiza a visão das relações sociais implícita numa religiosidade

Conhecimento e política

puramente imanente. Devemos, por conseguinte, deduzir que, onde quer que semelhante ideal comunitário vigore, será associado aos conceitos sobre a natureza e a situação social que caracteriza a religião da imanência. O ideal da comunidade igualitária, ou aberta, ilustra um ponto crucial do que estaria envolvido numa aliança dos aspectos imanentes e transcendentes da consciência religiosa. Na medida em que o Estado assistencialista corporativo estabelece condições objetivas para a realização de semelhante ideal, prepara o caminho para transformar a união da imanência e da transcendência numa forma de vida social.

O ESTADO SOCIALISTA

Em que diferem as sociedades socialistas do Estado assistencialista corporativo? Representam, elas, uma alternativa ao liberalismo? Mesmo sem respondermos diretamente a essas perguntas e sem apresentarmos uma teoria do socialismo, é possível apreendermos certos relacionamentos entre os problemas do Estado assistencialista corporativo e os das sociedades socialistas.

Uma das fontes da doutrina socialista foi o estágio da consciência romântica, que se desenvolveu sob o liberalismo e prefigurou a consciência emergente do Estado assistencialista corporativo. A teoria socialista e, particularmente, a teoria marxista são repletas de temas de ataque ao instrumentalismo, ao individualismo e à visão liberal das posições sociais. Além disso, apresentou sempre o mesmo dualismo básico de significado, identificado, no meu estudo, com a consciência emergente. Assim, na medida em que a tradição teórica do socialismo descreve uma mentalidade presente, ou mesmo dominante, nas sociedades socialistas, seus problemas fundamentais são aqueles levantados pela natureza da consciência no Estado assistencialista corporativo.

As consequências do socialismo para a organização institucional são similares. A socialização da economia pode apressar, drasticamente, a subordinação do sistema de classes ao do papel social. Com isso, os problemas da democracia interna e da comunidade tornam-se ainda mais agudos.

O Estado de bem-estar dentro do capitalismo

As diretrizes do socialismo caracterizam-se por dois conflitos fundamentais: um é o contraste entre as necessidades políticas e econômicas da sociedade; o outro é a luta, ainda mais básica, entre as reivindicações da organização baseada no desempenho de papéis e as da comunidade. Ambos os conflitos são endêmicos no Estado assistencialista corporativo, mas, sob o socialismo, adquirem maior impacto. A subversão do sistema de classe estabelece a prevalência do princípio do papel social que cada um deve desempenhar e da instituição burocrática, ao mesmo tempo em que a doutrina oficial empresta excepcional autoridade ao ideal de comunidade.

A democracia institucional requer um grau significativo de autonomia institucional, e isso implica limitações às pretensões do planejamento central. Sem processos democráticos internos que determinem o caráter e os objetivos do trabalho, a experiência de dependência pessoal torna-se penetrante. A institucionalização de padrões de mérito só pode acrescentar outra forma de dominação, e não abolir a própria dominação.

Além do problema da democracia institucional, existe o problema mais amplo da comunidade. A alternativa é clara: ou a instituição socialista transforma-se numa comunidade, para a formulação democrática de objetivos comuns, ou permanece uma burocracia, governada pela divisão meritocrática do trabalho. Até que a primeira seja alcançada, não há uma base autêntica para a legitimação do poder. As normas serão empregadas para limitar o exercício do poder e a sociedade socialista será forçada a optar, a cada passo, entre o despotismo e o legalismo. Além disso, a não ser que a reconstrução comunitária das burocracias socialistas seja acompanhada por um contínuo aperfeiçoamento de sua democracia interna, a comunidade criada será uma comunidade fechada e hierárquica. Os valores comuns nos quais ela se baseia não passarão dos preconceitos de facção ou de um momento.

Assim sendo, a importância do socialismo para meu argumento depende da intensidade com a qual os problemas discutidos nas duas seções precedentes serão apresentados. Na sociedade socialista podemos ver, clara e plenamente, o que ainda permanece parcial e obscuro no Estado assistencialista corporativo.

Conhecimento e política

RUMO A UMA CONCLUSÃO

Agora que a investigação histórica terminou, reconsideremos, por um momento, seu duplo objetivo: compreender a forma de vida social de que o pensamento liberal é uma representação teórica e encontrar, na própria experiência, uma base para a revisão da teoria.

O pensamento liberal afirma a verdade de uma situação social cujos aspectos mais profundos seus princípios descrevem através de um véu. Suas antinomias levam os conflitos da sociedade ao território da filosofia. A unidade de sua doutrina deve, em última análise, ser vista como parte de uma unidade mais geral de significado, na reflexão e na existência quotidiana, que nenhum criticismo metafísico, e nenhuma análise lógica ou explicação causal, pode justificar plenamente. Quando essa forma de vida torna-se transparente, já se acha num processo de dissolução.

A teoria do Estado assistencialista corporativo sugere uma possível reorientação. O pensamento liberal é a contrapartida filosófica de um ideal secularizado de transcendência. Uma doutrina antitética ao liberalismo representaria o ideal de imanência. Poderia a marca de uma verdadeira filosofia consistir na sua capacidade de fornecer uma interpretação da união da imanência e da transcendência e na conquista de uma comunidade igualitária? Para essa questão, de alta importância, a história não fornece uma resposta. Não pode definir o conteúdo dos ideais em jogo nem estabelecer seu mérito. Devemos, por conseguinte, continuar a filosofar.

CAPÍTULO 5
A TEORIA DO EU

INTRODUÇÃO

Neste capítulo, defino uma teoria metafísica do eu. É objetivo desta teoria descrever a relação entre certos aspectos da natureza humana e preparar o terreno para a definição de um ideal social.

Uma teoria do eu é necessária para a solução dos principais problemas apresentados pelo argumento deste ensaio. Tal doutrina abre uma clareira onde podemos começar a construir uma alternativa à teoria liberal e uma solução de suas antinomias. Esclarece, ao mesmo tempo, o significado duplo do Estado assistencialista corporativo. Finalmente, o estudo das condições políticas, para a conquista de um ideal social, torna possível unirmos os elementos metafísicos e os elementos históricos deste ensaio. Abrir-se-á, assim, o caminho para o exame, no próximo capítulo, da conexão entre o ideal social e as circunstâncias do Estado moderno.

O argumento tem início com um conceito do alcance e do método de uma teoria da natureza humana. Discute, a seguir, certos atributos comuns da humanidade que ocupam um lugar central nas nossas ideias sobre personalidade e sociedade. Infere-se desses atributos uma visão mais geral da relação entre o eu e o mundo.

Que o leitor contenha seu desprezo se, por vezes, neste e em outros trechos do ensaio abandonarmos a vã sobriedade que aprendemos a encontrar num

Conhecimento e política

argumento filosófico. Lembremo-nos de que todos os homens, por mais modestas que sejam suas contribuições, merecem a resposta dada por Rousseau aos detratores do seu entusiasmo: "Quando Arquimedes correu, nu, pelas ruas de Siracusa, para proclamar suas descobertas, o que ele disse não se tornou menos verdadeiro pela maneira como foi dito".[1]

O CONCEITO DE UMA TEORIA DO EU

A ideia do eu

A doutrina liberal não fornece uma visão coerente do conhecimento, da personalidade e da sociedade, falha esta evidenciada pelas antinomias. Não podemos solucionar essas antinomias colocando a metafísica liberal de cabeça para baixo. Tal procedimento levaria a conclusões absurdas e forneceria uma imagem falsa da relação entre a teoria e a história. Onde podemos, então, encontrar um terreno firme sobre o qual estabelecer uma categoria alternativa de princípios, preenchendo a tarefa do criticismo total?

O estudo das várias formas de vida social apresentou-nos outra charada. Sejam eles observados do ponto de vista da ordem ou da consciência, tanto o Estado assistencialista corporativo quanto o Estado socialista parecem possuir uma natureza dupla. Que faremos dessa dualidade e de que modo poderíamos resolvê-la?

De início, não parece haver ligação entre essas duas perguntas. Uma tem a ver com as derrotas e os triunfos da razão especulativa; a outra, com a compreensão e o julgamento de uma circunstância política. A despeito disso, são essas questões cabeças gêmeas de uma mesma esfinge. A possível síntese da imanência e da transcendência, e a atualização de um ideal de comunidade não hierárquica na vida social, sugere uma perspectiva a partir da qual talvez seja possível reconstruir-se o pensamento liberal. Mas a crença em que essas possibilidades representem um passo à frente, em experiência, e uma oportunidade de progresso para o pensamento pressupõe um certo ideal de personalidade e sociedade; não pode, ela própria, servir de fundamento para

A teoria do eu

semelhante ideal. Assim como nos lançamos da metafísica para a história, somos levados a atravessar novamente a fronteira de volta à metafísica.

A crítica ao pensamento liberal já implica uma ideia de personalidade e de comunidade. O conceito de ser uma pessoa inclui sempre um reconhecimento da relação entre pessoas. A visão da sociedade depende sempre da interpretação da natureza dos indivíduos. Como as ideias sobre personalidade e sociedade estão contidas uma na outra, é impossível chegar-se a uma compreensão coerente e completa de cada uma delas referindo-se à outra. Tentar isso seria como ficarmos de pé entre dois espelhos embaçados; cada um dos quais devolveria a mesma imagem, de encontro à outra, inúmeras vezes, sem, com isso, permitir ao observador discernir melhor seus contornos.

A origem comum das ideias sobre a personalidade e a sociedade é uma determinada noção do que os homens são na sua relação com a natureza, com os outros e com eles próprios. Quando pensamos nessa noção qualitativamente, chamamo-la de natureza humana ou humanidade. Quando nos referimos a ela, enquanto substância, ou sujeito cujas características anunciamos, podemos chamá-la de eu. O eu é a pessoa individual. Mas, na medida em que os indivíduos possuem atributos comuns, inclusive uma relação similar com a espécie, o eu é a personificação da humanidade. Essa personificação de toda a raça humana num indivíduo terminará por significar, ao mesmo tempo, mais e menos que uma semelhança básica e imutável entre os homens.

Questões decisivas

Na tradição de nossa cultura, três tópicos dominaram o estudo da natureza humana. O primeiro é o problema de conexão entre a natureza humana e a história. O segundo é a escolha entre a visão essencialista e a visão relacional da humanidade. O terceiro é a questão do lugar que o indivíduo ocupa na espécie. Uma teoria do eu pode ser definida pela posição que toma frente a essas três questões.

Uma das doutrinas fundamentais da antiga filosofia política foi a crença na existência de uma única natureza humana, comum a todos os homens,

Conhecimento e política

independentemente da sociedade a que tenham pertencido, ou da época em que tenham vivido. A humanidade estaria, assim, condenada a mover-se sempre dentro do círculo de ferro de suas virtudes e de seus vícios. Alguns regimes políticos, contudo, seriam preferíveis a outros, por terem melhores condições de suprimir o lado mau da natureza humana e aproveitar suas capacidades benéficas. Atualmente, essa teoria clássica sofreu uma espécie de revivescência com a busca de "estruturas" ocultas e universais da mente.

Em geral, porém, a teoria social moderna avançou na direção oposta. Cada maneira de ser humano é inseparável de uma forma particular de vida social, de modo que a própria noção de uma natureza humana unitária dissolve-se, ao ser tocada pela varinha mágica da história.

Nem o conceito a-histórico nem o historicista parecem satisfatórios. O primeiro desfaz-se em face do nosso conhecimento das inúmeras modalidades de existência humana. O que é constante e universal no homem pode ser, frequentemente, o que, nele, é menos importante.[2] A alegação de que a natureza humana é independente da história tem impressionantes implicações políticas: as limitações da natureza do homem restringem o poder de sua luta por transformar a própria experiência. Assim, quaisquer que sejam as intenções dos que a propõem, a doutrina a-histórica tende, invariavelmente, a tornar-se um instrumento da santificação da atualidade.

Por outro lado, o ponto de vista historicista, levado ao extremo, priva-nos de um critério através do qual possamos comparar formas de vida social e responder às questões discutidas neste ensaio. Na medida em que é associado a uma crença relativista no igual valor de todas as culturas, ele nos leva de volta ao princípio do valor subjetivo e ao sistema de pensamento do qual este princípio é parte. Na medida em que confia no caráter progressivo da história, coloca o indivíduo a serviço de um ideal futuro, que ele é incapaz de realizar na sua própria vida.

O conflito entre a posição a-histórica e a historicista associa-se vagamente ao dilema entre a visão essencialista e a visão relacional da natureza humana. O essencialismo é a tese segundo a qual, pelo menos em determinados momentos, cada indivíduo e a humanidade como um todo possuem um

A teoria do eu

modo profundo de ser que os identifica como sendo aquilo que são. Atributos podem ser acrescentados ou suprimidos, em torno deste cerne, sem que destruam a base da identidade do indivíduo ou da espécie. O relacionalismo, por contraste, afirma que o homem consiste numa categoria de relações com os seres ou as situações existentes no mundo. O essencialismo é, geralmente, aliado à visão a-histórica e o relacionalismo à visão historicista. Mas esse não é, necessariamente, o caso: o núcleo da humanidade pode ser concebido em desenvolvimento no curso da história, e as relações que definem o indivíduo ou a espécie podem ser consideradas sobrepostas ao tempo.

A teoria essencialista força-nos a aceitar a doutrina clássica das essências inteligíveis a todas as ideias insustentáveis sobre a mente e a sociedade que esta doutrina implica. A visão relacional desafia nossa capacidade de identificar os indivíduos ou a humanidade. Por isso que tudo, em última análise, é ligado a todas as coisas; não haveria como situar as fronteiras do indivíduo ou a natureza da espécie. O relacionalismo é especialmente perigoso como expressão filosófica da primazia do papel social na sociedade moderna; cada pessoa torna-se a mera interseção insubstancial dos vários papéis sociais que ela desempenha, sendo-lhe, assim, negada a tranquila posse de si mesma.

O terceiro dilema opõe uma visão que transforma o indivíduo num simples exemplo da espécie à outra que reduz a espécie à condição de uma categoria de classificação. A primeira afirma a primazia da natureza da espécie; a segunda, a das naturezas individuais. A visão orientada segundo a espécie acompanha, habitualmente, as doutrinas essencialista e a-histórica devido a sua necessidade de atribuir ao conceito da espécie a existência de um cerne imutável que pode sobreviver às variações entre indivíduos e sociedade. O conceito individualista adapta-se mais facilmente às teorias relacionais e historicistas, devido ao seu compromisso de buscar sempre a essência da humanidade nas experiências singulares e passageiras dos indivíduos.

A confiança exclusiva no conceito da espécie não explica o sentido subjetivo de individualidade e dissolve as partes no todo. A tese individualista não explica o significado das similitudes entre indivíduos e torna o todo uma simples soma de suas partes.

Conhecimento e política

Uma teoria adequada do eu seria aquela que evitasse, de algum modo, as falhas tanto da abordagem a-histórica como da historicista, tanto da essencialista como da relacional, tanto da que se orienta pelas espécies como da individualista. O instrumento através do qual isso pode ser realizado é a doutrina dos universais e dos particulares sugerida pela crítica ao pensamento liberal. Se tomarmos a natureza humana como universal e suas manifestações, sob a forma de vida social e personalidades individuais, como particulares, podemos declarar que a natureza humana não é nem uma entidade ideal que subsiste por si mesma, nem uma simples coleção de pessoas e culturas. Em vez disso, é um universal que existe através de suas incorporações particulares, movimenta-se, sempre, além de qualquer delas e transforma-se através de suas sequências. Cada pessoa e cada forma de vida social representa uma nova interpretação da humanidade, e cada nova interpretação transforma o que a humanidade é.

A consequência desta concepção para o problema da natureza e da história da humanidade é permitir-nos afirmar a existência de uma natureza humana unitária, embora neguemos que esta natureza exista além da história. Sua realidade e sua unidade são consistentes com sua capacidade de transformação e com o caráter peculiar de cada uma de suas manifestações.

A implicação desta tese para a opção entre essencialismo e relacionalismo é fornecer-nos uma linguagem através da qual possamos reconhecer que uma pessoa é o produto de suas relações e afirmar que ela possui ao mesmo tempo uma identidade peculiar. A natureza humana universal consiste numa categoria de enigmas que os homens confrontam nas suas relações com a natureza, com os outros e com eles próprios. É a universalidade de uma condição, e não de uma substância. Mas cada representação particular deste predicamento, numa vida individual, possui uma totalidade orgânica e peso próprio – o peso e a totalidade do particular em face do universal que ele corporifica.

A doutrina dos universais e dos particulares mostra, também, uma maneira de considerarmos o relacionamento entre as espécies e o indivíduo, sem reduzirmos a natureza humana nem a um caráter monolítico de espécie, nem

A teoria do eu

a um agregado de personalidades individuais. A natureza da espécie, como universal, adquire um aspecto diferente em cada pessoa. As capacidades do homem acham-se dispersas entre os indivíduos, mas cada um deles participa das múltiplas facetas da raça humana. Assim, o conhecimento do indivíduo pressupõe o conhecimento de sua localização na espécie. Falar no eu é falar tanto da humanidade quanto dos homens individuais.

Método de exposição e prova

Os três cenários da vida são o relacionamento do homem com a natureza, com seus semelhantes, com seu trabalho e sua posição. Em cada um deles um indivíduo enfrenta certos problemas recorrentes que advêm de seus conflitos entre as exigências básicas da natureza, dos outros e dele próprio. O que os torna básicos é o fato de que são pressupostos por todas as outras tendências da conduta humana; definem o significado da humanidade. São as características ou atributos do eu. Podem existir variações do grau em que são afirmados ou satisfeitos, mas nenhum será esquecido por muito tempo.

É possível identificar essas exigências fundamentais através da reflexão sobre algumas das ideias comuns que mantemos acerca da natureza humana. A dificuldade está em reconhecermos o que estas ideias significam quando reunidas, e não o que cada qual significa sozinha. Quando se elaboram suas implicações e se compreendem suas conexões, produzem uma percepção estranha à doutrina liberal e capaz de substituí-la.

As características do eu são, a um só tempo, fatos e valores, e a doutrina que as retrata é, simultaneamente, descritiva e avaliadora. A avaliação e a descrição encontram-se no ponto em que se define a natureza humana. Talvez nada pudesse ser dito a um homem que desejasse ser um centauro. O discurso moral pressupõe sempre a aceitação da humanidade e a autoridade da luta para ser e se tornar cada vez mais humano. Aquele que reconheceu até que ponto a divisão entre o fato e o valor depende das premissas liberais esperará esse resultado como consequência da crítica e abraçá-lo-á como prêmio por sua paciência.

Conhecimento e política

A doutrina do eu responde a duas interrogações: uma, histórica; a outra, metafísica. Para cada uma dessas duas espécies de questionamento existe um tipo de justificação correspondente.

Por conseguinte, um critério para a escolha de uma teoria do eu é histórico: permite-nos, essa teoria, esclarecer o sentido das tendências antagonistas que descobrimos dentro do Estado assistencialista corporativo e do Estado socialista? Mais particularmente, poderá ela explicar o vaivém da imanência e da transcendência nas formas dominantes de consciência social e nos tipos equivalentes de ordem social? Como a antinomia da teoria e do fato permanece insolúvel, precisamos reconhecer tanto o fato de que a teoria que mantemos dá forma à nossa interpretação da história quanto o fato de que o assunto em pauta pode ser examinado, independentemente da teoria, de modo a estabelecer o que há de verdadeiro ou o que há de falso nas nossas ideias.

O segundo critério de preferência para o estabelecimento de uma teoria do eu é metafísico e moral. É um apelo a nossos julgamentos diários, tácitos e explícitos sobre o que os homens são e o que eles deveriam ser. De fato, nosso modo atual de agir e de falar inclui uma visão da humanidade mais completa do que aquela que é permitida pelas premissas liberais. Mas raramente mantemos essa visão diante de nossos olhos a um só golpe de vista, quer porque nossa atenção é atraída para seus detalhes, quer porque seu traçado é obscurecido pela influência dos princípios liberais.

Existe uma dificuldade em pormos em prática nossas intuições morais que é a contrapartida exata do problema que enfrentamos ao usarmos a história como justificativa. A dificuldade consiste no contraste entre o desejo de rejeitarmos alguns julgamentos sobre o caráter da humanidade como errados e o desejo de empregarmos outros para corroborar o ponto de vista que proponho. Como traçar o limite entre as intuições corretas e as falsas, a não ser por referência à própria teoria que essas intuições, supostamente, apoiam?

O pensamento especulativo desenvolve-se através da crítica a ideias e práticas atuais. No entanto, na ausência de uma verdade moral revelada, ou de um valor objetivo, a única base decisiva para a definição de um ideal é a própria experiência. A teoria normativa há de vigorar ou fracassar, em última

A teoria do eu

análise, segundo sua capacidade de conquistar nossa aquiescência bem meditada. Ela a conquistará à medida que compreendermos as implicações dos nossos conhecimentos morais já adquiridos e formos capazes de refinar ou reexaminar estes conhecimentos à luz dessa compreensão.

A crítica teórica a ideais estabelecidos e a exposição teórica de novos ideais levam sempre de um nível de experiência para outro mais básico. Essa passagem é a solução provisória para este dilema. Consideram-se básicos os julgamentos cujo abandono tenham consequências que nos parecem absurdas; julgamentos que, mais dificilmente do que outros, se deixariam suprimir por doutrinas e formas de consciência que lhes fossem hostis. Nenhum sistema de pensamento, por mais poderoso, pode subjugar inteiramente o espírito de seus adeptos. Porque, liberais ou não, somos homens, possuímos um conhecimento de nossa humanidade que a doutrina liberal não pode exaurir. Olhemos para dentro de nós mesmos e cada um poderá medir, por sua própria experiência, a verdade ou a falsidade deste argumento.

É provável que os apelos à história e a uma autocompreensão crítica sejam insuficientes para demonstrar a verdade ou o erro de qualquer conceito do eu. A experiência histórica abre-se a várias interpretações; a voz das intuições é discordante. Dois outros aspectos da situação podem ajudar-nos a enfrentar essas dúvidas. Primeiro, é possível que o número de alternativas plausíveis em tudo o que se tem dito sobre a natureza humana e sua relação com a história seja, na verdade, rigorosamente limitado. Segundo, quando se esgota nossa capacidade de determinar quais desses pontos de vista são verdadeiros, o fracasso pode indicar algo mais que as limitações transitórias de nosso conhecimento. Pode sugerir que a natureza humana, tal como ela existe agora, contém, em si, diversas possibilidades e é capaz de avançar em diversas direções.

Nesta circunstância, um dos critérios para escolher entre as várias doutrinas sobre a natureza humana é o nosso interesse moral. Não somos indiferentes quanto a qual delas será, de fato, a mais verdadeira. Nossa escolha de um determinado ponto de vista e o compromisso que assumirmos de agir de acordo com seus preceitos afetarão as circunstâncias que ele relata. É neste sentido que qualquer doutrina metafísica ou social tem algo de profético e torna-se parte da história que procura narrar. O reconhecimento manifesto de um interesse moral coloca outro problema circular para qualquer teoria do eu: o interesse moral que contribui para a justificação da doutrina deve, por fim, ser justificado pela própria doutrina. A única saída deste círculo está em aceitar a noção de que a teoria da natureza humana deve ser construída a partir de uma visão moral que a precede, em parte, mas que é, constantemente, refinada, transformada e reivindicada através do desenvolvimento desta mesma teoria.

Estou certo de que não há nada de novo na doutrina que passarei a delinear. Ela é antiga e seus elementos são conhecidos, embora possam parecer estranhos uma vez reunidos. Pode ser considerada como a teoria clássica da natureza humana. Todos os grandes pensadores da Europa contribuíram para seu desenvolvimento, porque é a expressão teórica de uma visão mais básica da humanidade que nenhuma teoria conseguiu, até hoje, destruir. O impulso de seus ensinamentos tem sido tão ininterrupto, que mesmo os simpatizantes da metafísica liberal contribuíram para seu progresso, a despeito de seus próprios princípios. É necessário apenas apreendermos as implicações do que já conhecemos.[3] Não tentarei formular esta doutrina de modo que a formulação esteja à altura do que, sobre ela, já possuímos, mas talvez minha versão compense, pela sua simplicidade, o que lhe possa faltar em riqueza e profundidade.

O EU E A NATUREZA

O homem difere de todos os outros animais porque vê sua própria colocação no mundo não só como fatalidade mas também como enigma. Ele permanece separado do mundo, num sentido objetivo, porque sua conduta é indeterminada e, num sentido subjetivo, porque é consciente. A indeterminação e a consciência são os primeiros dois atributos do eu.

Por indeterminação quero referir-me simplesmente ao poder limitado que os instintos exercem sobre a atividade humana. O conceito do instinto é

A teoria do eu

uma maneira resumida de descrever as orientações uniformes que são compartilhadas por todos os membros de uma espécie e transmitidas não tanto cultural mas, sim, geneticamente. Os instintos funcionam uniformemente e de maneira irrefletida, com a mesma cega e irresistível necessidade que faz com que as ondas do mar batam de encontro aos rochedos da costa.

Na espécie humana, contudo, existe uma brecha entre as exigências dos instintos e as possíveis formas de organização social. Muitos aspectos da conduta ou não são universais ou não são geneticamente transmitidos; na verdade, a maior parte deles pode não ser nem uma coisa nem outra. Por esse motivo, o relacionamento do homem com o mundo cultural não é preordenado. Por conseguinte, ele não é totalmente um ser natural.

A ideia da indeterminação do eu não pressupõe qualquer julgamento sobre as limitações de uma explicação causal da conduta humana. Restringe, simplesmente, a influência de uma categoria específica de determinantes causais. Ela nos força, por isso, a descrever o que preenche a brecha deixada pela limitação do instinto.

O aspecto subjetivo da separação entre o eu e o mundo é o reverso da indeterminação. Como o relacionamento do homem com a natureza não acontece de uma vez e para sempre, representa sempre um problema a ser resolvido. A capacidade de nos sentirmos perplexos, devido a qualquer aspecto de nossa situação no mundo, de concebermos o que isso representa para nós e de nos deixarmos orientar por estes conceitos é o que chamamos de consciência. A consciência, isto é, a capacidade de refletirmos sobre a existência, é o segundo atributo do eu. A consciência é de tal modo fundamental para todos os aspectos da atividade humana, que ela cria um domínio do ser, o domínio da mente discutido no Capítulo 3, o que requer um método peculiar de estudo. Para compreendermos uma determinada ação, no seu sentido peculiarmente social, precisamos apreender as crenças e os ideais de seus autores.

Incontestavelmente, a diferença entre o que é consciente e o que é instintivo está longe de ser absoluta. Por um lado, a consciência invade o domínio da natureza. Cada aspecto da existência, mesmo quando mantém sua

Conhecimento e política

universalidade e perpetua-se geneticamente, deve ser mediado pela mente. Deste modo, os próprios instintos tornam-se, num sentido, indeterminados e só recebem uma forma definida de expressão e satisfação através da ordem social. Por outro lado, podem existir aspectos universais de conduta que, embora mais sociais que instintivos, não são produtos de reflexão. São o conteúdo do inconsciente.

Os conceitos do inconsciente e da determinação social do instinto iluminam a relação da cultura com a natureza, mas não modificam o caráter fundamental da consciência. O estar consciente é sofrer a experiência de separação daquilo sobre que refletimos: é ser sujeito indo de encontro ao seu objeto.[4] Um pré-requisito da distinção entre sujeito e objeto é o fato de o sujeito ser capaz de definir seu relacionamento com o objeto como uma indagação a que se podem dar diferentes respostas.

O sentimento subjetivo de separação, que define a consciência, não deve ser interpretado como uma diferença objetiva de identidade. Se um homem é influenciado por forças ou pessoas de cuja influência não possui uma compreensão reflexiva, ele não é consciente de seu relacionamento com elas, embora elas se encontrem objetivamente separadas dele. A ligação existente entre o sujeito e o objeto nunca pode ser reduzida a um elo de determinação causal. Inversamente, o objeto pode ser diferente do sujeito, embora sejam objetivamente idênticos. É o que sucede na autorreflexão. O homem toma sua própria pessoa como objeto de seu pensamento. A premissa da autorreflexão é a de que uma pessoa é capaz de dividir, a si mesma, em sujeito e objeto, de modo que a relação entre um e outro se torne perturbadora, muito embora, para uma terceira pessoa, o sujeito e o objeto sejam os mesmos. A capacidade que uma pessoa tem de se afastar de si mesma é a base do que descreverei, mais tarde, como diferença entre o ser abstrato e o ser concreto.

O antigo conceito da filosofia como a mais elevada atividade humana era um reconhecimento da importância da consciência em relação a outros atributos da humanidade. O filósofo, de acordo com esse conceito, possui claramente o dom de fazer da fatalidade um enigma, transformando as relações

A teoria do eu

de força em relações de sujeito e objeto. Deste modo, torna completo e explícito o que se acha apenas vagamente presente na vida de seus semelhantes. Seu mérito exemplar consiste na capacidade de libertar a qualidade da consciência, que compartilha com todos os outros homens, das atribuições e dos preconceitos que limitam seu alcance na maioria das vidas humanas.[5]

A consciência é, portanto, o que marca a distância entre o homem e o mundo. Se pudéssemos imaginar essa separação da natureza na sua pura forma, antes que ela fosse contrabalançada pelos efeitos da atividade humana, o seu indício seria a experiência de terror diante da estranheza do mundo. E porque esse terror é a marca desta separação entre o eu e a natureza, em que a própria consciência se baseia, ele nunca foi completamente expulso da vida consciente. Pelo contrário, a força do elo social, a aceitação de quase qualquer forma de degradação e escravização nas mãos da sociedade, deve-se, em grande parte, à necessidade que os homens têm de pertencer ao mundo social, no qual não prevalece a solidão de uma natureza pré-humana.

O terror da separação corresponde exatamente ao predicamento do conhecimento descrito pela antinomia entre teoria e fato e pelo contraste, que a realça, entre o universal formal e o particular substantivo. Nas ciências da natureza, o conhecimento progride na medida em que se vai tornando cada vez mais formal. A substância das coisas, a aparência rica e concreta com que elas atingem nossos sentidos, é deixada à percepção pré-científica. Assim, quanto maior a perfeição da ciência, tanto mais estreita se torna sua parcialidade.

O conhecimento é perfeito quando atinge o pleno desenvolvimento daquilo que seu método torna possível, e é completo quando não deixa inexplicado nenhum aspecto do fenômeno que estuda. As ciências naturais não podem nunca aliar a perfeição à concretude ou à plenitude na compreensão da natureza. Haverá sempre um conhecimento mais concreto da natureza deixado à arte ou às impressões comuns. Por isso, o desenvolvimento da ciência aumenta, ao invés de diminuir, o que há de estranho no mundo natural. Isso resulta do fato de abstrair dos aspectos particulares da experiência só o que é suscetível de uma explicação cada vez mais universal e de abandonar o resto ao domínio do contingente e do inescrutável. Faz com que desfile

Conhecimento e política

diante da mente um vasto arsenal de formas das quais se apaga a particularidade da experiência.[6]

Existe um segundo tipo de conhecimento através do qual conhecemos não só perfeita, mas também completamente, por que o objeto desse conhecimento é forma pura, e este objeto é construído pelo próprio sujeito. Tal é a natureza de nosso conhecimento das verdades geométricas, matemáticas ou lógicas. Observei, anteriormente, que cada exemplo particular de um círculo define-se inteiramente pela ideia geométrica de um círculo. Não há, por conseguinte, nada a ser sabido sobre qualquer círculo específico, exceto a dimensão de seu raio, que não seja parte do teorema de sua construção.

O conhecimento do geômetra é completo e, também, perfeito, apenas porque, diversamente dos fenômenos da natureza, a matéria estudada não possui particularidade nem substância.

Sendo ideias, e relações entre ideias, os objetos da geometria, da matemática e da lógica podem sempre imaginar-se como construídos pela mente teórica, mesmo ao se pensar neles como verdades preexistentes, que a mente descobriu. A razão disso é o fato de que lhes falta o aspecto de substância, que distingue os fenômenos naturais. O problema do universal e do particular não se apresenta neste campo porque, nele, não existem particulares. Por isso, não tratamos os objetos da geometria como parte da natureza, e a maneira completa pela qual os compreendemos em nada contribui para diminuir a estranheza do mundo natural.

Indeterminado, porque é consciente, e consciente, porque é indeterminado, o eu é separado do mundo e sobretudo do mundo natural que o cerca. O indício moral dessa separação é o desconcerto em face de tudo o que, na natureza, é estranho às preocupações humanas e incomensurável para as medidas do homem. O sinal cognitivo dessa separação é a inevitável e radical imperfeição de nosso conhecimento da natureza.

Por isso que o homem não possui um lugar predeterminado na natureza, necessita situar-se, ele próprio, nela. Ao fazê-lo, não se satisfaz em tratar o mundo natural como a fonte dos meios necessários para alcançar seus objetivos. Quer considerar-se como alguém que pertence à ordem natural de que

A teoria do eu

foi expulso através do dom da consciência. A sensação de ser parte da totalidade da natureza é tão profundamente enraizada no ser humano quanto a experiência de sentir-se separado dela. Essa participação no todo não é dada; deve ser conquistada.

Assim, todas as atividades humanas possuem um duplo aspecto. Por um lado, elas reconhecem e perpetuam a barreira entre o eu consciente e o mundo natural, que é a condição da subjetividade. Por outro lado, procuram transpor a brecha. As características do eu, que exemplificam essa luta por tornar-se parte do grande todo, são tão básicas e universais quanto as que buscam a autonomia da parte diante do todo.

Quando a tentativa de reconciliar o eu e a natureza é considerada subjetivamente, do ponto de vista do ser atuante, assume a forma da tendência de todas as condutas que visam transformar o mundo de acordo com os objetivos humanos. Essa tendência pode ser considerada o caráter prático do eu. Quando a mesma reconciliação com a natureza é considerada objetivamente, do ponto de vista de seus efeitos sobre o mundo, aparece como a tendência, no trabalho, à criação de objetos que sobrevivam ao trabalhador e se tornem parte do mundo.[7] Esta é a qualidade objetiva do eu. A praticabilidade e a objetividade, como a consciência e a indeterminação, são o reverso um do outro.

Toda a ação humana pretende transformar o mundo, e o transforma, na verdade, mesmo quando a modificação realizada pouco tem a ver com aquela que se visava realizar. Devido à indeterminação e à consciência do eu, o mundo, para o homem, ainda não está totalmente formado e cada um de seus atos leva um pouco mais adiante essa formação.

A fim de pôr à prova a afirmação de que toda conduta é prática, deveríamos considerar a questão do que há de prático no conhecimento, porque o conhecimento pareceria, por definição, não se coadunar com essa tese. O fato de ser o conhecimento prático por sua própria natureza já foi abordado na discussão sobre a consciência. Devido à impossibilidade de distinguirmos claramente entre a situação objetiva do eu e sua própria compreensão deste fato, toda compreensão modifica o mundo que ela representa.

Conhecimento e política

O caráter prático do conhecimento é mais que um assunto empírico. É parte do significado da relação entre o sujeito e o objeto. Para conseguir a separação do objeto, que a consciência requer, o sujeito deve ser capaz de tratar o objeto como algo que se acha subordinado à sua vontade. Não pode ser apenas uma força agindo sobre o sujeito: deve tornar-se algo que pode permanecer a distância e capaz de ser submetido a uma investigação que revelará suas possibilidades e limitações, estabelecendo sua relação com o sujeito.

A capacidade do sujeito de estabelecer sua relação com o objeto é ambígua. Por um lado, significa a descoberta de uma coisa que já se acha presente. Mas, por outro lado, a própria descoberta modifica o que foi descoberto, como se demonstrará pelo duplo argumento que se segue. Primeiro, a não ser que estejamos dispostos a aceitar a doutrina das essências inteligíveis e todas as suas consequências, precisamos definir cada coisa segundo suas relações com tudo mais. Segundo, para o sujeito não pode haver uma clara distinção entre o caráter objetivo dessas relações e seu significado para ele. A ideia de descrevermos uma relação "por si só", independentemente do sentido que possua para o sujeito, é sem sentido, porque essa ideia pressupõe a possibilidade de escaparmos da condição de uma existência subjetiva. Um ser cujo conhecimento do mundo penetrasse no que as coisas são "em si mesmas" seria Deus.[8]

O que se deduz do meu argumento é que o conhecimento modifica o objeto ao colocá-lo na posição subordinada que é própria ao objeto. Quando, portanto, o objeto é outro homem, toda a afirmação de conhecê-lo, por parte do sujeito, envolve uma luta pelo poder. Não há situação na vida em que os indivíduos não tenham e demonstrem o desejo de permanecerem ignorados, juntamente com o desejo de se tornarem conhecidos. Os homens querem assemelhar-se ao Deus que é visto vagamente através de um vitral – nunca face a face.

Um indivíduo para o qual o conhecimento fosse apenas contemplativo, e não incluísse a tentativa de transformar e subordinar o objeto conhecido, poderia sofrer, no mundo, e encantar-se com ele, mas não conhecê-lo realmente. O conhecimento implica consciência, a consciência na separação

A teoria do eu

entre ele e o objeto conhecido, e a separação do objeto na necessidade de definir e construir uma relação com ele, o que não acontece espontaneamente. Por esse motivo, todas as teorias que negam o caráter prático da conduta consciente e tratam o conhecimento como uma contemplação passiva resultam em misticismo, a negação da independência do conhecedor, para com o que é conhecido, e do ser individual, para com o todo de que é parte.

Os mesmos argumentos demonstram que a ação transforma tanto o agente quanto o mundo; o conhecimento modifica o sujeito e o objeto. Essa qualidade reativa da conduta é outra implicação de sua praticabilidade. Como tudo mais, o eu define-se pelas suas relações com o mundo. Cada ato transforma essas relações e, por conseguinte, modifica o eu. Por isso que as relações em si mesmas não podem se distinguir do sentido que possuem para o sujeito, elas são modificadas por cada nova parcela de conhecimento. Uma consequência importante deste processo de definição do eu é o fato de que todas as escolhas implicam uma decisão sobre que tipo de pessoa um indivíduo quer ser.

Assim, ao inquirir, o eu se engaja na reconstrução do mundo e de seu próprio ser. Ele é prático, pelas mesmas razões que o fazem consciente. No entanto, a praticabilidade e a consciência visam a finalidades opostas. Porque a conduta é indeterminada e consciente, os homens são separados do mundo. Mas, porque ela é prática, eles são capazes de unir-se a este.

A indeterminação, a consciência, a praticabilidade e a objetividade são qualidades fundamentais do eu, e cada uma delas é ligada às outras. Descrevem uma certa relação entre o eu e a natureza. Essa relação é, ao mesmo tempo, uma realidade e um ideal, porque constitui um objetivo perene e próprio da busca humana. O eu experimenta uma separação do mundo natural, experiência manifestada no sentimento de separação da natureza e no fato de que é sempre incompleto o que uma pessoa pode aprender sobre os fatos naturais. Ao mesmo tempo, o eu se esforça por vencer sua separação da natureza.

O problema a ser resolvido é o de reconciliar duas exigências humanas primitivas. Uma é a necessidade de preservar a independência do mundo

Conhecimento e política

exterior. A outra é a necessidade, igualmente básica do eu, de viver num mundo transparente para seu espírito e que responda a suas preocupações – um mundo com o qual ele possa, por conseguinte, sentir-se unido. A situação na qual um homem se identifica com a natureza, embora separado dela, e na qual ele consegue vencer seu isolamento moral e cognitivo, sem abrir mão de sua independência, é uma situação de harmonia natural.

Para compreendermos como se pode conquistar a harmonia natural, precisamos permanecer atentos a uma ambiguidade no conceito de natureza. A natureza pode significar simplesmente o mundo não humano. Mas pode também referir-se ao que é dado, em contraste com o que os homens fazem ou sujeitam à sua vontade. No primeiro sentido, a antítese da natureza é a cultura; no segundo, é o que é artificial. A marca do que é dado é sua universalidade; obedece a leis universais. O indício do que é artificial é sua particularidade; representa as intenções particulares de indivíduos ou grupos determinados. Desde os primórdios da filosofia grega, os dois conceitos de natureza foram repetidamente confundidos, devido à tendência a identificar as noções de cultura e artificialidade. Se existisse, no entanto, um aspecto da cultura não menos universal e anterior à vontade do que os fenômenos estudados pelas ciências físicas, a diferenciação entre os dois conceitos de natureza tornar-se-ia crucial.

Se tomarmos por natureza o mundo não humano, a harmonia natural será a experiência de pertencer àquele mundo, embora permanecendo à parte dele. É o que Marx parece ter em mente quando fala sobre a condição na qual a natureza é humanizada e o homem "naturalizado". Quando visualizamos a natureza como o oposto do que é determinado, a harmonia natural significa a capacidade de reconciliar a experiência de nos erguermos acima das circunstâncias de nossa existência e de as recriarmos, através da vontade, com a experiência de participação numa ordem de coisas que é universal e precede a determinação humana.

Em que sentido e em que extensão pode cada um desses tipos de harmonia natural ser alcançado pelo homem? Tomemos, primeiro, o problema da reconciliação com o mundo não humano. As tradições morais, artísticas e

A teoria do eu

religiosas de muitas culturas destacam a persistência do desejo dos homens de se sentirem membros de uma comunidade de coisas naturais e, sobretudo, de coisas vivas.

Devido ao seu aspecto sexual, o amor ajuda o homem a vencer a distância entre o eu e a natureza na sua própria pessoa. Como ser consciente e indeterminado, ele se distingue, através de sua relativa liberdade, de seus instintos ou inclinações naturais. Essas inclinações constituem, dentro dele, o elemento natural. Na medida em que se submete a elas, é um ser natural, e, na medida em que se liberta delas, é mais que um ser natural. As inclinações naturais, como os desejos de alimento e sexo, parecem representar uma fatalidade tirânica; impõem limitações e exigências ao que a consciência pode realizar.

Mas, no amor, a união de duas pessoas, que representa um ideal de relação entre o eu e o outro, é consumada através da inclinação natural do sexo. No amor não acontece que, quanto mais o homem se comporta como um ser natural, tanto menos ele se conserva tipicamente humano. Pelo contrário: a separação entre a mente e a inclinação natural é suprimida. Satisfazendo o ideal de sua relação com o outro e, por conseguinte, tornando-se mais humano, ele também se torna mais completamente natural. A reunião do homem com a natureza, sem a perda de sua humanidade, é confirmada quando a união sexual produz filhos, porque esta permite, então, ao indivíduo que ele se torne um elo na evolução da espécie.

O ideal da harmonia natural é frequentemente exemplificado na arte. Isso ocorre, mais obviamente, na representação artística da unidade simultânea e da relativa autonomia de elementos diversos da natureza, fora e dentro do homem, como nas maravilhosas analogias de Da Vinci entre animais, seres humanos e anjos. Num sentido mais profundo, o ideal da harmonia natural é inerente ao próprio caráter da contemplação estética, que confunde, como faz o amor, o aspecto sensual e o aspecto intelectual ou moral de nosso relacionamento com o mundo exterior.[9]

A expressão mais completa de harmonia natural é o conceito religioso do plano de Deus para a criação: o homem ocupa um lugar na ordem das coisas criadas, sendo, portanto, uma criatura entre outras, mas a relação

Conhecimento e política

que estabelece com Deus é única e distinta. Aceitando a criação, aprendendo a compreendê-la e contribuindo para seu desenvolvimento, ele apreende o sentido tanto de sua unidade com a natureza criada quanto do que o separa dela.

O amor, a arte e o culto religioso que conhecemos e praticamos são esferas de experiência mais ou menos discretas que não se confundem com a vida quotidiana e que se opõem mesmo a ela. Na medida em que não transformam o mundo habitual das relações sociais e continuam sendo sentimentos particulares, não podem representar adequadamente o ideal da harmonia natural.

O trabalho é o principal recurso de que dispomos para a conquista da harmonia natural no dia a dia. O conceito de trabalho descreve tanto a atividade humana de ordem prática quanto seus resultados. Os objetos materiais, os serviços, as teorias e as formas de organização social são, nesse sentido, também trabalhos.

O acúmulo de trabalhos transforma progressivamente a feição do mundo, fazendo dele um lugar repleto de coisas para sempre marcadas pela humanidade de suas origens. Quanto mais o homem trabalha, tanto mais sobrepõe à relação primitiva entre ele e a natureza uma nova modalidade de relacionamento entre o eu e suas próprias obras. Nesta segunda e mais perfeita relação, o trabalho, como objeto, é separado do trabalhador, como sujeito. No entanto, o sujeito pode também ver o objeto como uma expressão ou extensão de seu próprio ser, despindo-o, assim, do terror da singularidade que cerca as coisas naturais que suas mãos não tocaram.

O elo que une o trabalhador a seu trabalho faz parte da natureza da relação entre o eu e a natureza; porque o trabalhador e o trabalho permanecem separados, e este pode ser visto por aquele como um objeto. Ao mesmo tempo, contudo, difere do relacionamento original entre o eu e a natureza porque o trabalho não é nunca apenas um objeto para o trabalhador; é, também, uma expressão externa de sua própria subjetividade. Assim como a natureza é transformada pelo trabalho, e a marca humana se acha impressa em cada faceta do mundo, a relação entre o eu e a natureza ressurge na imagem do laço entre o agente humano e as organizações, ideias e coisas que ele cria.

A teoria do eu

Aqui, novamente, o conceito geral pode tornar-se mais concreto, tanto do ponto de vista moral quanto do ponto de vista cognitivo.

A característica moral peculiar do relacionamento que descrevo é a capacidade do agente de se reconhecer nos seus próprios atos e em seus produtos. Em vez do horror ao que lhe é estranho, experimenta, diante deles, a reconfortante confirmação de sua própria existência. Os produtos da atividade humana possuem uma forma externa; pertencem ao domínio das relações sociais e dos acontecimentos naturais. Ao mesmo tempo, contudo, representam as capacidades realizadas de seus autores e, por conseguinte, uma continuação daqueles que os criaram, no mundo exterior.

É possível precisarmos o sentimento peculiar que pode ser ligado à relação do sujeito com seu trabalho, se considerarmos o tipo de conhecimento ao qual este sentimento corresponde. Em minha discussão sobre a indeterminação e a consciência, distingui dois tipos de conhecimento. As ciências tratam do que é dado pela natureza, e o conhecimento que fornecem é, a um só tempo, perfeito e incompleto, porque relega a substância em favor da forma. Os objetos da geometria, por outro lado, podem ser visualizados como construções da mente. O conhecimento que deles temos é perfeito e completo ao mesmo tempo, porque lhes falta a substância das coisas naturais.

Haverá um terceiro tipo de conhecimento que penetre tanto a forma quanto a substância da matéria estudada? Os objetos de tal conhecimento teriam que combinar, de alguma maneira, as características dos fenômenos naturais e as das figuras geométricas. Como as primeiras, teriam que possuir uma substância ou particularidade, cujo sinal é a diversidade entre membros individuais de uma classe de coisas. Como as construções geométricas, precisariam, contudo, ser objetos feitos pelo próprio sujeito. Em virtude de ser seu autor, ele seria capaz de possuir, em princípio, uma completa compreensão de sua natureza, porque cada uma de suas particularidades se originaria de seus esforços e intenções.

Só há uma categoria de coisas que aliam os aspectos dos objetos naturais e geométricos: a categoria dos trabalhos. Porque o trabalho ocupa um lugar no mundo exterior, aparece sempre como uma entidade individual, distinta

Conhecimento e política

de todas as outras entidades de tipo semelhante. Cada ato realizado, cada objeto feito e cada relação estabelecida são únicos. Ao mesmo tempo, contudo, o trabalho possui um significado que lhe foi dado originariamente pela intenção de seu autor. A intenção do autor não é o único fator determinante do sentido dado ao objeto no mundo social, mas é o primeiro e o mais simples.[10] Aristóteles e seus discípulos esclareceram este ponto ao afirmarem que a causa final precede a eficiente; o tamborete existe, na mente do carpinteiro, antes que passe a existir no mundo exterior.

Fabricamos diferentes mesas. Cada uma delas é única em suas particularidades substantivas, mas todas se acham unidas pelo conceito que temos sobre para que serve uma mesa e para que fim a fabricamos. Algumas das singularidades que distinguem uma determinada mesa de outra podem ser redescobertas nas características do material de que ela é feita, e em aspectos de nossos esforços, de que não estávamos conscientes ao fazê-la. Mas quanto menos empregamos materiais físicos no nosso trabalho e quanto maior o grau de consciência artesanal que adquirimos na sua produção, tanto mais verdadeiro será que o mínimo detalhe do produto individual foi predeterminado. Por isso, uma obra de arte ou de filosofia talvez pouco contenham que o artista e o autor não tivessem decidido colocar ali.

O homem é capaz de compreender o mundo social, como Vico assinalou, porque foi ele quem o fez. A observação de Vico descreve o fundamento e a matéria estudada por aquele terceiro tipo de conhecimento que a objetividade do eu torna possível. A base dessa forma de saber é o relacionamento peculiar que temos com o nosso próprio trabalho, um relacionamento perfeitamente expresso na ideia do conhecimento que Deus tem de sua criação. Não há nada no mundo que não fosse, inicialmente, parte de seu plano, e tudo o que existe deriva seu significado do lugar que ocupa neste plano. Quando transpomos a mesma ideia para o nível da humanidade, passa a significar que o trabalhador, que planejou as particularidades de seu trabalho, pode compreendê-lo. Além disso, se ele executou o trabalho para algum uso geral, este também está ao alcance de seu conhecimento. Sua mesa pode servir a um propósito geral, ou sua obra de arte pode descrever um aspecto

A teoria do eu

recorrente da existência a despeito ou, antes, devido a suas peculiaridades. Tão logo desenvolvemos este conceito do caráter prático e objetivo do conhecimento, descobrimos que é a própria modalidade de compreensão descrita, antes, como aquela exigida pelo fenômeno da consciência.

Quanto mais o trabalho é consciente, e independe de suas contingências naturais, tanto menos é possível distinguir o que ele é daquilo para que foi feito. Reafirma-se, desse modo, o conceito de que a reflexão e a existência são inseparáveis no domínio da consciência.

A noção daquilo a que um trabalho se destina é, raramente, apenas um prognóstico; envolve, geralmente, uma visão do que deveria ser sua utilidade, e isso se torna tanto mais verdadeiro quanto maior for o domínio sobre o trabalho executado por aquele que o executou. Aqui temos a segunda característica do método de estudo dos objetos sociais. A reflexão, que é inseparável da existência, supera o contraste entre o fato e o valor.

Finalmente, embora a intenção possa ser o primeiro, não é o último dos árbitros do significado do trabalho. Uma vez realizado, ele começa a existir, por assim dizer, por direito próprio, e as intenções do executor podem ser esquecidas ou postas de lado. O trabalho adquire então um novo significado, determinado pelos interesses e intenções daqueles que o usam ou observam. Para essas terceiras pessoas, contudo, o conhecimento prático e objetivo do trabalho só é possível se elas forem capazes de se colocarem na posição do trabalhador e de apreenderem o relacionamento entre sua reflexão consciente e o produto de seus esforços. Disso resulta o problema discutido, anteriormente, como a ambiguidade do significado.

Na medida em que a terceira pessoa não leva em conta a intenção do trabalhador, ou que este não produziu algo que refletisse suas intenções, o tipo de conhecimento a que nos referimos é impossível. O objeto deve ser, então, tratado simplesmente como uma coisa natural, e só pode ser conhecido à maneira incompleta de uma explanação científica. Isso estabelece uma importante limitação à validez do argumento de Vico. Só potencialmente é que é verdade que o homem seja capaz de compreender todo o mundo social com o conhecimento íntimo que um criador possui de sua criação.

Conhecimento e política

É verdade na medida em que duas condições são preenchidas: primeiro, que as ideias, organizações sociais e coisas materiais correspondam aos propósitos conscientes de seus executores; segundo, que os homens sejam capazes de penetrar nas intenções dos outros, por pertencerem a comunidades ou tradições de propósitos comuns. Quando ambos estes requisitos são preenchidos, podemos afirmar que os fins do trabalho não se acham separados dele, mas, pelo contrário, estão nele corporificados.

O conhecimento que o trabalhador pode ter de seu trabalho é uma solução parcial da antinomia entre teoria e fato. No domínio da conduta prática e objetiva, rejeitamos de início a noção de um conhecimento teórico independente de seus objetos, e da ideia de fatos separados da reflexão. Mas essa rejeição não leva às absurdas consequências que dela resultariam, se a tomássemos como única base para nossas ideias sobre a ciência. Não é necessária, aqui, uma experiência pré-teórica dos fatos, como o argumento de Arquimedes, a partir do qual escolher entre teorias rivais. A dificuldade não está na necessidade de escolher entre explicações alternativas. Em vez disso, o problema é da capacidade do trabalhador de reconhecer em que medida o trabalho reflete suas "causas finais" – suas intenções. Assim como as intenções só antecedem parcialmente a existência do trabalho e, com mais frequência, se desenvolvem no curso da execução, o reconhecimento da correlação entre o trabalho e a intenção é parte do próprio processo de trabalhar. Não é uma ligação de interesse contemplativo em que seguramos o objeto diante de nossos olhos e indagamos se é isso ou é aquilo. Existe uma relação de força imediata, em que o sujeito escolhe o que o objeto deverá ser.

Na antinomia entre teoria e fato, a premissa de que todos os fatos são, por sua vez, teorias dependentes de outra teoria, é uma consequência do abandono da doutrina das essências inteligíveis. O postulado de que é preciso sermos capazes de ver os fatos, simplesmente para podermos julgar as teorias, advém da abstração ou da imperfeição do conhecimento científico. As ciências naturais classificam os particulares em categorias gerais abstratas. O problema apresentado pela antinomia é o fato de que não estamos autorizados a pressupor que tudo neste mundo corresponde a essas categorias.

A teoria do eu

Certos fatos ou acontecimentos específicos podem ser classificados nas mesmas categorias, porque compartilham características específicas; seus outros aspectos não são considerados. No conhecimento que o trabalhador tem de seu trabalho, não existe, contudo, esse problema de classificação. Ele vê o trabalho não como exemplo de alguma categoria universal, mas como uma entidade individual da qual todos os aspectos podem, em princípio, estar presentes na sua mente. A necessidade de escolher entre possíveis categorias abstratas de classificação simplesmente não existe para ele.

Os mesmos motivos que parecem ser, através do conhecimento do próprio trabalho, uma solução para a antinomia entre teoria e fato explicam, também, como, enquanto ser prático e objetivo, um homem pode enfrentar o terror do desconhecido que marca sua separação da natureza. Esta emoção é apenas a contrapartida moral da incapacidade do sujeito de conhecer a substância total de seus objetos.

Assim, na medida em que o indivíduo pode juntar o mundo humano ao não humano, na sua vida quotidiana, ele precisa fazê-lo através da experiência do trabalho. Há, contudo, certos obstáculos ao aproveitamento do trabalho como realização de uma harmonia natural. Alguns destes obstáculos dependem da forma de consciência social e da organização da sociedade; outros são universais e insuperáveis.

A primeira limitação contingente é a tendência a considerar o sujeito como um indivíduo cuja participação nos grupos constitui um aspecto secundário de sua existência, de acordo com o princípio liberal do individualismo. No entanto, é claro que as características mais marcantes e surpreendentes da vida social não podem ser concebidas como se fossem criação de determinados indivíduos. Na medida em que insistirmos em considerar o sujeito como um indivíduo isolado, os arranjos fundamentais da sociedade, suas maneiras de organizar a vida, a linguagem que seus membros empregam, e os princípios morais ou políticos que adotam, parecerão todos pertencer à ordem natural das coisas. Serão conhecidos, apenas, como são conhecidos os fenômenos da natureza, e a compreensão do universal permanecerá separada da percepção particular. Para se atingir um resultado diverso seria necessário reconhecer a existência de sujeitos coletivos, violando-se o princípio do individualismo. O eu poderia ser capaz de visualizar todas as disposições sociais como sua própria obra, ou a dos outros, se pudesse ver a si próprio, e ver os outros, como membros dos sujeitos coletivos, ou grupos, que autorizaram essas disposições.

A insistência teórica na individualidade do sujeito corresponde à situação histórica representada pelo princípio do individualismo – uma situação em que cada relacionamento de grupo que não se governa por normas é experimentado, num maior ou menor grau, como um relacionamento coercivo. É esta a circunstância em que a teoria do Estado assistencialista corporativo vê-se regida pelo princípio de classe e do papel social e impulsionada pela dialética da ideologia de normas impessoais e pela experiência de dependência pessoal.

O segundo impedimento desnecessário à aquisição da harmonia natural através do trabalho é descrita, de várias maneiras, pelas teorias marxistas de reificação e alienação, pelo conceito de racionalização de Weber e pela ideia de Simmel de "tragédia da cultura".[11] Os produtos do esforço humano, uma vez criados, adquirem vida própria. Eles se erguem acima do eu consciente que lhes deu vida. Trava-se, assim, uma luta incessante entre sua condição de extensões do sujeito e sua natureza como objetos independentes do sujeito e capazes de resistir a ele. Nessa luta, a independência do objeto pode triunfar totalmente sobre a extensão do sujeito.

Esse processo pode ser descrito, em termos teóricos, como a incapacidade de reconhecer os aspectos peculiares do domínio da consciência e da espécie de conhecimento que ele exige. Na visão da vida social que resulta desta falha teórica, tudo parece de cabeça para baixo. As teorias políticas e jurídicas são confundidas com situações reais. As disposições da vida social são separadas de suas fontes, na atividade prática de indivíduos e grupos, e visualizadas como autômatos impulsionados por seus próprios movimentos. Esta falha tem as mesmas raízes que a incapacidade de admitir a existência de sujeitos coletivos. Sua fonte é a condição social em que os homens são incapazes de realizar tarefas que representem suas intenções individuais, ou de participarem de propósitos comuns.

A teoria do eu

Imaginemos, agora, uma forma de vida social em que nenhum dos problemas mencionados existisse. Nesta circunstância, encontraríamos, ainda, duas restrições à conquista da harmonia natural através do trabalho.

Em primeiro lugar, o trabalho abrangeria apenas a sociedade e a natureza transformada pela sociedade. Não modificaria nossa relação com tudo o que, na natureza, permanecesse intocado pelo esforço humano. Mesmo em nossas criações, empregamos objetos naturais que não criamos e cujo relacionamento conosco podemos determinar livremente. Assim, embora a cultura acrescente uma camada de vida à natureza, não pode nunca apagar totalmente a brutal inércia das coisas naturais. O significado peculiar do trabalho, para o trabalhador, serve apenas para acentuar a distância entre os domínios da natureza e da cultura.

Em segundo lugar, haveria sempre no trabalho, em maior ou menor grau, um elemento do narcisismo do sujeito. O trabalhador deseja reproduzir-se no seu trabalho, e, quando se sente à vontade com ele, o que está abraçando talvez seja sua própria pessoa. O objeto é totalmente conhecido e despojado do que havia nele de estranho, apenas ao servir de continuação do sujeito. A tarefa que cabe ao ideal da harmonia natural é, contudo, a de estabelecer uma reconciliação com as coisas naturais, que se acham realmente separadas do sujeito, e não a de reproduzir a imagem do indivíduo ou da espécie num espelho.

Talvez o defeito principal da teoria hegeliana-marxista do trabalho seja sua aceitação passiva do narcisismo do sujeito como solução adequada para o problema do eu e da natureza. Há um vínculo estreito entre essa aceitação e o endeusamento da humanidade no culto hegeliano-marxista da imanência. Uma faz pelo indivíduo o que o outro realiza pela espécie.[12]

Não pode haver uma solução total na história para o problema de reconciliar a necessidade do homem de se sentir unido à natureza com a sua necessidade de manter-se à parte dela. Porque é consciente, precisa sentir sua humanidade, dentro e fora de si mesmo, como algo que se opõe à naturalidade. O amor, a arte e a devoção religiosa podem libertar o homem, ocasionalmente, deste antagonismo, e o trabalho pode amenizar sua força na vida quotidiana, mas nada pode anulá-lo.

Conhecimento e política

No sentido alternativo, a harmonia natural representa a aliança da experiência de participação numa ordem dada ao homem, segundo leis universais, como a de viver num mundo que ele pode recriar, de acordo com suas ideias e seus desejos particulares. Tal aliança teria que ser baseada em algo que combinasse o aspecto daquilo que é um dado com o aspecto daquilo que é artificial.

Este algo poderia ser a própria natureza humana, que se faz presente ao indivíduo sob uma certa forma de vida social. Imaginemos uma comunidade universal cujas práticas revelassem a natureza da espécie do homem tão transparentemente que cada pessoa pudesse compreender, ao mesmo tempo, como a ordem existente representaria tudo aquilo que a humanidade havia se tornado até aquele ponto e como qualquer modificação nessa ordem transformaria o que a humanidade pudesse vir a ser no futuro. A estrutura da sociedade seria, então, a um só tempo, dada e organizada, e, embora possuísse a universalidade do fenômeno natural, permaneceria aberta à crítica e à revisão. Mas seria tal comunidade desejável? Poderia ela ser realizada? E o que implicaria sua impossibilidade para a interpretação da natureza humana?

O EU E OS OUTROS

O conhecimento é uma experiência de separação e limitação. Um ser consciente é uma pessoa capaz de erguer-se acima de seus objetivos e, por conseguinte, de ter consciência de si mesmo como sendo algo diverso deles.

Há uma categoria especial de objetos dos quais o ser consciente deve também manter-se à parte – a categoria de objetos que são, também, sujeitos, isto é, outros indivíduos. O atributo do eu, em virtude do qual deve sempre permanecer um eu particular, separado dos outros, é chamado de individualidade. A natureza da individualidade é definida por suas bases, que são as seguintes.

Primeiro, se o ser consciente não fosse distinto dos outros seres, não possuiria limites definidos. Seria o eu, a própria espécie, como um todo, num dado momento, ou através de sua história, ou um grupo dentro da espécie? Privada de suas fronteiras, a consciência nunca poderia distinguir os outros objetos de si mesma; perderia a experiência da identidade à parte.

A teoria do eu

A necessidade de limitações não é, contudo, suficiente para elucidar a individualidade, pois precisamos saber onde, exatamente, colocar esses limites.

A segunda base do ser individual é a característica física da vida consciente. Não só acreditamos que o eu consciente necessita de limites, mas tratamos o corpo como sua fronteira natural. O significado desta prática é reconhecer que, embora a consciência implique a separação da natureza, é, também, parte da ordem natural e busca constantemente a reconciliação com a natureza contida no ideal da harmonia natural. A corporificação da pessoa é o sinal de que faz parte da natureza, assim como a posse de uma consciência significa que não se encontra totalmente presente nela. Assim, o relacionamento entre o eu e o corpo repete, em miniatura, o que é mais genericamente verdadeiro no relacionamento entre o eu e a natureza e entre o universal e o particular.

O eu só pode existir num determinado corpo, e este corpo é parte do eu. No entanto, as características do corpo não exaurem o que o eu é ou pode tornar-se. Por se achar corporificado, o eu há de ser individual. Outra maneira de confirmarmos esta verdade é lembrarmo-nos de que para cada aspecto da existência há um correlativo na reflexão. Disso resulta que, se o eu possui um determinado corpo, o conteúdo de sua consciência deve ser distinto da dos homens que têm outros corpos.

A terceira base da individualidade é o relacionamento peculiar existente na humanidade entre os membros da espécie e a espécie como um todo. Em todas as outras espécies, o que um de seus membros pode fazer, e faz, é mais ou menos igual ao que fazem os outros membros da mesma espécie. As características indeterminadas, conscientes, práticas e objetivas do eu colaboram em produzir uma relação inteiramente diversa entre a espécie humana e seus membros. Por um lado, só uma parcela mínima das capacidades totais da humanidade pode florescer na vida de qualquer um de seus membros. Por outro lado, cada indivíduo serve-se deste fundo comum de maneira diversa. Cada pessoa é uma expressão única e particular do universal que é a espécie, universal, esta, que não pode existir senão em cada um de seus particulares, mas que nenhum deles descreve completamente. A individualidade deve-se

271

Conhecimento e política

ao modo pelo qual o universal e o particular se acham unidos na formação da humanidade.[13]

A própria maneira pela qual uma pessoa é individual faz dela, também, um ser social. O problema de compreender o relacionamento entre o eu e os outros, e de determinar sua modalidade ideal, pode ser reformulado como o de elucidar o vínculo entre o individualismo e a sociabilidade como atributos do eu. Este elo pode ser considerado tanto de um ponto de vista cognitivo quanto de um ponto de vista moral.

A consciência apresenta um paradoxo peculiar que coloca o problema preliminar a ser examinado por uma teoria da mente. Ela implica identidade autônoma – a experiência da separação de outros objetos e de outros indivíduos. Mas o meio através do qual a consciência se expressa é formado pelos símbolos da cultura, e estes, segundo o princípio da totalidade, são irremediavelmente sociais. Quando falamos, ou fazemos um gesto, percebemos e comunicamos significados pertinentes a categorias que constituem o patrimônio comum a muitos homens. Através de que poder pode cada um de nós comunicar-se com os outros? Deve ser possível a cada um interpretar as declarações e os atos dos outros como sinais de certas intenções. Essas intenções podem, por seu turno, ser compreendidas, porque são intenções que nós também poderíamos ter. Resulta, daí, que a consciência pressupõe sempre a possibilidade de encararmos outras pessoas como indivíduos que pudessem, em circunstâncias suficientemente favoráveis, ver o que vemos e acreditar no que acreditamos. Esse é o aspecto cognitivo da sociabilidade.

O paradoxo da sociabilidade está nisso: quanto mais precários os vínculos de existência e os princípios comuns entre os homens, enquanto intelectos, tanto menos são eles capazes de expressar sua própria consciência através do expediente social de símbolos, e, em consequência, tanto menos seguros eles se sentem na experiência da individualidade que advém da consciência. No entanto, quanto mais íntima a similitude da experiência e da reflexão entre indivíduos, tanto menos base parece ter a identidade individual.

Como problema teórico, esta proposição pode ser estranha e de difícil acesso, mas a experiência concreta que descreve nunca esteve afastada da

A teoria do eu

visão moderna. É a experiência do conflito entre a esperança de pensarmos por nós mesmos e a necessidade de sermos compreendidos, ou, para expressar o que acaba de ser dito de forma mais contundente e negativa, entre o medo da escravização e o medo da loucura. Quanto mais acreditamos naquilo em que os outros acreditam e quanto mais vivemos como os outros vivem, tanto mais fácil será, para eles, compreender o que queremos dizer quando falamos. Quanto maior a distância entre o eu e os outros, nas coisas que dizemos e na maneira pela qual vivemos, tanto maior a tensão a que expomos os laços do discurso comum. Por fim, aquele que tenta comunicar-se torna-se louco, primeiro para os que o ouvem e, depois, para si mesmo, pois só pode estar certo de seu conhecimento através da aprovação dos seus congêneres. Devido à distância consciente que o separa dos outros, o eu precisa do assentimento que, ao mesmo tempo, receia. Contemplar sua desesperada luta por satisfazer essa necessidade e aquietar esse medo é uma das maneiras de estudarmos o paradoxo da sociabilidade.[14]

Consideremos, agora, o aspecto moral da sociabilidade. Um dos requisitos da personalidade é ser reconhecida pelos outros como pessoa. Para sermos humanos, precisamos ser tratados como seres humanos ou lembrarmo-nos ou imaginarmos, por analogia, a experiências passadas, o que significa ser tratado por ser humano. A necessidade de reconhecimento de nossa identidade possui as mesmas características que a necessidade de aprovação de nossas ideias. A elucidação dessa necessidade pode ser observada a partir de vários pontos de vista complementares: as deficiências da autorreflexão, o caráter relacional da identidade e o lugar do indivíduo na espécie.[15]

Precisamente por ser a consciência sempre individual, e contida num corpo, só possui uma capacidade limitada de autorreflexão. Nunca pode manter-se a uma distância suficiente de suas circunstâncias particulares para que lhe seja possível ver, a si mesma, como um simples objeto. Poderíamos dizer que, quando tenta visualizar sua própria personalidade através da autorreflexão, o indivíduo é como um homem que se olha num espelho sem que lhe seja possível ver, de uma só vez, todo o seu corpo. Como indivíduos, precisamos desenvolver e completar nossa própria imagem, através de inferências

Conhecimento e política

sobre o que somos, segundo o que os outros supõem que sejamos. Nossa opinião sobre nós mesmos deve ser medida pela opinião dos outros.

Tal como se verifica em relação a tudo mais, o eu define-se pela totalidade de suas relações com os outros seres, e particularmente com outros "eus". Enquanto essas relações forem sociais, serão regidas pelo princípio, aplicável a todos os fenômenos humanos, de que o que se julga que uma coisa seja é parte do que ela é. Mais precisamente: somos as nossas relações. A maneira pela qual os outros concebem essas relações é uma de suas determinantes e, por conseguinte, um dos fatores que determinam nossa individualidade. Se pudéssemos imaginar uma situação em que ninguém o tratasse ou jamais o tivesse tratado como um ser humano, com uma individualidade própria, o ser que se encontrasse em tal circunstância não possuiria, realmente, uma individualidade.

Finalmente, a necessidade de reconhecimento baseia-se na postura do indivíduo para com a espécie. Porque cada indivíduo pode desenvolver apenas uma fração mínima dos talentos da humanidade, a maneira pela qual ele pertence à espécie não é, nunca, óbvia. A essência universal da humanidade oculta-se e, ao mesmo tempo, revela-se nas suas manifestações particulares. Para encontrar essa qualidade universal na sua própria pessoa, um homem precisa viver numa comunidade de pessoas que reconheçam, cada uma, a humanidade da outra, por considerar o talento que cada um possui como um poder complementar da espécie.

A necessidade de reconhecimento envolve um dilema que é outra forma do paradoxo implicado pela necessidade de assentimento. Para ser um indivíduo, este precisa obter o reconhecimento dos outros. Quanto maior, porém, a conformidade com as expectativas alheias, tanto menos poderá ele desenvolver uma individualidade marcante. O paradoxo da sociabilidade é o problema posto pela relação entre o eu e os outros. O eu é individual e social. Mas as exigências da individualidade acham-se em conflito com as da sociabilidade de tal modo que não parece haver uma solução imediata. Visto por outro ângulo, é aquele paradoxo o problema do que torna possível a existência da comunidade – o enigma que penetra a antinomia entre normas

A teoria do eu

e valores. O pensamento político liberal transforma o problema do vínculo entre o indivíduo e o caráter social do eu num problema de normas e valores. A questão apresentada pela antinomia entre normas e valores sobre como os homens, que acreditam que os valores sejam subjetivos, podem ser governados por normas impessoais é uma outra versão do paradoxo da sociabilidade.

O que significaria para o eu reconciliar sua natureza individual e sua natureza social, escapando ao paradoxo da sociabilidade? A pessoa teria que ser capaz de satisfazer sua necessidade de aprovação e reconhecimento sem renunciar à sua personalidade. Teria que encontrar uma maneira de conseguir que a união com os outros incentivasse, em vez de reduzir, seu sentimento de individualidade. Essa união poderia ser descrita como aquela circunstância na qual os outros seriam personalidades ou forças complementares, e não opostas, no sentido de que, juntar-se a eles, numa comunidade de compreensão e propósito, aumentaria, em vez de diminuir, nossa própria individualidade. Uma interpretação alternativa seria a de que a união consiste no reconhecimento recíproco do atributo universal de humanidade possuído por cada um, de acordo com sua maneira de ser.

Essa condição hipotética, na qual o mais alto grau de individualidade seria aliado ao mais alto grau de sociabilidade e realizado através disso, é o ideal da solidariedade. O ideal da solidariedade é, para a relação entre o eu e os outros, o que o ideal da harmonia natural representa para a relação entre o eu e a natureza. É a circunstância sonhada em que uma pessoa está, ao mesmo tempo, "integrada" nos outros e "separada" deles. Meu argumento sobre o eu e os outros teve por objetivo demonstrar que a luta pela solidariedade é uma implicação necessária da tentativa do eu de reter sua individualidade.

Para tornar a noção do ideal da solidariedade mais precisa, consideremos certos exemplos vividos, embora limitados, através de que uma relação de solidariedade entre o eu e os outros se faz presente.

Tomemos, primeiro, o conceito da relação de Deus com os homens, e da relação deles entre si, nas religiões monoteístas do Oriente Próximo, especialmente o cristianismo. A fraternidade universal do homem é uma consequência da paternidade universal de Deus. Os elementos da individualidade

Conhecimento e política

e da sociabilidade unem-se no conceito da alma. Por sua própria natureza, a alma é única. No entanto, todas as almas são chamadas à mesma vocação sobrenatural e possuem um valor comum. A maneira pela qual se relacionam umas com as outras é parte de sua relação com Deus. Para o homem religioso, cada pessoa é uma manifestação particular da substância universal de que consiste a alma, inclusive sua própria alma, e essa substância universal é inseparável de suas corporificações particulares. Este homem não pode estimar a Deus, ou a si próprio, sem estimar os outros, como indivíduos que são. Esse é o significado do preceito religioso de que os homens devem amar-se uns aos outros.

O amor, especialmente o amor entre um homem e uma mulher, é o mais evidente exemplo desse ideal de solidariedade. Seus atributos marcantes são a maneira pela qual duas vontades se completam e o reconhecimento do outro como indivíduo concreto e único.

O ser amado é visto e aceito como uma pessoa separada. No entanto, afirmamos que, no amor, a individualidade não é apenas preservada, se não também tornada mais segura, porque se experimenta a vontade da pessoa amada como complementar, ao invés de antagônica, à nossa própria vontade. O sentido de complementaridade advém do fato de que a pessoa sente que sua existência está sendo reafirmada, e não ameaçada, pela pessoa amada. (No amor heterossexual essa complementaridade tem uma correlação biológica.) Assim, o amor floresce devido à diferença entre as pessoas, e não a despeito disso. Neste sentido, é útil comparar-se o amor humano ao altruísmo em outras espécies animais. Por altruísmo entendo o sacrifício dos interesses individuais aos interesses de outro membro da mesma espécie. Quanto mais subimos na escala evolucionária, tanto menos o altruísmo assume o caráter de narcisismo, a dedicação do que é igual ao que é igual, e tanto mais une o que é diferente.

A passagem do narcisismo a esse amor mais alto pressupõe a aceitação do outro como uma pessoa integral. O amor não é dado em troca do domínio de uma habilidade particular ou do desempenho de um papel. É um reconhecimento da totalidade de um ser e dos aspectos particulares através dos quais

A teoria do eu

se expressa a humanidade universal da outra pessoa. Ele destrói a separação entre o universal e o particular na personalidade.

No entanto, o amor pessoal é uma realização imperfeita do ideal da solidariedade. Sua primeira imperfeição consiste na tendência a ser vítima do paradoxo da sociabilidade, que parece resolver. Isso pode ser observado nas experiências interligadas do amor romântico e do amor perverso, elementos que talvez nunca estejam totalmente ausentes de qualquer relação amorosa.

No amor romântico, o eu alterna entre a tentativa de dominar o outro (a idealização é uma forma de dominação) e de renunciar à sua própria individualidade. É obrigado a escolher entre o sentimento místico de unidade um com o outro e a destruição da individualidade, resultante de seu próprio isolamento da pessoa que ele procura escravizar. Assim, o amor romântico assemelha-se à situação vivencial do esquizofrênico, que se sente, ao mesmo tempo, desligado dos outros e misturado a eles, ao passo que o amor autêntico é o oposto da esquizofrenia.

O amor romântico parece mais apto a florescer nas condições políticas de uma sociedade artificial, em que toda a partilha de propósitos comuns parece representar uma diminuição da individualidade. Volta-se, por isso, contra a ordem social. Daí sua frequente hostilidade à família e à criação de filhos. Ao mesmo tempo, o amor romântico perpetua a distinção incisiva entre o elemento individual e o elemento social na personalidade. Tem, por isso, sua contrapartida política: as ideias românticas e revolucionárias do extremo individualismo e do extremo coletivismo dão-se as mãos.

O amor perverso é a condição para a qual se inclina o amor romântico, ou o afeto de que surgiu. Se o amor romântico representa uma negação da solidariedade, o amor perverso agride suas próprias raízes. No amor perverso, a outra pessoa é odiada e amada ao mesmo tempo; é tratada mais como força antagonística que como uma vontade complementar. O indivíduo, que é objeto do amor perverso, é admirado por possuir certos atributos físicos ou morais, mas seu reconhecimento como pessoa lhe é negado.

Mesmo se pusermos de lado a tendência do amor pessoal a ser vítima do paradoxo da sociabilidade por tornar-se romântico e perverso, ainda

Conhecimento e política

permanece, no amor pessoal, uma falha que o impede de constituir-se numa solução perfeita do problema da solidariedade. Esta falha é sua particularidade – sua incapacidade de abraçar muitos indivíduos ao mesmo tempo. O relacionamento entre duas pessoas que se amam não pode ser repetido indefinidamente numa vida individual; seria vencido pelo que faz com que as pessoas sejam estranhas uma à outra. A particularidade do amor humano evidencia-se por contraste com o conceito tradicional do amor divino. O que torna o amor divino superior e milagroso é, justamente, o fato de que pode ser, ao mesmo tempo, universal e pessoal; de que pode alcançar a todos sem perder seu caráter de relação única com cada pessoa, e até com cada coisa neste mundo. Visto sob essa luz, o amor pessoal apresenta um defeito irremediável. Pode resolver o problema da solidariedade em relação a alguns, mas não a todas ou, mesmo, a muitas pessoas.

A limitação de seu alcance, que é parte inerente da particularidade do amor, pode ser drasticamente acentuada pela organização social. A ordem social não se pode governar por um princípio de amor, na medida em que continua a depender do antagonismo de interesses particulares e do sistema de propriedade privada, como instrumento para a solução desse antagonismo. Tudo o que pertence ao amor se desfaz quando entra em contato com os arranjos da vida social. A luta entre o princípio do amor e o princípio do interesse privado é levada adiante dentro da própria estrutura da família, porque a família é, ao mesmo tempo, a manifestação social do amor e um grupo marcado pelas contradições de vontades particulares e interesses de propriedade.[16]

Devido às imperfeições do amor pessoal, é necessário buscarmos uma maneira alternativa de conquistar o ideal da solidariedade – algo que possa realizar, na vida comum da sociedade, o que o amor realiza nos encontros limitados de duas pessoas. Esta alternativa, o análogo político do amor pessoal, é a ideia da comunidade. Os elementos contidos na ideia da comunidade são os mesmos que os do amor; a complementaridade de vontades e a capacidade de dar aos outros e deles receber o reconhecimento da individualidade concreta. O sentimento que anima a comunidade, e vai além dos

A teoria do eu

limites do amor, é chamado, por Aristóteles, *philia*, ou sentimento de companheirismo, e por Tomás de Aquino, de caridade (embora com um significado ao mesmo tempo sobrenatural e profano), por Hume, de simpatia, e por Comte e Durkheim, de altruísmo.[17] Assim, a solidariedade é o nome tanto do ideal quanto do afeto que contribui para sua realização.

O sentimento de solidariedade difere do amor tanto por suas condições quanto por seu contexto. O amor é tão forte que pode permitir que aquele que ama reconheça a individualidade concreta da pessoa amada e a perceba como vontade complementar, a despeito da oposição de valores entre o amante e o amado. A solidariedade é mais fraca. Como a associação se torna menos íntima e total, depende cada vez mais de objetivos comuns para alcançar o reconhecimento da individualidade concreta e da complementaridade de vontades.

Mantém-se unida a comunidade por uma aliança que visa a propósitos comuns. Quanto mais estes objetivos compartilhados expressam a característica da humanidade, e não simplesmente as preferências de determinados indivíduos e grupos, tanto mais o fato de acatá-los torna-se uma afirmação de nossa própria natureza e tanto menos teria que representar o abandono de nossa individualidade em favor da aceitação e do reconhecimento por outras pessoas. Assim, seria possível visualizarmos os outros como vontades complementares. Servir aos objetivos alheios significaria promover os nossos próprios fins. O conflito entre as exigências da individualidade e os da sociabilidade terminaria por desaparecer. Cada pessoa, segura de sua individualidade, seria capaz de reconhecer suas características humanas nas outras pessoas. Além disso, nessa comunidade, os indivíduos teriam que viver juntos numa situação suficientemente variada, íntima e estável para lhes permitir conhecerem-se e tratarem-se uns aos outros como pessoas completas e não como indivíduos incumbidos de determinados papéis sociais. Na medida em que uma comunidade adquirisse tais características, tornar-se-ia uma realização política do ideal da solidariedade.

Este conceito de comunidade apresenta uma série de suposições categóricas que voltaremos a examinar mais demoradamente. A primeira é a

Conhecimento e política

de que existe uma natureza humana unitária, embora ela se modifique e desenvolva através da história. A segunda premissa é a de que essa natureza humana constitui a base decisiva para um julgamento moral, na ausência de valores objetivos e diante do silêncio da revelação. A terceira suposição é a de que podem existir determinadas condições políticas, que podem ser especificadas, sob as quais a existência de objetivos comuns se torne ainda mais atuante no espaço e no tempo, pesando como indicação da verdadeira natureza do homem.

Suponhamos, por um momento, que essas suposições sejam verdadeiras e que o ideal da comunidade, baseado nelas, possa ser coerentemente formulado e politicamente realizado. Ainda assim permanece uma profunda tensão nesse ideal, que limita seu poder para servir de solução completa ao problema do eu e dos outros. Essa tensão é, exatamente, a contrapartida da imperfeição da particularidade do amor pessoal.

Para tornar-se ou permanecer uma comunidade, a associação deverá talvez não passar de um grupo limitado no número de seus membros. A coexistência próxima, face a face, pode ser importante para que se crie a experiência comum que estimula o desenvolvimento de objetivos compartilhados. E essa mesma ligação íntima pode ser indispensável para que os membros da comunidade sejam capazes de tratar, uns aos outros, como indivíduos concretos.

Todavia, a comunidade deve, também, tornar-se uma associação universal que venha a abraçar, finalmente, toda a humanidade. Até que se universalize, haverá sempre outras pessoas em relação às quais os seus membros não terão resolvido o problema do eu e dos outros. Além disso, do ponto de vista que delineei e desenvolveremos posteriormente, a autoridade moral dos valores compartilhados de um grupo comunal depende do grau de fé na natureza humana, e uma das medidas necessárias, embora insuficiente, desta confiança é a universalidade de sua aceitação.

Parece, por conseguinte, que nem o amor nem a comunidade podem resolver plenamente o conflito entre o elemento individual e o elemento social da personalidade. Esse conflito é parte indestrutível da experiência da individualidade. Nenhum homem pode compartilhar experiências conjuntas com seus congêneres sem impor limites ao grau em que ele difere dos outros, porque esses empreendimentos pressupõem valores e crenças comuns. A fim, porém, de tornar-se totalmente transparente aos outros e de perder toda a sensação de que eles representam vontades antagônicas, sua compreensão e suas finalidades teriam que coincidir com as deles. Assim, deixaria de ser um indivíduo. Mas o sacrifício do aspecto individual ou social do eu torna impossível que falemos, ou que nos falem, como a uma pessoa em particular.

O EU ABSTRATO E O EU CONCRETO

Todo homem é, ao mesmo tempo, um indivíduo particular, com um lugar definido no sistema de relações sociais, e um exemplar da humanidade universal. Ele só existe como uma pessoa que assume certas modalidades de ação e repudia outras; que desenvolve algumas de suas capacidades e deixa outras adormecidas; que só vivencia algumas das experiências possíveis a um ser de sua espécie. Ao mesmo tempo, nenhum homem se sente satisfeito até que consiga ligar a posição particular que assume, e o trabalho específico que produz, à sua humanidade universal. Deseja que a sua vida, com as limitações e a brevidade que lhe são impostas, seja uma expressão, e não o sacrifício, das múltiplas facetas que possui e as quais compartilha com toda a humanidade.

Como indivíduo, que participa potencialmente dos múltiplos aspectos da espécie, uma pessoa é um ser abstrato. Como pessoa, cuja vida é sempre finita e determinada, e que nunca é, de fato, mais que uma parcela do que poderia ser, é um ser completo. O relacionamento entre o eu abstrato e o eu concreto é a contrapartida psicológica da relação entre o eu e os outros. É o problema da individualidade e da sociabilidade reexaminado na perspectiva da organização interna da personalidade. Em verdade, o problema da conexão entre os elementos da personalidade é, apenas, a questão do relacionamento do eu com os outros. O ser abstrato e o ser concreto correspondem a dois atributos

Conhecimento e política

da natureza humana: a parcialidade e a universalidade. Porque o homem é parcial, possui um ser concreto; porque é universal, possui um ser abstrato.[18]

O eu é parcial porque sua experiência efetiva é sempre infinitésima, em relação ao que é possível às pessoas em matéria de experiência. A parcialidade é consequência do que já dissemos sobre o eu, relativamente à sua relação com a natureza e os outros. Sua medida mais imediata é o lugar do indivíduo na espécie. Colocado de encontro à profusão de talentos de que a espécie dispõe, e que está sempre aumentando ao correr da história, cada indivíduo se acha condenado à indigência, por maiores que sejam seus esforços ou por mais favoráveis que sejam as circunstâncias.

A consciência, que começa com a experiência da indeterminação, torna-se mais determinada a cada nova escolha que faz. Além disso, porque a identidade é relativista, não podemos imaginar um homem sem um lugar concreto na sociedade e na história, assim como não podemos imaginar uma pessoa sem um corpo. A pessoa é esse ser particular. Mas é, também, algo mais.

Um animal é particular, mas não é parcial. Os homens só podem ser parciais porque possuem a característica da universalidade. A universalidade é, ao mesmo tempo, um fato e um ideal. Como fato, representa o grau em que o eu participa, potencialmente, da profusão de formas de vida manifesta na história das espécies. Tem acesso, embora não ilimitado, ao cabedal de talentos da humanidade cujas características possui – as características da identidade comum a todos os membros da raça humana. Este é o eu abstrato. A universalidade é, também, um ideal. A pessoa luta por encontrar uma maneira de expressar sua humanidade universal, a abundância latente de sua maneira de ser. Mais precisamente: quer reconciliar o lado universal e o lado parcial de sua personalidade de modo que o primeiro seja expressado através do segundo.

A questão apresentada pela universalidade, como ideal, é um aspecto do enigma que se encontra no centro da antinomia da razão e do desejo, e, portanto, da psicologia liberal como um todo. Para o psicólogo liberal, a razão é o elemento universal no homem; o desejo, o elemento particular. A doutrina

A teoria do eu

liberal da natureza humana fracassa na sua tentativa de explicar a unidade da personalidade, precisamente porque não pode reconciliar nem os dois elementos da pessoa nem os princípios morais que neles se baseiam. Assim como o problema do eu e a natureza volta-se para a antinomia entre a teoria e o fato, e o problema do eu e os outros, para a antinomia entre normas e valores, a solução do problema do eu abstrato e do eu concreto resolveria a antinomia entre a razão e o desejo.

Há duas maneiras falsas e destrutivas de lidar com o problema do eu abstrato e do eu concreto. Cada uma delas é exemplificada na experiência comum, associada a uma determinada situação social, e produtora de um sentimento moral característico. Ambas consistem em recusas de levar a sério tanto a universalidade quanto a parcialidade do eu.

Uma dessas táticas é a aquiescência com a pura parcialidade, e o abandono da parte universal do eu, como sendo um sonho irrealizável. A pessoa é completamente absorvida pela sua posição social concreta e identificada com ela. O uso do princípio do papel social, e da divisão do trabalho, como fundamento para a unidade da pessoa constitui tal resposta. Mas o papel social já representa uma identificação menos completa do eu com sua posição social que os princípios anteriores de estamentos e de classes. A aceitação da pura parcialidade do eu, como fatalidade implacável, apresenta-se, na vida moral, como sentimento de resignação.

A outra maneira de fugir à necessidade de reconciliar o eu abstrato e o eu concreto é a vã tentativa de nos aproximarmos, na vida individual, dos múltiplos aspectos da espécie.[19] A forma social desta fuga é a existência daqueles que, como remanescentes de uma ordem social pregressa, ou como precursores de outra, que ainda estivesse por surgir, procuram manter-se fora da divisão do trabalho. É a postura típica tanto das aristocracias decadentes quanto das *intelligentsias* críticas na história do Estado moderno. E é também o ponto de vista do adolescente, que é um aristocrata natural. Os que adotam esse ponto de vista, que poderíamos chamar de universalidade abstrata, imaginam-se como ocupantes da maior variedade possível de situações existenciais e praticam o culto da profusão de experiências. O caráter trágico da

Conhecimento e política

universalidade abstrata decorre de sua incapacidade de escapar do domínio dos sonhos para o mundo das relações sociais. Por representar uma rebelião contra os decretos irrevogáveis da parcialidade, é condenada, desde o início, ao fracasso. Perdido nos seus múltiplos e desesperados esforços, o eu não pode levar nenhum deles a uma conclusão satisfatória, ou ligar sua vida ao progresso da espécie como um todo. A contrapartida moral do universalismo abstrato é o sentimento de desintegração.

Uma relação satisfatória do eu abstrato com o eu concreto seria aquela em que o universalismo fosse conquistado através da parcialidade, e não da tentativa de evitá-la. Essa situação poderia ser chamada de ideal do universalismo concreto. O universalismo concreto representa o tipo de conexão entre a natureza da espécie e o individual, sugerido pela doutrina de universais e particulares. Como a pessoa é tanto um eu abstrato quanto um eu concreto, essa conexão deve ser estabelecida nela própria, e não entre ela e outra coisa.

O exemplo mais contundente do universalismo concreto é o trabalho sincero a serviço de um ideal cujo significado universal seu autor reconheça; seus esforços transformam-se, então, numa dádiva a toda a espécie. A capacidade de infundir um significado universal à nossa vida finita é reconhecida e admirada por todos os homens como uma característica da inspiração. O que assim se sente inspirado não pode descansar, encontrar derivativos, nem sonhar em paz, até que tenha conseguido despertar os outros de seu sono, assim como foi despertado pelos outros. Todos os seus esforços são impulsionados pela mesma paixão, e a tarefa que se propôs está diante de seus olhos, a qualquer momento e em quaisquer circunstâncias. Para semelhante homem, a parcialidade é uma maneira de compartilhar o universal. Ao mesmo tempo, a capacidade de colocar um trabalho particular a serviço de um ideal universal pressupõe que uma pessoa seja capaz de distinguir entre o ideal, ele próprio, e a forma particular que esse ideal assume na sua vida, e, assim, criticar e orientar esta última segundo o ponto de vista daquele.

O amor ao ideal, de que nasce a inspiração, tem algo de semelhante às características do amor pessoal. Outras pessoas, no entanto, assumem um

A teoria do eu

amor por um ideal, não diretamente, como indivíduos concretos, mas como seres desconhecidos que esperam poder participar do mesmo amor ou beneficiar-se de sua influência.

Como solução para o problema do eu abstrato e do eu concreto, o amor ao ideal possui um defeito similar ao que a arte, a religião e o amor pessoal apresentam como soluções aos problemas do eu e a natureza e do eu e os outros. Representam uma exceção à vida quotidiana, e não uma transformação desta. A experiência do trabalho inspirado restringe-se a alguns poucos, e mesmo esses poucos sentem-se oprimidos pelo seu isolamento. Lançam-se numa circunstância em que a união com a universalidade e a parcialidade só pode ser realizada ao preço da reconciliação entre o eu e os outros. Além disso, os homens são, habitualmente, incapazes de descobrir ideais universais aos quais dedicarem a vida. Pelo contrário, essa é uma capacidade que, em retrospecto, reconhecemos como pertencendo ao gênio. Este age, assim, como um substituto da percepção de valores objetivos que os modernos não se conformam por não possuírem. O que significaria então generalizar a experiência da inspiração e do gênio pondo-a ao alcance de todas as pessoas, de maneira a que pudessem viver uma existência na qual seu trabalho particular fosse ligado a ideais que elas pudessem reconhecer como sendo universais?

A divisão do trabalho é, em princípio, a contrapartida política da atividade inspirada, assim como a comunidade é politicamente análoga ao amor individual. Mas permanecemos cegos a essa verdade devido ao tipo de organização e consciência social a que a organização do trabalho sempre esteve e permanece associada. Ela é tão intimamente ligada ao domínio do sistema de classe e ao sistema de desempenho de papéis sociais, ou do mérito, que nos é difícil mesmo começarmos a imaginar como poderia ser desembaraçada desta espécie de controle e o que lhe aconteceria, consequentemente.

Suponhamos, contudo, a existência de comunidades de propósitos comuns. Imaginemos, ainda, que esses objetivos compartilhados expressem, cada vez mais, a verdadeira natureza do homem, por desenvolverem condições em que as experiências de dominação diminuiriam e por serem mais bem aceitas. Quanto mais a comunidade se aproximasse desse esquema,

Conhecimento e política

tanto maior a possibilidade de que seus objetivos comuns em desenvolvimento viessem a representar um atendimento aos ideais que satisfizessem a necessidade de universalismo. Ao mesmo tempo, a maneira particular de desenvolver esses valores através do trabalho acomoda o elemento da parcialidade no indivíduo. Assim, a universalidade concreta seria atualizada através da divisão do trabalho dentro do grupo. Cada homem veria o significado geral de seu trabalho, e, através da participação na elaboração e na recomposição dos propósitos comuns, transcenderia sua localização particular na organização da comunidade.

A divisão do trabalho só incentiva a universalidade concreta na medida em que satisfaz um número de exigências rigorosas, que serão assunto de nosso estudo num estágio posterior do argumento. A primeira dessas exigências é a superação do domínio, uma premissa do direito que temos de considerar um acordo moral como condição da natureza humana, e não como sujeição de algumas vontades a outras. Um princípio subsequente é o de que a especialização de tarefas ou formas de vida pessoal não deve nunca ser tão extrema ou tão rígida que invalide a capacidade do indivíduo de afastar-se de sua localização social, ao aprender os propósitos comuns e ajudar a desenvolvê-los e criticá-los.

Possa ou não a divisão do trabalho ser transformada numa expressão política do ideal da universalidade concreta, há, nisto, uma falha profunda como solução para o problema do eu abstrato e do eu concreto. Não é uma solução que permita expressarmos as múltiplas facetas potenciais de nossa natureza diretamente no correr de uma vida. Na verdade, sua premissa é a de que qualquer tentativa de fazê-lo representa um juízo falso sobre a natureza necessária, e indicada, da relação entre o indivíduo e a espécie, levando ao desapontamento e à degradação. O que se nos oferece, ao invés, é a possibilidade de desenvolvermos a natureza da espécie ou de sermos guiados por ela. Existe, assim, o perigo de que passemos a tratar nossa própria vida como um simples meio de alcançarmos um fim, que se acha além dela. E existe o fato ameaçador de que a brecha entre o aspecto universal e o aspecto parcial da personalidade não seja nunca direta ou completamente preenchida.

A teoria do eu

O EU E O MUNDO

A teoria do eu pode ser levada a um nível mais alto de generalização e abstração. Deste ponto mais alto, poderemos ter uma nova visão dos assuntos discutidos nos capítulos anteriores deste livro.

O eu é indeterminado, consciente, prático, objetivo, social, individual, universalista e parcial. Estas características, juntas, definem certos relacionamentos entre o eu e a natureza, o eu e os outros, o eu abstrato e o eu concreto. Esses relacionamentos são, a um só tempo, fatos e ideais. São fatos no sentido em que descrevem esforços compreendidos na própria natureza da personalidade. São ideais porque, fora a revelação ou os valores objetivos, os esforços inerentes à natureza da humanidade parecem ser a única base para um julgamento moral. Conquistar o bem é tornar-se, de maneira cada vez mais perfeita, o que, como ser humano, somos.

Quando as relações do eu, nos diversos cenários de sua vida, são colocados lado a lado, podemos ver que têm um caráter comum e são formas particulares de uma condição mais geral. O ideal de harmonia natural afirma que o eu deve estar separado da natureza, embora em união com ela. O ideal da solidariedade significa que o eu deve ser independente dos outros, embora reconciliado com eles. Segundo o ideal da universalidade concreta, o eu abstrato precisa poder transcender sua própria situação e reter o sentido de humanidade universal, ainda que satisfazendo o universalismo através do trabalho parcial.

Em cada um desses ideais, o eu consciente opõe-se e une-se a algo de externo. No primeiro caso, o que é externo a ele é a natureza; no segundo, as outras pessoas; no terceiro, a própria situação de nossa vida na medida em que tiver ganho uma forma concreta e determinada. E, em cada um desses casos, o ideal afirma que, como parte de seu interesse no desenvolvimento de seu próprio ser, o eu deve conservar-se ao mesmo tempo independente de uma realidade externa e reconciliado com ela.

A natureza, os outros e o eu concreto são o mundo, porque incluem tudo o que é dado à pessoa, a qualquer momento de sua vida. O problema geral é, por conseguinte, um problema de relacionamento entre o eu e o mundo,

Conhecimento e política

e a forma geral do ideal é a de que o eu deve permanecer separado do mundo e reconciliado com ele. O eu é, na verdade, distinto do mundo, e deveria tornar-se cada vez mais independente dele, tanto na consciência quanto na existência. É ao mesmo tempo, de fato, parte do mundo, e sua união a ele precisaria aumentar progressivamente.

Possui, assim, duas maneiras complementares de ser, nenhuma das quais aparece na sua forma hipotética pura, mas cada uma delas é, às vezes, sacrificada à outra, num grau maior ou menor. O primeiro aspecto é o da separação entre o eu e o mundo. A separação significa, no que tem de mais ameno, a certeza de que somos diversos da natureza e dos outros e do lugar que ocupamos na sociedade. No que tem de mais cruel, implica a sensação de nos sentirmos perdidos num mundo estranho a nossos próprios interesses. A segunda maneira de ser é a de união com o mundo. O que esta união representa de melhor é o estado em que o mundo já não é considerado como algo que se ergue além e acima do eu consciente, mas como a confirmação de nossa própria humanidade. No que ela tem de pior, significa uma anulação do que diferencia o indivíduo daquilo que o cerca.

Cada uma dessas maneiras de ser torna-se melhor quando se liga à outra e, pior, ao desligar-se dela. A harmonia natural, a solidariedade e a universalidade concreta descrevem a circunstância ideal e hipotética que combina as duas modalidades de existência e, consequentemente, aperfeiçoa ambas. Essa circunstância é o ideal do eu e sua conquista é o bem.

As duas variedades de existência do eu representam possibilidades alternativas abertas a quem participa da vida social. O problema que colocam é, portanto, ainda outra peculiaridade que distingue a esfera da consciência do domínio das ideias e dos acontecimentos. De uma perspectiva mais ampla, no entanto, é simplesmente a questão metafísica de igualdade e diferença, ou da natureza da identidade. Esta questão atinge os três níveis do ser; aplica-se à ordem das ideias e dos acontecimentos da mesma maneira que à da cultura.

O ideal do eu permite uma visão geral que nos faculta observar e modificar os resultados, tanto da crítica do pensamento liberal quanto da teoria do Estado assistencialista corporativo. Cada uma dessas maneiras básicas de ser

A teoria do eu

possui uma contrapartida metafísica, nas teorias da mente e da sociedade, e uma contrapartida histórica, nas formas de vida social.

A contrapartida metafísica do ideal de separação é a doutrina liberal – o sistema no qual o universal, enquanto teoria, razão e normas, mantém-se oposto ao particular como fato, desejo e valores. Na verdade, o pensamento liberal constitui a representação filosófica de uma circunstância na qual a consciência é separada da natureza. Daí a antinomia entre teoria e fato. O eu é separado dos outros, e a consequência é a antinomia entre normas e valores. E a parte universal, abstrata ou racional do eu entra em guerra com aquilo que nele é particular, concreto e que o leva a desejar, gerando, por esse antagonismo, a antinomia entre a razão e o desejo. O elemento da verdade, na doutrina liberal, como descrição e ideal, é a inevitabilidade da forma de separação entre o eu e o mundo. Tudo o que há de falso na doutrina resulta do alheamento das exigências que derivam da união entre o eu e o mundo. Assim, poderíamos dizer do liberalismo o que Leibniz declarou ser verdadeiro em relação a qualquer seita: que tende a ser certa, no que afirma, e errada, no que nega.

A consciência social e as instituições dominantes do Estado liberal exemplificam o tipo de separação que existe entre o eu e o mundo, sob a forma de vida social. A postura manipuladora para com o mundo natural expressa uma profunda divisão entre o eu e a natureza. O conceito da sociedade, como campo de batalha de vontades divergentes, descreve a brecha existente entre o eu e os outros. A visão ambivalente do trabalho e da situação social corresponde ao contraste entre o eu abstrato e o eu concreto. Na era da transcendência secularizada, o indivíduo é oposto à natureza, isolado dos outros e condenado a encarar seus próprios papéis como denegridores de seu universalismo implícito. Os princípios de classe e do papel social e a instituição burocrática organizam a sociedade em torno da mesma experiência central. Assim, a separação entre o eu e o mundo é o vínculo que une a teoria liberal, a consciência dominante do Estado liberal e o tipo de organização que lhe é característica. É a interpretação da vida de que compartilham o princípio de significado comum, que os une, e a fonte tanto de sua força quanto de sua fraqueza.

Conhecimento e política

Em retrospecto, poderia parecer que a história se desenvolve como se buscasse um determinado objetivo, embora, na verdade, só os indivíduos e os grupos que fazem a história é que perseguem determinadas finalidades.

O sentido em que meu relato não é teleológico já deve ter se tornado evidente. Ele não atribui desígnios à própria história, nem considera que a realização do ideal, nem quaisquer dos estágios rumo a sua possível efetividade sejam preordenados. A incapacidade de atingir o ideal, na história, ou, mesmo, de avançarmos rumo em sua direção, pode ser completa e irremediável.

O QUOTIDIANO E O EXTRAORDINÁRIO

Quando falamos sobre o sentido da vida, parecemos frequentemente ter em mente a satisfação de um ideal do eu. Uma doutrina da natureza humana que pretendesse orientar a conduta e retratar a realidade deveria incluir uma visão das condições sob as quais o bem em que se achasse empenhada poderia ser atingido, dando um sentido à vida.

No entanto, as soluções apresentadas pela devoção religiosa, pela arte e pelo amor, tais como as conhecemos, sempre terminaram por se mostrarem incompletas e, por conseguinte, imperfeitas. Elas precisam ser completadas por uma transformação da sociedade que estenda à totalidade da vida o que conquistam numa esfera limitada da existência. O significado moral das tarefas, da comunidade e da divisão do trabalho advém dessa necessidade.

Assim como as soluções pessoais, as soluções políticas sofrem defeitos incuráveis. As brechas entre a humanidade e a natureza, a individualidade e a sociabilidade, a parcialidade e a universalidade não são nunca plenamente superadas; a separação entre o eu e o mundo nunca se reconcilia inteiramente com a união entre ambos.

Coloquemos de lado, contudo, por enquanto, o problema final da impossibilidade de uma plena realização do ideal na história e focalizemos, em vez disso, o relacionamento entre a interpretação pessoal e a interpretação política do bem. A política é indispensável a uma realização mais completa, embora ainda imperfeita, do ideal na história. No entanto, há uma forma importante

A teoria do eu

através da qual os encontros pessoais com o ideal resolvem o problema do eu e fornecem uma base para a percepção do significado da vida. Poderão essas duas asserções, a possibilidade de uma solução individual do problema do eu e a indispensabilidade de uma solução política, ser, ambas, válidas? Se assim for, quais são as limitações e o significado de sua coexistência?

Se considerarmos algumas formas de arte, de religião e do amor como experiências isoladas, elas parecem representar realizações do ideal do eu. Por exemplificarem harmonia natural, solidariedade e universalidade concreta, estaremos inclinados a considerá-las uma esfera divina na qual as falhas e as deficiências do ser humano são vencidas. No entanto, quando as reexaminamos sob a perspectiva do lugar que ocupam na experiência como um todo, somos forçados a chegar a outra conclusão muito diversa. A vida quotidiana é entregue ao profano, ao prosaico e ao domínio do interesse próprio. Aquilo que é sagrado, a arte e o amor, aparece como desvios inusitados. Assim, a realização do ideal é governada por uma lógica de ferro do quotidiano e do extraordinário. Porque o mundo habitual é a negação, e não a confirmação, do ideal, o relacionamento do eu com aquele traduz-se na separação da natureza, dos outros e de sua própria situação. Para que o indivíduo se reconciliasse com o mundo habitual, precisaria reconhecer a presença do ideal no seu âmbito, e não acima dele.

O ser unido à atualidade na esfera de um ideal isolado mantém-se, contudo, separado dele na experiência comum da vida que um ideal não pode transformar nem abolir. Aquilo que, de um determinado ponto de vista, representa uma síntese da imanência e da transcendência parece ser, de outro ponto de vista, o sacrifício da primeira à segunda.

A representação extraordinária do ideal na arte, na religião e no amor possui um duplo significado para a vida quotidiana. Por um lado, pode oferecer ao indivíduo um refúgio temporário. Neste sentido, o extraordinário é uma mistificação – é o aroma que perfuma o ar da ordem estabelecida. Sua própria disponibilidade faz com que a ausência do ideal na vida quotidiana pareça tolerável e até necessária. Como tudo o que é sagrado, e a arte e o amor são separados dos acontecimentos banais, tudo o que faz parte do

Conhecimento e política

sociedade são, a qualquer momento, a mesma coisa. Não resultaria disso que todos aqueles que vivem anteriormente a uma conquista política hipotética do bem são proibidos de atingi-lo de qualquer maneira, ficando suas vidas condenadas à ausência de significado? Por que, então, deveria o trabalho individual orientar-se no sentido de atualização política de um determinado objetivo que, seja ele ou não alcançado, viria tarde demais para aquela pessoa? Que sentimento de dever a obrigaria a participar das cruéis e caprichosas maquinações através das quais a história faz, de seus predecessores, instrumentos ineptos para os que virão depois? Dessa maneira, se o primeiro ponto de vista sobre a relação entre o eu e a história leva à mistificação, o segundo resulta num absurdo.

A teoria do eu desenvolvida neste capítulo representa uma posição que não deve ser confundida com nenhuma das duas precedentes. Reconhece a existência de uma natureza humana unitária, mas concebe essa natureza como vindo a fazer parte da história. O homem não pode ser, ainda, plenamente conhecido porque, num certo sentido, ele ainda não existe totalmente. A natureza humana mostra-se apenas através das formas históricas da organização e da consciência social. Ainda não se acha, contudo, completamente determinada por nenhuma das duas. O relacionamento do eu com a história é como a de um tema musical com quaisquer das sequências de notas que possam expressá-lo. Assim sendo, o conceito de que a filogenia se repete na autogenia representa, apenas, uma meia-verdade. Cada ser individual precisa resolver o problema do eu dentro dos limites de sua posição na história das espécies.

A intenção moral dessa doutrina é demonstrar de que maneira podemos admitir a possibilidade de uma solução individual para o problema do eu de modo a não santificar a lógica do quotidiano e do inusitado. A religião, a arte e o amor oferecem ao indivíduo uma experiência do ideal que se acha disponível para ele naquele momento e a despeito do destino político final da espécie. Fornecem essa solução precisamente porque prefiguram, na vida individual, abstrata e, por conseguinte, de modo imperfeito, o que só pode ser mais plenamente realizado na história da humanidade.

A teoria do eu

A fim de antecipar o ideal, o indivíduo deve ser capaz de visualizar e de construir, na sua própria vida, uma conexão entre a solução pessoal e histórica do problema do eu. O vínculo é formado pela ação política no seu sentido mais amplo, através da qual ele luta por fazer do ideal uma realidade, indo, assim, além da lógica do quotidiano e do extraordinário. Dessa maneira, a teoria do eu responde à questão do significado, na vida individual, de modo consistente com as reivindicações autênticas da política. Esse é seu objetivo.

Em face do quotidiano, somos incompletos; abertos ao extraordinário, somos capazes de nos deleitar em existirmos. Esse deleite de existir, que parte do apego animal à vida para o amor divino ao mundo, era nosso desde sempre. É o fundamento tanto do significado moral da história quanto de nossa capacidade de aceitar que somos incompletos.

Quando a religião vê o bem como tendo raízes na realidade, quando, na arte, o mundo é percebido sob a forma de uma beleza que ultrapassa o certo e o errado, quando, no amor, complementamos nossas existências mútuas e, ao complementá-las, as reafirmamos, esse deleite em existir toma uma forma externa. Transforma-se em algo que podemos possuir agora e não nos confins da história – enquanto indivíduos e não como instrumentos da espécie. O fato de que possuímos esse dom de maneira parcial, sob o disfarce do extraordinário, revela nossa dependência da humanidade. O fato de o possuirmos, de qualquer maneira, e de podermos amar esse pouco, pelo muito que prenuncie, define a medida de nossa autonomia do desenvolvimento moral da raça a que pertencemos.

Quando Deus fala a Jó das profundezas de um redemoinho, pede ao Seu servo desesperado que observe o cavalo que relincha, na batalha, entre as trombetas. E é em meio ao clamor das trombetas que se ergue a voz de todos aqueles que são capazes, primeiro, de antecipar, depois, de reconhecer e, finalmente, de abraçar o ser perfeito em forma imperfeita, fugidia e terrena.

Conhecimento e política

Existe, porém, igualmente, o perigo da utopia – a tendência a definir o bem de tal maneira que ele não pudesse ser relacionado à situação histórica em que nos encontrássemos. A utopia não dá, aos homens, nem uma visão interior das circunstâncias em que se encontram nem uma orientação que lhes permita avançar além delas. Despertada de seus sonhos pelos apelos da política, a razão utópica não tem outra escolha senão a de venerar o poder estabelecido como um mistério que é incapaz de apreender e um fato que não lhe é possível modificar.

Assim como a idolatria é a forma assumida pela imaginação política que se rendeu à pura imanência, a utopia é o estilo político de uma consciência que se satisfaz com a transcendência. Na verdade, as duas posições acabam por encontrar-se. A imanência sem a transcendência transforma-se em mera resignação; a transcendência, sem imanência, deságua na desintegração experimentada pelo eu ao não conseguir que seus ideais influam sobre suas experiências. Inegavelmente, contudo, podem existir situações tão distantes do bem que a utopia transforma-se na única alternativa à aceitação do mal.

A doutrina dos grupos orgânicos demonstra como o ideal do eu pode ser realizado na sociedade através da transformação do Estado assistencialista corporativo e do Estado socialista. Deste modo, ela evita a utopia. Ao mesmo tempo, contudo, reconhece a distância que separa esses Estados do ideal, e o sentido no qual, mesmo a ordem política que ela descreve e justifica, deve continuar forçosamente a ser uma realização imperfeita do bem. Por isso foge à idolatria. Através da rejeição, tanto da idolatria quanto da utopia, a teoria dos grupos orgânicos reivindica a esperança tanto da resignação quanto da desintegração. Leva, assim, adiante os objetivos morais que deram início à crítica ao pensamento liberal.

O capítulo começa com uma visão do bem baseada na teoria da natureza humana. A doutrina do bem implica um ideal de comunidade cujo relacionamento com as duas principais modalidades de pensamento político é detidamente examinado. Contrasta, a seguir, o conhecimento abstrato da teoria com o conhecimento concreto da prudência e sugere as limitações inerentes ao primeiro como guia de conduta. De encontro a esse pano de fundo,

A teoria dos grupos orgânicos

o argumento passa a descrever os princípios institucionais de uma espécie de comunidade que possa, a um só tempo, fazer justiça às reivindicações da natureza humana e responder aos problemas da sociedade pós-liberal. Em conclusão, discutiremos as relações entre os grupos e seus membros – as associações entre os grupos, os dilemas da política comunitária e o significado das imperfeições da teoria e da prática.

O BEM

Através deste ensaio, o problema do valor ou do bem veio reaparecendo sob uma variedade de formas. Nós o encontramos, primeiramente, no criticismo do pensamento liberal. Na psicologia liberal, as morais da razão e do desejo falham precisamente porque ou tratam o bem como algo que não se pode conhecer ou o definem de tal modo que nos deixam perdidos quanto ao que deveríamos fazer. Na teoria política liberal, a ausência de uma visão do bem torna impossível justificar qualquer exercício do poder – impossibilidade esta acentuada pela incoerência de todas as doutrinas da legislação e de sua aplicação naquele sistema de pensamento. Nossa cegueira, quanto à natureza do bem, transforma-se numa experiência quotidiana e uma força histórica real na sociedade moderna.

A impossibilidade de encontrar outra fonte de valor que o desejo individual encoraja a busca vã de um poder impessoal através de sistemas de normas e valores. A luta por escapar dos dilemas insolúveis que contaminam essa busca contribui para que a atenção se volte para a política da comunidade. O problema do bem surge novamente na teoria da natureza humana. Enquanto nos faltar um critério de valor que vá além da determinação individual, não poderemos reconciliar as experiências da ordem imanente e da transcendência segundo o ideal da harmonia natural; não podemos lidar com o paradoxo da sociabilidade segundo o ideal da solidariedade; e não conseguimos, tampouco, dar um sentido universal ao trabalho particular de acordo com o ideal da universalidade concreta.

Todas essas dificuldades resultam da não existência de um conceito do bem da aceitação de uma ideia subjetiva do valor. Quaisquer que sejam suas

Conhecimento e política

uma imagem refletida da natureza da espécie. A unicidade das pessoas seria superficial se cada uma delas não representasse, de maneira limitada e distinta, as possibilidades abertas a toda a espécie. Finalmente, a ideia de um bem particular pode ajudar-nos a lembrar que ninguém é capaz de apresentar plenamente a natureza de toda a espécie no curso de sua própria vida e que as formas pessoais do ideal, na arte, no culto religioso e no amor, só atingem seu pleno significado através da influência que exercem sobre o progresso histórico da humanidade.

A conexão entre esses dois bens e o significado dessa conexão, para o que é fundamental neste ensaio, podem ser mais bem compreendidos em termos da relação característica entre universais e particulares. A natureza da espécie evolui através do desenvolvimento das capacidades dos indivíduos. Mas nenhum conjunto definido de talentos individuais já realizados, ou capazes de realização, exaure a natureza humana, que se transforma, continuamente, através de toda a história. O bem universal existe somente através do bem particular, no entanto é sempre capaz de transcendê-lo. Os dois aspectos do bem são inseparáveis.

Esse ponto de vista difere do da doutrina do valor subjetivo ao afirmar que o bem é mais que a satisfação de desejos individuais. Mas também diverge das teorias do valor objetivo através de sua negação da existência de leis morais eternas inerentes à natureza das coisas.

Tendo definido o bem, podemos, agora, perguntar como se pode obter o conhecimento do que ele vem a ser. Esta pergunta é especialmente premente no que diz respeito ao aspecto universal do bem, porque uma natureza humana que transcende qualquer personalidade individual ou forma de vida social deve sempre conservar alguns traços de um mistério.

Uma pessoa demonstra o que é através do que diz e faz, embora nunca possa revelar-se totalmente, nas opções que faz, por ser um ser ao mesmo tempo abstrato e concreto. Por analogia, a concordância moral pode revelar a natureza da espécie. Na medida em que valores morais, prevalecentes em diversas épocas e sociedades, convergem, essa convergência pode demonstrar-nos alguma coisa sobre o que os homens têm em comum.

A teoria dos grupos orgânicos

No entanto, todas as numerosas tentativas de construir uma doutrina moral e política, baseada no conceito de uma natureza universal, fracassaram. Caem, repetidamente, na armadilha de um dilema. Ou os objetivos alegadamente universais são por demais restritos e abstratos para que possam dar conteúdo à ideia do que é bem ou são excessivamente numerosos e concretos para que sejam verdadeiramente universais. Temos que escolher entre a trivialidade e a improbabilidade.

Por exemplo, podemos reconhecer a existência de um interesse permanente nos benefícios da sobrevivência e da saúde, mas é difícil alongar muito mais essa lista. Ao enumerarmos valores detalhadamente, será sempre possível apontar exemplos nos quais eles foram rejeitados por algumas sociedades, ou em determinados períodos. Surgirá, então, a necessidade de julgarmos o valor das asserções conflitantes de diferentes culturas e épocas e, por conseguinte, de encontrarmos algum critério independente do bem. Se dispuséssemos de semelhante critério, contudo, não teria sido necessário buscarmos propósitos humanos comuns em primeiro lugar.[1]

Um conceito errôneo do problema do valor acha-se na raiz dessas propostas que não oferecem uma solução válida. Elas tratam os valores morais mantidos em várias épocas e diversas sociedades como se tivessem o mesmo peso. O que serve de base para este ponto de vista é a noção de que um compromisso assumido para com certos objetivos é uma imediata e transparente indicação da natureza de seu autor. Consequentemente, se muitos e diferentes indivíduos, em circunstâncias amplamente diversas, fazem as mesmas escolhas, essas escolhas devem manifestar a existência de uma humanidade comum. A premissa dessa crença numa conexão direta entre valores convergentes e a natureza humana é a suposição, ainda mais básica, de que essa natureza é não só unitária mas também similarmente efetiva em todos os indivíduos, qualquer que seja a sociedade ou a época a que pertencem.

A investigação anterior sobre o relacionamento entre a natureza humana e a história já sugeriu que esses conceitos são errôneos e que a busca de uma categoria de ideais universalmente compartilhados não pode, por

Conhecimento e política

alguns sobre os outros leva a um esforço desesperado para tornar o poder impessoal, através da lei.

Uma vez reconhecida a influência corruptora dessa dominação sobre a autoridade dos valores comuns, vamos de encontro ao círculo vicioso que encontramos, com frequência, anteriormente. Os valores comuns só têm peso na medida em que não são simples produtos da supremacia. No entanto, a dominação e a autonomia não possuem um significado autoevidente. Ser dominado por outro é sujeitar-se ao seu poder injustificado. Assim, a fim de definirmos o que é dominação precisamos ser capazes de distinguir as formas justificadas, e não justificadas, do poder e traçar os verdadeiros limites da autonomia. Isso requer julgamentos que devem depender, num grau maior ou menor, de nossas intuições e práticas morais estabelecidas.

A dificuldade principal resulta da desproporção entre a seriedade do problema e nossa capacidade de resolvê-lo. Quanto mais extremo o sistema de dominação, tanto maior a necessidade de superá-lo a fim de compreendermos, desenvolvermos e manifestarmos a natureza humana. Pelos mesmos motivos, porém, tanto menor será a confiança que podemos depositar nos nossos julgamentos morais e, por conseguinte, na nossa capacidade de definir o que é dominação.

A política pode, contudo, transformar o círculo vicioso numa espiral. A solução para o problema da dominação e da comunidade está numa aproximação progressiva do ideal, em que cada passo dado para igualar a maneira pela qual os homens participam da formulação de valores comuns aumenta a autoridade da comunidade, e cada acréscimo da importância moral dos propósitos comuns aumenta a precisão com que a dominação pode ser definida.

É necessário responder-se a uma série de perguntas antes que a ideia da espiral possa ser aceita como uma descrição do relacionamento entre a concordância moral e a natureza humana. Como pode semelhante processo ter início? Que espécie de grupos supomos poder servir-lhe de cenário? O que pode ser dito sobre o conteúdo dos valores que emergem, a cada passo, ao longo do caminho? E como podemos saber onde a espiral termina?

A teoria dos grupos orgânicos

Os vários tipos de dominação – da mais grosseira à mais sutil – são colocados numa balança; daquela que assume uma forma extrema e visível, como a escravidão legalmente sancionada, aos impalpáveis estratagemas através dos quais um espírito torna-se dono de outro. De início, quando os fardos do poder são mais pesados, e a autoridade de valores morais amplamente compartilhados acha-se, portanto, mais enfraquecida, a diferença entre o exercício permissível, ou não permissível, desse poder resultará, necessariamente, dos sinais externos de sujeição. Ainda assim, os argumentos clássicos a favor da escravidão demonstram que mesmo as formas mais violentas de opressão podem parecer justificáveis. Devemos, portanto, reconhecer tanto a dificuldade de definir os contornos do poder legítimo, durante os primeiros passos desse processo, quanto o fato de que esses passos são dados. Qualquer que seja, porém, o mecanismo das escolhas iniciais, as bases de julgamento tornam-se mais seguras à medida que avançamos.

Outra questão apresentada pela ideia da espiral de dominação e de comunidade é a do alcance da vida social, que deve ser levado em conta ao determinarmos o valor dos objetivos comuns como sinais da natureza da espécie humana. Seria mais indicado considerar um determinado grupo, toda uma sociedade, com muitas e diversas coletividades, ou a humanidade inteira? Aqui, novamente, qualquer resposta satisfatória deve fazer justiça às possibilidades progressivas da espiral.

O fato de que certas metas comuns são mantidas num mesmo grupo pode ter um significado apenas relativo em sugerir características de natureza humana universal. Mas, quanto mais amplos forem os fundamentos da concordância, em diferentes grupos e sociedades, e quanto maior sua estabilidade no correr do tempo, mais justificados estaremos em tirar daí inferências sobre o eu e o bem. O apelo definitivo seria relativo à humanidade como um todo, mas a comparação numa escala tão vasta é dificultada pela diversidade de circunstâncias de escolhas e segundo o grau em que a dominação houver sido expurgada. Assim, ao avaliarmos a exatidão com que os valores comuns expressam a natureza humana, dois critérios principais devem ser observados. O primeiro é a medida do êxito obtido em livrarmos nossos pontos de

Conhecimento e política

E, se admitirmos isso, não devemos reconhecer que a ideia de descobrir a humanidade, reprimindo a tirania, oculta um paradoxo?

O defeito deste tipo de crítica é sua tendência a fazer exatamente aquilo que a objeção prévia pretendia detectar no meu argumento: a reificação da natureza humana como essência inalterável à qual certas virtudes e vícios se acham permanentemente ligados. Mas a tendência a oprimir é inseparável da história da opressão: pode ser modificada à medida que a qualidade da experiência quotidiana é transformada. Esta é, pelo menos, a hipótese implícita numa doutrina que acentua o diálogo entre o que os homens fazem e a maneira pela qual suas sociedades são ordenadas.

A teoria não deve permanecer cega ao mal. Ela vê o mal como a privação que consiste na impossibilidade de irmos adiante na espiral de dominação e comunidade. O signo do mal é a aceitação de uma certa forma de existência pessoal como sendo completa em si mesma, ou de uma espécie particular de vida social como representando a suprema realização da espécie. É o sacrifício da universalidade à particularidade e a redução do homem à condição animal.

Este argumento é certamente inconsistente com a noção do mal como sendo uma força positiva e independente que se exerce na história e no coração dos indivíduos, mas que é imune aos esforços humanos. E é igualmente incompatível com a crença de que a natureza humana permanece moralmente indiferente, nem boa nem má, por si mesma, mas precisando ser julgada por um critério independente. O princípio que mantém vivo esse ponto de vista é o de confiança na harmonia suprema do ser e na bondade existente na natureza humana e no mundo em geral. Quanto a isso, terei mais a dizer no final desta seção.

Suponhamos que o crítico aceite a noção de que existe uma natureza humana com implicações relativas à sua conduta e que a melhor compreensão e realização desta natureza constitui-se no bem. Ele poderia, ainda, negar que nos seja possível deduzir de uma concordância moral qualquer coisa, quanto ao conteúdo dessa natureza. Um número indefinido de fatores pode fazer as pessoas concordarem quanto a certos princípios morais. Não é nunca possível termos a certeza de que uma determinada convergência

A teoria dos grupos orgânicos

de crenças ou princípios reflita uma humanidade comum, ou simplesmente indique o efeito de algum outro fator determinante, natural e social, sobre as opções realizadas pelos homens. Se essa incerteza fosse justificada, a natureza humana seria como o Deus oculto cuja existência alguém pode afirmar, mas cujas feições não se pode entrever.

Essa objeção baseia-se, novamente, numa ideia falsa e essencialista da natureza humana. Sua premissa é a de que existe uma natureza humana e, separadamente dela, uma variedade de experiências sociais que podem ser responsáveis pela existência de concordâncias. Mas ao concebermos a natureza humana como algo que reside na totalidade das relações que os homens mantêm com a natureza, com os outros e com eles próprios, essa imagem torna-se irrelevante. Deve ser afastada juntamente com a noção de um cerne estático de humanidade que existe à parte de pensamentos, sentimentos e conduta, ou a crença em que toda a participação na vida social envolve um afastamento do que realmente somos. Tudo o que não decorre da necessidade de dominar é natureza humana; a dominação é uma forma de relacionamento social em que o comportamento humano deixa de expressar a natureza do ser.

Se o crítico aceitasse todas essas respostas a seus argumentos contra minha interpretação do bem, poderia ainda sentir um certo mal-estar quanto ao espírito que anima essa interpretação. Ela não nos leva a uma fé ou confiança injustificável na relação existente entre a realidade que se desvenda do mundo e da história e a conquista do ideal? Inebriados pelo conceito de uma harmonia, podemos facilmente abandonar as salvaguardas destinadas a nos proteger do mal tão arduamente construídas pelo liberalismo. Porque, se não existir a natureza humana unitária que visualize a diminuição da dominação, pode de fato levar a uma exacerbação do conflito moral em consequência da qual as premissas do pensamento liberal tornar-se-iam ainda mais válidas, e a aceitação política da subjetividade dos valores uma garantia ainda mais indispensável à autonomia individual.

A ideia do bem apresentada nestas páginas repousa sobre o conceito de uma ligação entre o ser e o bem. Este conceito não é nem arbitrário nem

Conhecimento e política

O corporativismo conservador busca resolver os conflitos do Estado liberal e da instituição burocrática através da restauração de uma versão idealizada do princípio de estamentos. Encara as corporações da sociedade pré-liberal como modelos para seu ideal de comunidade. A ordem social consistiria numa hierarquia de grupos, cada um dos quais se acharia representado em associações de nível mais alto e, finalmente, no governo central. O corporativista conservador teria que confiar em dois padrões de associação corporativa. Precisaria empregar o critério de associação a instituições particulares porque as fileiras são por demais amplas e abstratas para servir de bases adequadas a comunidades de objetivos comuns. Mas ver-se-ia também forçado a levar em conta a posição ocupada em cada fileira porque os membros de uma determinada instituição possuem habitualmente crenças e valores conflitantes, de acordo com sua classe e papel desempenhado (por exemplo, operários e gerentes numa empresa industrial). O corporativismo conservador é, internamente, inconsistente, incapaz de realizar-se, e errado em seus objetivos.[2]

Em primeiro lugar, embora a participação em instituições e a participação nas fileiras sejam critérios indispensáveis à associação numa entidade comunitária que respeite a estrutura da sociedade moderna, são, na realidade, irreconciliáveis porque a maior parte das instituições consiste em indivíduos que diferem entre si em classe e papel social. Essa irreconciabilidade revigora a crença em que só uma transformação da sociedade pode estabelecer as condições necessárias para a organização da comunidade. Sugere, além disso, que a comunidade emergirá, provavelmente, com maior rapidez em grupos cujos membros pertençam à mesma classe e desempenhem papéis similares.

Em segundo lugar, a doutrina corporativista demonstra uma total incompreensão das circunstâncias existentes no Estado liberal. Esquecendo-se da história, ela propõe solucionar os problemas da burocracia revivendo as próprias modalidades de ordem social cuja dissolução criou esses problemas, em primeiro lugar. A consciência da dependência pessoal, uma vez despertada, já não pode ser encoberta. Se a dominação persistir, como é forçoso que aconteça na sociedade hierárquica, qualquer participação de objetivos

A teoria dos grupos orgânicos

terminará por ser reconhecida e rejeitada como coerciva, o que é uma consequência da manipulação da elite ou do interesse sectário.

Em terceiro lugar, porque santifica uma ordem existente de dominação, ou propõe substituí-la por outra, o corporativismo não consegue satisfazer o ideal do eu. O elemento individual e o elemento social da personalidade permanecem em guerra um com o outro, e a solidariedade não é conquistada enquanto os homens forem incapazes de estabelecer relações nas quais a comunidade de propósitos não implique a sujeição permanente da vontade de alguns à de outros.

A segunda posição preponderante no círculo externo da política moderna é a doutrina utópica socialista ou revolucionária da comunidade igualitária. A despeito da abundância de correntes dentro dessa doutrina, alguns temas comuns persistem. O objetivo é estabelecer uma forma de associação que vá além dos princípios de classe e do papel social sem restaurar os costumes e as corporações da sociedade pré-liberal. A solidariedade deve ser assegurada através da criação de comunidades de objetivos comuns baseada na maior igualdade possível de condições de poder e participação na organização de objetivos comuns. A universalidade concreta, e não abstrata, será atingida através do confinamento progressivo da divisão do trabalho dentro de cada grupo e entre este e os outros. Cada grupo deve aproximar-se da condição de uma sociedade autossuficiente e cada indivíduo da condição de um exemplo completo de sua espécie. Assim, o desenvolvimento da pessoa precisa ser realizado pela descentralização da sociedade. E a ordem social procurará conquistar a harmonia natural, possibilitando uma liberdade maior às necessidades instintivas da personalidade e simplificando de tal modo as condições da vida social que o relacionamento vivificante do homem com a natureza possa sempre reafirmar-se.[3]

Por mais sedutor que seja o ideal socialista utópico da comunidade, este possui alguns defeitos quase tão sérios quanto os do corporativismo conservador e seus análogos. Primeiramente, a doutrina salva-se da incoerência graças apenas a uma indefinição que lhe permite significar tudo e nada. Logo que se tente concretizá-la, há que lidar com questões relativas ao poder e

Conhecimento e política

burocrática for esquecido, seu ideal de mérito glorificado e as exigências da democracia institucional e do governo forem sacrificadas como antiquadas, futurísticas ou secundárias.

Uma segunda qualificação, mais fundamental, relembra a espiral de dominação e de comunidade. A diminuição progressiva do poder dominante torna a comunidade possível; o desenvolvimento da comunidade ajuda-nos a compreender e, por conseguinte, a eliminar a dominação. Em momentos diversos, os dois aspectos deste processo exigem vários graus de atenção. Inicialmente, os obstáculos opostos pela dominação são preponderantes, e a comunidade aparece como um ideal ainda vago que orienta de longe a prática política. Com o passar do tempo, essa relação deverá ser invertida para que o ideal do eu possa ser realizado na sociedade. Ao serem abolidas as formas mais rígidas de tirania, os problemas da comunidade elevam-se acima dela e os da dominação permanecem como questões relativas aos relacionamentos dos grupos entre si e de seus membros. Só a maior universalização da comunidade, e consequentemente a definição mais precisa do bem, poderá resolver esses problemas.

Todos os homens devem lutar pelo dia em que a prioridade da luta contra a dominação pelo desenvolvimento da comunidade será revertida. Só então, finalmente, terão sido atendidos os apelos da política moderna. O círculo interno será rompido e escaparemos para o círculo externo, já não mais condenados a oscilar entre a utopia e a idolatria, mas capazes de alcançar o bem que pode ser realizado dentro da história.

TEORIA E PRUDÊNCIA

Agora que descrevi a ideia geral de uma visão do bem e indiquei seu relacionamento com algumas preocupações tradicionais do pensamento político, estamos preparados para pôr essa ideia em funcionamento. A teoria do bem justifica um certo ideal de comunidade. O estudo desse ideal, e de seu significado para a sociedade moderna, ocupará as seções posteriores deste capítulo. Ao nos voltarmos para as implicações da doutrina da natureza humana na

A teoria dos grupos orgânicos

sociedade, devemos procurar esclarecer quanto pode ser esperado da filosofia como guia político.

A atitude comum para com a teoria oscila entre a suspeita de que a filosofia nada pode realizar e a exigência de que realize tudo. O pensamento especulativo ou é dispensado como um deus mudo, incapaz de dirigir-se a nossas preocupações de ordem prática, ou é adorado, como um ídolo cujos lábios podem pronunciar o segredo da redenção. Parece, sempre, simples demais para ser verdadeiro e por demais complicado para ser útil. A vida é fértil; portanto, as teorias compreensivas devem ser falsas. A vida é curta; por conseguinte, elas devem ser inúteis.

Para compreendermos corretamente a importância da filosofia em relação a opções de ordem prática, precisamos reconhecer a diferença entre a teoria e a prudência ou a prática e procurarmos ver onde está essa diferença. A prudência, tal como a considero, é o conhecimento dos particulares, ou o raciocínio sobre as opções particulares. O conceito da intuição tem sido frequentemente usado ao nos referirmos ao aspecto descritivo da prudência, a apreensão direta de coisas singulares e os conceitos do senso comum, ou da sabedoria prática com seu aspecto normativo: a capacidade de formarmos um juízo correto sobre problemas concretos de opção. O termo prático coloca a ênfase na conduta, e não tanto na compreensão refletiva que deve acompanhá-la.

Através deste ensaio tenho procurado romper as algemas impostas pelo contraste liberal entre compreensão e avaliação. Mas, mesmo quando este contraste é posto de lado, permanece uma linha divisória entre a teoria e a prudência – uma linha com a qual a distinção entre fato-valor é algumas vezes confundida. A teoria e a prudência possuem, ambas, um aspecto descritivo e um aspecto normativo.

A principal diferença entre elas é o fato de ser, uma, abstrata, e a outra, concreta. A teoria progride atingindo uma generalidade ainda maior, que, por seu turno, implica uma crescente abstração da particularidade de objetos e eventos. Examinamos antes algumas consequências desse processo de contínua abstração para nossas ideias sobre o conhecimento. Consideremos agora seu significado moral e político.

Conhecimento e política

Se é verdade que a teoria envolve sempre a generalização e a abstração, qualquer doutrina política permanecerá mais ou menos remota dos contextos particulares, dentro dos quais decisões devem ser tomadas. Deve existir um ponto, no seu desenvolvimento, a partir do qual ela já não poderá tornar-se mais concreta através dos instrumentos da razão teórica. Inferências diversas podem ser então extraídas da doutrina, a fim de orientarem ou justificarem decisões. Existirão ainda razões para que algumas dessas inferências sejam preferidas, em vez de outras, mas não serão da mesma espécie que as razões que nos levam a preferir a doutrina em primeiro lugar.

A prudência, diversamente da teoria, é inseparável de instâncias particulares de opção ou exemplos de conduta; ela resiste à redução a preceitos gerais e procede de forma análoga com particulares diretamente, entre si, sem depender de princípios abstratos. Embora nossa compreensão da prudência permaneça em estado primitivo, a sua prática é, e sempre foi, um aspecto penetrante da vida moral. Voltaremos, dentro em pouco, à questão da natureza do julgamento prudencial, depois de colocarmos o contraste entre o conhecimento abstrato e o conhecimento concreto numa perspectiva histórica e de indicarmos suas bases.

A metafísica clássica conhecia a distinção entre razão especulativa e razão prática, mas tendia a definir essa diferença como relativa ao objetivo de cada espécie de pensamento – contemplação versus escolha, e não tanto o contraste entre uma lógica de universais e uma lógica de particulares.[4] Na história da filosofia ocidental, a ideia de que o conhecimento abstrato e o conhecimento concreto são descontínuos, embora complementares, foi atacada por dois motivos principais. Por um lado, houve a tendência em alegar a posse de uma teoria, ou de um método teórico, que poderia também tornar-se conhecimento concreto e ensinar às pessoas o que fazerem em cada situação. Essa crença é exemplificada por certas formas de platonismo, de utilitarismo e de marxismo. Por outro lado, o ponto de vista liberal de que as opções são território da vontade arbitrária.

A noção clássica de teoria, como contemplação, e de prudência, como sabedoria prática, não leva em consideração o fato de que mesmo uma teoria

A teoria dos grupos orgânicos

concernente à conduta certa ou errada é incapaz de descer à lógica dos particulares. A pretensão de possuir uma doutrina que vence a separação entre o conhecimento abstrato e o conhecimento concreto leva a uma espécie de charlatanismo. Exagerando as asserções da filosofia e pretendendo uma certeza relativa a questões práticas que não são de sua alçada, solapa tanto a utilidade da teoria quanto a lucidez da prática. E a afirmação liberal de que o que não for conhecimento abstrato terá que ser uma escolha arbitrária leva-nos de volta aos dilemas do valor subjetivo de que estamos procurando libertar-nos.

Os motivos da verdadeira diferenciação entre o conhecimento abstrato e o conhecimento concreto são metodológicos, metafísicos e morais. O motivo metodológico é o relacionamento dialético entre a teoria e a política. A teoria não pode ser nunca totalmente concreta porque, a cada momento, sua história depende da condição da sociedade. O desenvolvimento de nossas ideias teóricas depende da transformação da experiência e contribui para ela. Para que a teoria se tornasse conhecimento concreto, a experiência teria que permanecer imóvel por tempo suficiente para que nos fosse possível desvendar todas as implicações práticas das premissas que ela possibilitasse. Isso, contudo, nunca acontece. Cada passo, no desenvolvimento de uma nova maneira de observar o mundo, modifica a experiência do mundo e nos força a voltar aos princípios primitivos.

A mais profunda razão metafísica para a disjunção da teoria e da prudência é sempre a impossibilidade de vencermos completamente o hiato entre os universais e os particulares. O estudo da natureza humana mostrou-nos que o aspecto universal e o aspecto particular da personalidade, as exigências da sociabilidade e da individualidade, do eu abstrato e do eu concreto não podem ser nunca plenamente harmonizados. E no curso de nossa crítica do pensamento liberal verificamos que uma metafísica que identifica universais e particulares é tão insatisfatória quanto aquela que se oponha a eles à maneira liberal. A busca de um conceito de universais e particulares que solucione as antinomias do pensamento liberal pode temperar o extremismo da antítese e mesmo modificar-lhe o caráter, mas não pode anular a própria divisão. Assim, na moral, fica-nos ainda o conflito entre a ética universalista

Conhecimento e política

de princípios e consequências e a ética particularizadora da solidariedade. Na política, como esclarecerão as seções posteriores deste capítulo, confrontamos a tensão entre a necessidade, por parte de cada comunidade, de tornar-se uma associação universal e sua necessidade inversa de permanecer particular.

O contraste da teoria e da prudência é simplesmente a contrapartida cognitiva dessas disritmias morais e políticas. Resulta da confluência de uma característica do mundo e um aspecto da teoria. Os objetos e os acontecimentos do mundo possuem uma substância; existem como particulares, cada qual com sua própria identidade. Mas a teoria pressupõe uma tendência a desconsiderar algumas diferenças entre particulares, para determinados propósitos, e focalizar outras. Mesmo quando consegue explicar as relações entre certas coisas, com uma economia de meios cada vez maior, precisa abrir mão de qualquer tentativa de descrever sua particularidade, de maneira a fazer justiça à riqueza da percepção. Tão poderosa tem sido a influência desta modalidade de pensamento, que nos habituamos a identificá-la com a própria razão. Ao fazê-lo, esquecemos a existência da prudência que se alimenta da analogia de particulares, e não da formulação de leis explanatórias, e baseia-se mais no apelo a exemplos concretos de conduta correta que nas asserções de princípios morais. Uma explanação generalizante não pode ser o mesmo que uma percepção prudencial, a não ser que vivêssemos num outro mundo.

Existe, contudo, uma forma de conhecimento que atravessa precariamente a brecha entre o conhecimento abstrato e o conhecimento concreto. É o conhecimento da arte. A visão introspectiva estética tem por endereço situações particulares, ou é inseparável de determinadas formas, mas essas formas e essas situações afetam-nos como se exemplificassem aspectos que abrangem um vasto setor de nossa própria experiência. No entanto, mesmo nas manifestações mais altas da arte, a lógica dos universais e dos particulares leva a direções opostas e constantemente ameaça desfazer-se. A síntese estética não atinge nunca a transparência e a estabilidade necessárias à construção de uma forma de conhecimento, a um só tempo abstrato e concreto, capaz de ditar um curso de conduta e fornecer ao mesmo tempo uma visão do mundo.

A teoria dos grupos orgânicos

O terceiro motivo de uma diferenciação entre a teoria e a prudência é de ordem moral: refere-se às modalidades de esforços necessárias aos que buscam um esclarecimento teórico ou prudencial. A teoria consuma-se na filosofia. A prudência, como a sabedoria prática, é filha da política num sentido mais amplo; ela é conquistada através da prática da liderança e da associação. Mas como a teoria e a prudência atingem seu ponto mais alto na filosofia e na política, suas exigências, em termos de tempo, para com aqueles que as seguem são ilimitadas. Embora a filosofia e a política dependam uma da outra, resistem à combinação de ambas numa só existência. Aqueles que preferem atuar dependem dos que se dedicam primordialmente à teorização, para ajudá-los a compreender a verdade e o bem. E os que teorizam precisam daqueles que agem para complementar e criticar seu trabalho teórico, no domínio do julgamento concreto. No entanto, essa colaboração é amaldiçoada pelos riscos da incompreensão e da traição.

Esse obstáculo, que tem sido a causa de tanta revolta desde Platão, seria incompreensível não fosse o fato de que a teoria e a prudência se constituem, na verdade, em empreendimentos diversos e, portanto, exigem dons e esforços diferentes por parte daqueles que as exercem. Assim, a trágica dificuldade de ser ao mesmo tempo um filósofo e um político é, em última análise, ligada à disjunção entre universais e particulares.

Encarada à luz da distinção entre filosofia e política como formas de vida, a descontinuidade entre a teoria e a prudência revela-se intimamente ligada ao ideal democrático. Se a filosofia fosse um conhecimento concreto, o melhor filósofo seria, na verdade, o melhor governante. Mas a doutrina democrática deve, talvez, depender da convicção de que, embora os homens possam divergir enormemente nas suas capacidades teóricas, possuem todos, ou podem facilmente esperar obter, uma medida de senso comum vagamente comparável à de seus semelhantes. Assim sendo, as tentativas de anular as barreiras entre o conhecimento especulativo e a sabedoria prática contêm o perigo do elitismo. Quando o pensador, que declara possuir a chave da ordem social, junta-se ao estadista que justifica suas ações como uma consequência da verdade universal, para onde se voltarão as pessoas

Conhecimento e política

comuns quando buscam quem apoie suas asserções? Não podem esperar pelo momento hipotético em que a teoria transformar-se-á em algo que pertence às massas, que passarão a alimentá-la como um dos aspectos de sua prática política.

Sem perder de vista a diferenciação entre a teoria e a prudência, examinemos mais de perto o próprio raciocínio prudencial e sua localização no desenvolvimento do meu argumento arrazoado. Não tenho em mãos um relato sobre o que venha a ser a prudência, não por acreditar que ele seja impossível ou sem importância, mas simplesmente porque não encontrei nenhum. As ideias que se seguem são simples hipóteses em aberto, destinadas mais a esclarecer os limites da teoria que a retratar o que existe por trás dela.

Em todas as sociedades, a cada estágio do desdobramento da espiral de dominação e de comunidade, podemos encontrar um núcleo de valores mais ou menos largamente compartilhados cuja autoridade depende da universalidade de seu alcance e duração e da relativa autonomia dos indivíduos na sociedade. Esses valores representam uma interpretação da natureza da espécie humana e, por conseguinte, consequente também dos usos legítimos do poder, à luz dos conceitos adquiridos sobre o bem e as ideias empíricas disponíveis sobre a natureza humana e a ordem social.

Em torno dessa esfera de luminosidade moral encontram-se as trevas de novos problemas ou daqueles, já antigos, que foram renovados por circunstâncias inéditas. Entre a luz e as trevas existe a penumbra do debate que se estende, às vezes, a grandes distâncias, ou volta-se para o centro, criando o lusco-fusco em que nossas crenças relativas ao bem são revistas e modificadas. Nessa penumbra, o instrumento mais usado é o da analogia. Comparamos as questões em relação às quais nos sentimos mais seguros com aquelas que mais nos confundem. A decisão de comparar uma instância à outra, ou de distingui-las, depende do juízo sobre quais as diferenças e quais as semelhanças de maior significado para os princípios morais em jogo.

O processo da comparação analógica pressupõe que os problemas encarados ligam-se uns aos outros como parte de um único universo moral. No entanto, seus vínculos não são simultaneamente evidentes nem a apreensão

A teoria dos grupos orgânicos

que deles temos permanece estática. Cada nova conexão realizada nessa trama transforma a compreensão das ligações já descobertas.

O raciocínio prudencial do tipo que descrevemos é necessário para dar conteúdo, em cada situação social, a um número de conceitos-chave na doutrina do bem. Assim, é mais por prudência que por motivos teóricos que escolhemos quais os valores que devem ser defendidos num dado momento – que decidimos onde traçar os limites do conceito de dominação e que escolhemos de que maneira lidar com as exigências conflitantes enfrentadas inevitavelmente pela política comunitária. Na verdade, grande parte do problema da estratégica, na seleção dos meios pelos quais realizar o ideal na sociedade, pertence ao domínio do conhecimento concreto. Por isso, o conhecimento abstrato não pode fornecer uma regra geral para a escolha entre a persuasão e a revolução.

Na medida em que a filosofia é uma medida universal, ela descreve o quadro dentro do qual, o processo através do qual e os ideais segundo os quais as decisões práticas devem ser tomadas. Pode apontar os fatores que a opção de ordem prática deve considerar ou precluir certas soluções como inaceitáveis. Mas não pode afastar a prudência. Como doutrina normativa, sua tarefa consiste em servir de sinal de alerta para a política – e não em substituí-la.

Para muitos isso parecerá uma conclusão decepcionante. Podem arguir que é precisamente em relação às questões mais urgentes e importantes que o pensamento especulativo retrai-se em silêncio. E, de certo modo, estarão certos. Nossas preocupações morais comuns são os problemas da opção prática. Queremos saber como agir aqui e agora; se devemos permitir uma determinada prática social ou aboli-la; se devemos fazer pouco caso de uma espécie de diferenciação entre as pessoas e levar outra em conta; se seria mais indicado voltarmos nossos esforços para este objetivo ou para aquele. Mas, sempre que tentamos especular sobre questões semelhantes, nosso avanço é caracteristicamente lento. Como não podemos resolver os problemas diretamente, precisamos circundá-los e tentar determinar as premissas teóricas sobre as quais e as condições políticas nas quais nossos julgamentos morais poderiam tornar-se mais seguros. Só então haverá a esperança de avançarmos rumo à solução dos enigmas do julgamento prático.

Conhecimento e política

É por isso que meu argumento volta-se para a revisão da teoria e a descrição de um ideal social, e não tanto para o estudo dos problemas concretos da opção. A necessidade dessa prática é lastimável. Mas devemos aceitá-la porque é a única maneira de atingirmos a verdade.

O GRUPO ORGÂNICO

Conceito geral

A teoria dos grupos orgânicos tem dois objetivos. O primeiro é definir as implicações políticas da visão do bem que esbocei. O segundo é sugerir como a situação da sociedade moderna pode ser utilizada para promover o bem. Se a doutrina pudesse satisfazer-se com a definição de um ideal, cairia na utopia. Se abordasse o estudo do presente, ou a predição do futuro, como um substituto para a elucidação do propósito moral, poderia transformar-se em idolatria.

O conceito central da teoria é a ideia da comunidade. Ao descobrirmos a deficiência das manifestações puramente pessoais do ideal do eu, encontramos, também, seu complemento político numa certa experiência da vida em comunidade. A imagem hipotética de uma comunidade universal, cujas práticas revelassem a natureza da espécie humana, forneceria uma interpretação da harmonia natural. Numa associação semelhante, o sentimento da ordem imanente harmonizar-se-ia com a capacidade de crítica ou transcendência. Uma comunidade universal resolveria, também, o paradoxo da sociabilidade: como um domínio de objetivos comuns, marcado pelo reconhecimento, por parte de cada pessoa, da individualidade concreta de seus semelhantes, dissolveria o antagonismo entre o aspecto individual e o aspecto social da personalidade. Essa comunidade tornaria a universalidade concreta acessível aos seus membros – cada um podendo desenvolver os seus talentos pessoais, através da divisão do trabalho, na certeza de que seus esforços participariam do desenvolvimento da natureza humana.

Ao transformarmos a harmonia natural, a solidariedade e a universalidade concreta em conceitos do bem universal e particular, verificamos,

A teoria dos grupos orgânicos

novamente, que eles só podem ser plenamente realizados através de uma comunidade universal. A natureza da espécie é revelada e desenvolvida, na história, através da espiral decrescente de dominação e crescimento do ideal de comunidade. Graças a essa espiral os indivíduos podem ter a esperança de se tornarem mais seguros no sentido e na expressão da personalidade.

O ideal da comunidade universal, como o ideal do eu de que ele deriva, é, no entanto, incapaz de realizar-se completamente na história. As experiências da ordem imanente e da transcendência não podem nunca reconciliar-se totalmente enquanto o homem conservar o dom da consciência. Nenhum homem pode amar todos os outros homens como indivíduos concretos; nem pode perder totalmente a sensação de seu isolamento sem sacrificar sua identidade individual. Ele é incapaz de representar totalmente a natureza da espécie no seu trabalho e na sua vida.

Voltaremos a descobrir essas imperfeições no próprio cerne do problema da comunidade: os diversos elementos do ideal comunitário entram em conflito em última análise. Consequentemente, a espiral de dominação e do ideal de comunidade, constituindo sempre uma aventura arriscada, busca um objetivo que é proibido de alcançar. O pensamento especulativo é forçado a reconhecer a existência de uma luta decisiva, amarga e infindável entre o que os homens podem ser e o que eles, eternamente, desejariam tornar-se. Se existe uma paz mais alta, além da história, talvez de algum modo preparada através dela, a filosofia é incapaz de firmar à luz de seus próprios conhecimentos.

Por esses motivos, a ideia de uma comunidade universal pretende servir mais como um ideal normativo que como descrição de uma sociedade futura. É um limite nunca atingido, mas capaz de fornecer uma orientação aos que procuram aproximar-se dele. A fim de traduzir sua mensagem em termos de possibilidades políticas, precisamos distinguir diferentes aspectos do ideal comunitário e determinar, então, de que maneira, e até que ponto, cada um de seus aspectos pode ser representado numa forma de vida social. Precisamos descobrir os princípios institucionais capazes de transformar um conceito geral numa ordem social. Esses princípios, em conjunto, descrevem uma espécie de comunidade que chamarei de grupo orgânico.

Conhecimento e política

O que de mais óbvio uma **doutrina de** comunidade procura fazer é determinar em que consistiriam relações sociais de solidariedade e descrever, assim, o equivalente político do amor. Dois fatores se agregam na solidariedade: a comunhão de propósitos, em virtude da qual cada um vê no outro uma vontade complementar, e não antagonística, e o desejo de ver e tratar os outros como indivíduos concretos, e não como pessoas que desempenham determinados papéis. O primeiro princípio institucional do grupo orgânico preocupar-se-á com as condições sob as quais esses elementos de solidariedade poderão florescer.

O reconhecimento da individualidade concreta e a convergência de objetivos não são suficientes. Os valores compartilhados solucionam o paradoxo da sociabilidade na medida em que eles merecem ser interpretados como indícios de uma natureza humana universal da qual participam os membros do grupo. E só então é que eles adquirem o aspecto de dádiva que lhes permita justificar a experiência de ordem imanente, exigida pela harmonia natural, e a autoridade necessária para a orientação de esforços individuais no espírito da universalidade concreta. Deste modo, o segundo princípio do grupo orgânico deve encontrar uma contrapartida institucional da espiral de dominação e ideal comunitário, indicando as circunstâncias sob as quais as opções se tornariam cada vez mais capazes de expressar a humanidade.

A teoria dos grupos orgânicos permaneceria crucialmente incompleta se não partisse para a descrição geral das formas e das relações de trabalho. A harmonia natural, a solidariedade e a universalidade concreta constituem bens que são ao mesmo tempo particulares e universais: sua expressão política deve servir de base para o desenvolvimento da individualidade e também para o aperfeiçoamento da natureza da espécie. O objetivo do terceiro princípio do grupo orgânico é descrever a espécie de organização de trabalho que pode tornar isso possível.

Denominarei esses princípios institucionais de comunidade de vida, democracia de objetivos e divisão de trabalho. Não resultam do ideal de comunidade com a mesma premência que faz com que o ideal de comunidade resulte da doutrina da natureza humana. Exigem categorias muito mais

A teoria dos grupos orgânicos

vastas de admissões empíricas e uma série muito menos rigorosa de inferências. No entanto, esses princípios podem ser definidos de uma forma geral e sua generalidade os mantém dentro do domínio da teoria. A respeito de cada um deles, podemos indagar precisamente no que implicam para a organização das relações sociais, quais as tendências da sociedade moderna que afetam mais diretamente sua realização e que espécies de obstáculos e objeções podem ser previstos para que se tornem realidade.

O argumento deve procurar evitar os erros cometidos pelo corporativismo conservador e pelo socialismo utópico na sua visão da comunidade. Deve também respeitar as limitações por demais prudentes da teoria. Incapaz de oferecer tanto um plano geral da ordem social quanto uma prescrição para a transformação da sociedade, não lhe resta outra escolha senão aceitar a tarefa mais modesta de apontar para uma imagem que se encontra além de seu próprio campo de visão. Lamentavelmente, cada homem encontrará nessa imagem pouca coisa capaz de satisfazer seu desejo de que lhe digam o que fazer e muita coisa que perturbará sua vontade de permanecer tal como é.

A comunidade de vida

Definição. A comunidade começa com a solidariedade. A solidariedade significa que as pessoas se encontram e se conhecem umas às outras de maneira que sua sensação de isolamento varia numa proporção direta, e não numa proporção inversa, ao seu desejo de união social. Quando a individualidade e a sociabilidade se complementam, os outros são vistos e tratados como pessoas únicas e como parceiros aos quais somos ligados por propósitos comuns.

O reconhecimento da individualidade e a comunhão de objetivos não têm probabilidades de se firmarem, a não ser que duas condições sejam preenchidas. Cada membro do grupo deve lidar com todos os outros membros face a face. E cada um deve conviver com eles em situações sociais tão diferentes que possa vê-los, e agir em relação a eles, como indivíduos concretos. A coexistência face a face exige que o tamanho do grupo seja limitado. Devido à

Conhecimento e política

importância da interação entre indivíduos, num vasto escopo de situações sociais, o grupo deve ser palco de muitas espécies de atividade. Uma associação caracterizada pela existência face a face e por uma organização de múltiplos propósitos é uma comunidade de vida. O relacionamento do princípio institucional da comunidade de vida com as condições iniciais de solidariedade mútua – o reconhecimento da individualidade e a comunidade de propósitos – é mais uma hipótese empírica que uma inferência lógica.

A não ser que os indivíduos lidem uns com os outros numa multiplicidade de maneiras, eles não têm como descobrir a unidade orgânica de suas personalidades. Quando o outro é sempre visto como sendo incumbido de um determinado papel, ele tende a transformar-se no papel que exerce, aos seus próprios olhos e aos olhos de seus companheiros. E a não ser que exista toda uma gama de ações interligadas, não haverá uma base de experiência comum sobre a qual possam ser desenvolvidos os objetivos compartilhados. Ou, se isso acontecer, esse desenvolvimento ocorrerá sob as restrições de uma atividade particular especializada e a visão que ela impõe. Quanto mais rígidos se tornarem esses pontos de vista, tanto mais restringirão o crescimento da personalidade individual e a manifestação da natureza da espécie na prática social.

Na instituição burocrática, os burocratas trabalham juntos, porém fazem quase tudo o mais separadamente. Assim é que dispõem de uma linguagem pública, baseada em experiências compartilhadas e convenções, na qual discorrem acerca do trabalho, mas não possuem um idioma comum em que possam discutir sobre suas respectivas vidas fora do grupo. Contudo, quando os mesmos indivíduos vivenciam juntos experiências múltiplas e diversas, os pontos de vista e interesses que adquirem no trabalho já não podem ser separados de suas opiniões sobre a organização e os objetivos do trabalho. Deste modo, a diferença entre o trabalho e o lazer, e entre a existência pública e a vida privada, perde muito de sua influência e a unicidade da pessoa é reafirmada.

A organização de múltiplos propósitos complementa a interação de pequenos grupos. Enquanto esta torna as pessoas visíveis umas às outras, a primeira expande a diversidade de seus encontros. Por meio disso favorece o

A teoria dos grupos orgânicos

reconhecimento da individualidade e contribui para uma comum experiência, da qual podem surgir objetivos comuns.

De início, os dois elementos que definem a comunidade de vida parecem encaixar um no outro perfeitamente. O alargamento da vida em grupo multiplica o número de oportunidades para que os homens sejam levados a unir-se. A intimidade da pequena associação transforma a organização de propósitos múltiplos em algo que pode aumentar a complexidade dos encontros sociais entre as mesmas pessoas, sem acentuar a divisão do trabalho. Quanto mais numeroso for o grupo tanto menor é a necessidade de que exista uma ligação entre o número de atividades nele exercidas e o número de atividades que cada indivíduo é chamado a executar.

Há um conflito oculto por trás dessa simetria – um conflito que se torna aparente quando lançamos o olhar de volta para os objetivos que a comunidade de vida deve expressar. O reconhecimento da individualidade é inseparável do pequeno grupo. Em princípio, os outros não podem ser conhecidos nem tratados como indivíduos reais, a não ser que possam ser vistos e tocados. O amor pode atravessar o que nos separa de um estranho ou abraçar a pessoa cujas metas contradizem as nossas, mas isso só acontece através de um extraordinário e misterioso esforço, e não por uma prática habitual do sentimento. Diversamente do que sucede com o reconhecimento da personalidade, o processo da concordância moral torna-se mais perfeito ao tornar-se mais universal. Assim, a fim de realizar um de seus objetivos essenciais, a comunidade de vida sofre sempre a tentação de destruir-se, como grupo reduzido, e transformar-se numa associação mais universal. Mas, ao fazê-lo, sacrifica seu outro e igualmente importante objetivo. Esse trágico conflito reaparecerá sob uma variedade de formas e acabará por ter graves consequências para toda a tentativa de organização de uma política comunitária.

Possibilidades. Agora que o princípio da vida em comunidade e sua dialética interna já foram definidos, podemos perguntar que espécie de instituições podem servir como pontos de partida para sua realização e com que tipo de problemas devemos contar no esforço por alcançá-la.

Conhecimento e política

Uma das instituições que mais se aproximam da comunidade de vida, segundo nossa experiência, é a da família. Mas existem várias razões que fazem com que a família, tal como existe no Estado moderno, constitua uma expressão inadequada da comunidade. Ela já tipifica uma fenda entre o trabalho e o lazer e o mundo público e privado. Estabelecida sobre esta fenda, não oferece uma base suficientemente sólida para a afirmação da unidade e a realização completa da personalidade. Por ser presa aos laços do sangue e do matrimônio, a família impõe limites à livre expressão da solidariedade. E não existem etapas mediadoras disponíveis entre a burocracia, baseada no papel social, e a família, fundada no parentesco. Por todos esses motivos, a comunidade deve ser constituída por um grupo diferente do da família.

Esta permanece, contudo, tanto como uma expressão primitiva, embora profunda, dos valores que a comunidade de vida destina-se a servir, quanto como algo que limita as tendências universalizantes dos ideais comunitários. Porque a família moderna leva os homens de volta a uma associação que compete com a fidelidade a todos os outros grupos, e proporciona, numa certa medida, o reconhecimento individual, através do amor, mesmo na ausência de valores compartilhados. Por esse motivo, a política comunitária deve tratar a família, ao mesmo tempo, como uma fonte de inspiração e um inimigo a ser controlado e transformado. O conflito entre a família e a comunidade é apenas outro aspecto da luta entre tendências particularistas e universalistas que se desenvolve dentro do próprio ideal comunitário. Tal como se verifica em relação a esse conflito, ela pode ser controlada, mas não pode ser eliminada.

Um ponto de partida mais promissor para a realização da comunidade de vida é o grupo ocupacional, exemplificado pela instituição burocrática. A princípio, o grupo ocupacional comum parece ser um candidato ainda mais improvável que a família. Uma grande fábrica, por exemplo, onde os operários se reúnem, quase exclusivamente, a fim de produzirem um determinado artigo de consumo, poderá fornecer raras oportunidades para encontros de pequenos grupos em diversas circunstâncias, sem que uma organização de múltiplos propósitos lhe ofereça qualquer interesse. No entanto, o local

A teoria dos grupos orgânicos

de trabalho é aquele em que a ordem do mundo público entra em contato mais demoradamente com o desejo particular de realização do ideal do eu. E, como ocupa grande parte do cenário da vida quotidiana, sua organização deve ser de importância capital para qualquer tentativa de atravessar a lógica do quotidiano e do extraordinário.

O Estado assistencialista corporativo e o Estado socialista testemunham a presença de tendências, na organização técnica do trabalho, que podem ser usadas para promover a transformação de grupos ocupacionais em comunidades de vida. Tudo depende do tipo de ação política que dirige seu curso. A descentralização pode, na verdade, ser facilitada por desenvolvimentos tecnológicos que reduzam a necessidade de concentração de grandes grupos de trabalhadores numa única empresa ou serviço. Tendências similares podem encorajar a contínua expansão da instituição burocrática além dos limites de uma atividade de propósito único. Por um lado, o aumento do "tempo de lazer" contribui para a possível diversidade da vida comunal, mesmo quando a especialização aumenta entre os grupos. Por outro lado, o esforço por incrementar a produtividade pode tender a unir mais intimamente os membros do grupo ocupacional oferecendo-lhes benefícios comuns de habitação, saúde, educação ou recreação. Por si mesmas, essas tendências não são boas nem más. Podem servir como simples instrumentos para a manipulação do trabalho que reforçam o caráter burocrático das instituições por eles afetadas e a distribuição existente do poder na sociedade como um todo. Ou podem ser parte de um programa mais amplo de política comunitária que deseje tornar possível aos homens encontrarem-se uns aos outros como indivíduos concretos, fora do ambiente parcial e privado da família ou da amizade.

Problemas. Um aspecto importante da política comunitária corresponde a cada um dos problemas implícitos no esforço por atingir a comunidade de vida. A primeira categoria de problema tem a ver com a centralização e a especialização. Tanto a descentralização quanto a atividade de propósitos múltiplos podem exigir um alto preço na produção de mercadorias e serviços. Até certo ponto isso pode ser resolvido por uma política de compromisso. A comunidade, ainda que pequena, poderá pertencer a uma hierarquia

Conhecimento e política

de associações que possua muitas das virtudes do centralismo, sem seu fardo de organização burocrática. O grupo pode contribuir para a sociedade maior através de uma forma relativamente especializada de produção e, ainda assim, fornecer um meio ambiente no qual os homens possam trabalhar e divertir-se juntos, numa variedade de situações. Com esta finalidade, é importante para os indivíduos viverem em comunidades capazes de incrementar interesses e experiências comuns que se estendam muito além do método principal de trabalho produtivo no grupo.

Essas medidas introduzem, contudo, dificuldades que lhes são próprias, como o estudo posterior das ambiguidades da política comunitária sugerirá. A solução mais aprofundada está num tipo de política que se recuse a reificar o conceito de eficiência, rejeite a crença liberal na separação existente entre os meios e os fins e proceda baseada no princípio de que a forma assumida pelo desejo do consumo e do poder nunca é independente da estrutura da vida social. Solapando a barreira entre o trabalho produtivo para a sociedade maior e outras atividades humanas, o grupo orgânico cria um freio capaz de conter a reprodução desnecessária de necessidades e dos meios de satisfazê-las. As questões relativas às formas e às limitações do gozo material tornam-se parte do problema mais amplo de como deve ser vivida a vida na comunidade, e é sob este aspecto que elas serão encaradas. Além disso, quanto maior a abundância de modalidades de esforço criativo, tanto menos será necessário fugir ao tédio do trabalho pelo hedonismo mortal do consumo. Deste modo, o mesmo processo através do qual a comunidade de vida é estabelecida pode contribuir para moderar os impulsos que interrompem o caminho de sua realização.

O segundo obstáculo é o perigo do conservadorismo utópico. Na medida em que a dominação de classe ainda não foi destruída na sociedade, como um todo, o surgimento de comunidade de vida pode fazer com que ainda se torne mais difícil enfrentar a dominação, deixando que grupos locais se tornem quase impenetráveis às iniciativas do governo centralizado. Em consequência disso, a comunidade, para que pudesse emergir, seria mais hierárquica que igualitária, e seus propósitos comuns representariam pouco mais

A teoria dos grupos orgânicos

que a conveniência das elites. Por esses motivos, o esforço por transformar o local de trabalho deve estabelecer uma aliança indissolúvel com a luta pelo poder no nível nacional, o que é um aspecto particular do jogo entre a política de comunidade e a dominação.

A terceira dificuldade constitui-se talvez na mais importante de todas, e de abordagem mais difícil, porque sua fonte imediata é o conflito entre o indivíduo e o aspecto social da personalidade. O paradoxo da sociabilidade reaparece, dentro da comunidade de vida, como um paradoxo da coesão de grupo: na medida em que a solidariedade, na vida social, exige uma aliança com objetivos mútuos, ameaça, ela, destruir a individualidade que deseja proteger. Por sua própria natureza, a comunidade está sempre prestes a transformar-se em opressão. O consenso geral pode ser confundido com a expressão definitiva e total do bem e usado como justificativa para negar a humanidade dos indivíduos, rejeitando a legitimidade dos que dela divirjam.

Uma política capaz de resistir a essa ameaça deve ser aquela que acentue a transitoriedade e o caráter limitado de todas as formas de vida grupal, como manifestações da natureza humana. Uma política semelhante comprometer-se-ia com o pluralismo e a diversidade dos grupos, respeitando o processo conflitante através do qual a comunidade é criada e tornada universal, além e acima da preservação de uma coletividade específica. Cada um desses compromissos produz, contudo, dilemas aos quais voltaremos depois de discutirmos os outros princípios do grupo orgânico.

A democracia de fins

Definição. Para servir de base à realização da harmonia natural, da solidariedade e da universalidade concreta, os objetivos comuns devem expressar uma natureza humana da qual cada indivíduo participe à sua maneira única. Os valores comuns começam a adquirir essa espécie de autoridade quando as espirais de dominação e de comunidade são postas em movimento. O princípio da democracia de fins descreve os aspectos da organização de grupo que pode contribuir para isso.

Conhecimento e política

Quando a distribuição do poder, de acordo com a classe, for sobrepujada, nas instituições do Estado moderno, o poder poderá ser atribuído meritocrática ou democraticamente. A alternativa meritocrática baseia-se na habilidade ou no talento para determinar o lugar que cada um ocuparia na divisão do trabalho e o grau de controle sobre as atividades produtivas do outro, a que ele teria direito. É ela caracteristicamente associada ao princípio do papel social e à racionalidade instrumental. Sua tendência é definir as questões internas da instituição burocrática como sendo mais técnicas que políticas, porque visam mais aos meios que aos fins. Os objetivos do trabalho são simplesmente assegurados e como que fixados fora da instituição, ou estabelecidos por uma direção que pertence à divisão meritocrática, permanecendo, ao mesmo tempo, acima dela. A escolha de meios é delegada, contudo, a homens cujas capacidades e talentos supostamente os qualificam para julgamentos mais neutros sobre o emprego de seu tempo ou o trabalho dos outros.

Uma organização é democrática na medida em que define seus problemas como questões políticas, e procura resolvê-los através de um processo de persuasão recíproca e decisão coletiva em que o triunfo depende da capacidade de cada um de conquistar mais adesões que seus rivais. Como base para a distribuição do poder, a democracia partilha o que a comunidade representa como forma geral de relações sociais: é uma deferência ao indivíduo fundada apenas na sua individualidade concreta, e não na sua posse de atributos particulares. Assim, quanto mais perfeita torna-se uma democracia, tanto maior o alcance de interesses e capacidade pessoais arregimentados por seus processos de persuasão e decisão.

O princípio democrático pode ser encontrado em vários graus de pureza. É apenas vagamente exemplificado por um sistema de representação eleitoral em que as atividades políticas do cidadão podem ser confinadas, quase exclusivamente, ao extraordinário episódio do voto, e as questões que a ele se apresentam surgem como que separadas das preocupações corriqueiras das instituições a que pertence. Além disso, os métodos democráticos e meritocráticos de organizar o poder podem coexistir, e coexistem, em muitos níveis.

A teoria dos grupos orgânicos

A democracia de objetivos no grupo orgânico consiste na substituição progressiva do poder meritocrático pelo poder democrático nas instituições comuns da sociedade e, sobretudo, nos seus grupos ocupacionais. Decisões sobre o que produzir (quer os produtos sejam artigos de uso prático, serviços ou conhecimento), para que objetivos produzir e como produzir são, crescentemente, definidas como de ordem política e submetidas à decisão coletiva.

O princípio da democracia de objetivos fornece ao grupo orgânico um método que lhe permita formular os valores comuns e assegurar sua preeminência sobre a vida da comunidade. Expandido o alcance da opção política, faz desta a atividade principal do dia a dia e o orgulho e a esperança do homem comum – a união nele do amor e da inteligência. Ao mesmo tempo em que favorece o desenvolvimento e a elucidação dos propósitos comuns, contribui para que a dominação seja superada. Realiza isso, num sentido imediato, pela diminuição da importância dos talentos naturais na distribuição do poder. E o realiza, de modo mais geral, ajudando a criar circunstâncias nas quais toda hierarquia pareça constituir-se, cada vez mais claramente, numa opção política, e não num dado técnico. Através dessa redução da dominação, os valores comuns podem tornar-se indícios cada vez mais seguros da natureza da espécie humana.

Existe, contudo, um aparente paradoxo na democracia. O princípio democrático é hostil às asserções da organização meritocrática do papel social e à racionalidade instrumental, porque, ambas, distribuem o poder de maneira não democrática. Mas, na medida em que todos os valores comuns são considerados como não tendo fundamento, em última análise, o julgamento do papel e dos meios e fins aparenta situar-se entre as raras garantias de impersonalidade no exercício do poder. Prometem limitar, embora imperfeitamente, o despotismo pessoal nas relações quotidianas de trabalho. Assim, o paradoxo da democracia não pode ser resolvido sem que seja encontrada uma solução para o problema do valor, e isso, de acordo com o argumento, depende da transformação de burocracias em comunidades, o que representa, por seu turno, mais democracia. Só o desenvolvimento da democracia institucional pode despir o paradoxo democrático de sua força.

Conhecimento e política

Uma tensão, mais profunda e mais trágica, dentro do ideal democrático, é outro aspecto deste mesmo conflito entre o particularismo e o universalismo encontrado, antes, na discussão sobre a comunidade de vida. Democracia significa autogoverno; a conexão que ela estabelece entre a opção coletiva e a participação individual deve transformar-se numa experiência vivida. No entanto, o peso moral dos propósitos comuns produzidos pelo processo democrático é, em última análise, inseparável de sua universalidade. O primeiro objetivo leva em direção ao grupo reduzido; o segundo, rumo à República de âmbito mundial. O problema de reconciliá-los é, justamente, o problema geral do grau em que, e através de que métodos, as exigências do universal e do particular podem ser harmonizadas na vida social e na natureza humana.

Critérios de opção. A adoção da democracia de objetivos descreve um processo de escolha, mas não estabelece os critérios através dos quais os indivíduos que participam desse processo devem optar. A teoria não pode estabelecer princípios universais de opção sem transpassar o domínio da prudência, emprestando uma autoridade espúria às crenças e às práticas de uma época ou de uma sociedade particular. Existe, no entanto, o perigo inverso de que, sem uma orientação, por modesta que seja, as deliberações democráticas na comunidade possam reverter a uma aceitação da subjetividade dos valores. Na verdade, contudo, a teoria de grupos orgânicos sugere duas espécies de elementos que devem ser tomados em consideração na prática da democracia institucional.

Uma categoria de fatores tem a ver com a experiência de outros grupos envolvidos no mesmo projeto histórico. Se é verdade que os propósitos comuns indicam a natureza da espécie humana só na medida em que eles são universalmente compartilhados, o grupo orgânico deve buscar constantemente inspiração na experiência e nos compromissos assumidos por outros grupos, enquanto desenvolve seus próprios objetivos e aperfeiçoa seus próprios pontos de vista sobre a dominação. O aperfeiçoamento de cada comunidade é inescapavelmente restringido pelo progresso realizado na conquista do ideal por cada sociedade e, finalmente, por toda a humanidade.

A teoria dos grupos orgânicos

A interdependência moral das associações significa que a base inicial da opção, numa democracia de objetivos, é circular. Como sucede com o círculo de dominação e comunidade, contudo, este circuito só se completa quando é retirado da dimensão do tempo. A genialidade moral e política consiste precisamente na capacidade de transcender conceitos anteriores do bem e antecipar os que estão por vir. Mas sempre que esses atos revolucionários são examinados mais de perto, verifica-se que se tornaram viáveis através de uma interpretação do que foi possível aprender sobre a natureza humana, através da experiência de sua época.

A segunda categoria de considerações refere-se ao que se poderia denominar o interesse da comunidade – a contínua salvaguarda e melhoria de seus princípios institucionais inferida da teoria do bem. A fidelidade a esses princípios é a condição necessária à compreensão e à conquista de outros valores. Portanto, nas suas deliberações democráticas, cada pessoa deveria ter, permanentemente diante de seus olhos, o bem da comunidade. Sua preocupação principal seria o efeito de qualquer medida sobre o grupo, como instituição caracterizada pela comunidade de vida, a democracia de fins e a divisão do trabalho. A implicação desses princípios para práticas particulares variaria, provavelmente, segundo as circunstâncias materiais e a localização de cada grupo na espiral.

Justiça distributiva. Existem, contudo, certas práticas acerca das quais mais deve ser dito, de modo geral, porque elas afetam diretamente o traçado básico das relações na comunidade. Essas são as maneiras através das quais os benefícios divisíveis da vida em grupo são distribuídos.

A fim de solucionar as implicações de uma democracia de fins, segundo a justiça distributiva, pode ser útil colocar o problema da distribuição contra o pano de fundo de uma visão da história das ideias sobre a igualdade. A desigualdade é sempre social, isto é, reconhecida e estabelecida na sociedade. No entanto, algumas das diferenças em número infinito que existem entre indivíduos originam-se, em parte, da natureza, embora seja a sociedade que estabelece o significado dessas diferenças para a localização do poder e do dinheiro. Duas dessas distinções naturais são particularmente evidentes: a

Conhecimento e política

desigualdade da força física e a desigualdade dos talentos úteis a outras pessoas, ou admirados por elas.

A progressão histórica das ideias sobre a igualdade consiste nisso. De início, a desigualdade natural da força física pode constituir-se numa preocupação social importante, de modo que a tarefa inicial do Estado seja a de compensá-la tornando-se o monopolista da violência. Tornam-se, então, as desigualdades de uma origem estritamente social, exemplificadas pelos estamentos e pelas classes, fatores predominantes da vida social e objetos de contendas políticas. Mas com a sucessão de Estados e classes, as desigualdades naturais, sob a forma de diferenças herdadas de talento e capacidade, voltam a ocupar a linha de frente da interpretação da justiça.[5]

Devido a essas diferenças de capacidade, nossos propósitos políticos são constantemente ameaçados de derrota pelos caprichos da natureza que nos ameaçam com um mundo de desigualdades irremediáveis e incessante inveja. Nos esforços que realizamos para enfrentar esse problema, podemos encontrar uma tentativa de solução na advertência de Goethe de que: "contra os dons superiores de outra pessoa não existe outra defesa senão o amor".[6]

Enquanto os homens forem recompensados segundo suas capacidades de produção, a distribuição dos bens continuará a refletir o mesmo ideal inadequado que sublinha o poder meritocrático e a associação de acordo com os papéis sociais. Consequentemente, o problema central da justiça distributiva, no grupo orgânico, é a descoberta de um critério de distribuição que possa sobrepor-se à desigualdade natural de talentos, assim como o princípio democrático desconhece essa desigualdade na atribuição dos poderes fundamentais de participação.

Uma maneira de abordarmos esse problema é a tentativa de compensarmos o elemento de esforço, no trabalho, sem premiarmos o fator da capacidade natural. Além da dificuldade e do caráter dúbio de qualquer distinção desse tipo existe um motivo mais básico para que o grau de esforço produtor não se transforme no critério definitivo de distribuição. Fica aquém do ideal de solidariedade cujas implicações sociais a comunidade de vida e a democracia de objetivos comuns descrevem. A solidariedade é atingida mais

A teoria dos grupos orgânicos

completamente quando o trabalho quotidiano do homem é, ele próprio, uma expressão de sua reconciliação com os outros, tanto em relação aos fins que serve quanto na forma que assume. Mas isso não pode ocorrer enquanto o homem for tratado como um produtor cujo trabalho o capacita a adquirir o que é negado a seu semelhante.

Sempre que a individualidade e a sociabilidade são vistas como princípios antagonísticos, a dependência de uma pessoa nos outros e nos produtos de seu trabalho deve ser encarada como mera restrição à satisfação de seus desejos. Mas a teoria do eu ensina-nos que a interdependência é parte intrínseca da personalidade individual; a forma de nossa individualidade é determinada pelo caráter de nossa sociabilidade. Uma pessoa manifesta sua própria natureza pela maneira particular em que necessita dos outros. Assim, devem existir necessidades universais e particulares, bem como existe uma natureza humana universal e uma natureza humana particular. A distribuição dos benefícios só poderia, portanto, corresponder plenamente ao ideal de solidariedade se o homem fosse tratado como um ser cujas necessidades revelam tanto sua individualidade concreta quanto sua humanidade comum.[7]

Existem duas sérias dificuldades em relação ao critério distributivo do que é necessário ao homem. Não existe um conteúdo óbvio; não possuímos padrões através dos quais possamos estabelecer uma hierarquia de necessidades. Além disso, um simples princípio do que é necessário pode produzir resultados econômicos desastrosos quando a solidariedade, embora aceita como objetivo, ainda não tiver florescido enquanto sentimento. A comunidade pode considerá-la uma penalidade intolerável a ser paga durante o período em que a acumulação de bens ainda for necessária ao desenvolvimento de seus outros objetivos.

Por essas razões, o grupo orgânico deve começar por combinar um padrão de mérito e outro de necessidade. E ao definir quais as necessidades básicas que devem ser satisfeitas, independentemente da capacidade ou do esforço, deve fazer o que faz quando começa a definir o que representa a dominação: buscar as que são mais tangíveis e mais amplamente reconhecidas. A satisfação dessas necessidades será então considerada como um direito absoluto.

Conhecimento e política

Na medida em que o grupo orgânico progride, seus objetivos democraticamente escolhidos são mais capazes de desvendar a natureza da espécie humana, e as capacidades individuais se realizarão de maneira mais completa. Quanto mais compreendemos a natureza humana, tanto mais bem capacitados estaremos para definir as necessidades que lhe são próprias por ser humana e a relativa prioridade dessas necessidades na ordem de sua humanidade. Quanto mais a individualidade se desenvolve, tanto mais fácil se torna estabelecer o que é particularmente necessário aos indivíduos. Dessa maneira podemos esperar atribuir à ideia da necessidade um conteúdo cada vez mais concreto e verdadeiro, ao tornar-se ela a orientação suprema do poder distributivo no grupo orgânico. O problema da distribuição é solucionado segundo o mesmo processo através do qual o poder meritocrático se transforma no poder democrático e a associação dos papéis sociais numa comunidade de vida.

Possibilidades e problemas. No Capítulo 4 aludi aos movimentos que podem vir a representar os primeiros passos rumo à democracia institucional. Um exemplo disso é o interesse pela participação do trabalhador na direção da indústria e, de maneira mais geral, na participação de todos os burocratas nas instituições em que trabalham. Tais iniciativas evocam, por seu turno, as transformações mais básicas da burocracia representada pelas experiências socialistas com "conselhos de trabalhadores" e outras formas comunitárias de organização de trabalho. No que diz respeito à justiça distributiva, existem as tendências socialistas e do Estado assistencialista corporativo a reconhecer o direito à satisfação das necessidades mínimas, embora isso seja realizado mais no âmbito nacional que no nível institucional.[8]

A tarefa da política é levar adiante tais tendências colocando-as no contexto mais amplo da proliferação de grupos orgânicos através da sociedade e evitando o perigo da individualidade inerente a qualquer inclinação no sentido de submeter a totalidade da vida ao discurso público e à opção política. A não ser que se tornem parte de um programa mais amplo, como nos exemplos citados, as tendências a uma democracia institucional podem reforçar a ordem burocrática ao invés de solapá-la. Por conseguinte, é importante esclarecer as principais dificuldades provocadas por cada elemento deste programa.

A teoria dos grupos orgânicos

Inicialmente, temos que determinar até que ponto deve ser levada a transformação de processos meritocráticos em processos democráticos. Num sentido, a resposta é imediata. O fundamento derradeiro de todo poder no grupo orgânico deve ser a decisão democrática. A simples posse de capacidades não pode jamais, por si própria, justificar vantagens materiais ou o exercício do poder. No entanto, uma insistência inexorável em decisões coletivas sobre todos os assuntos, fosse qual fosse seu significado, mergulharia o trabalho num verdadeiro pântano de argumentação política, atingindo a capacidade do grupo de produzir algo mais que queixas, exortações e retórica. Solaparia a possibilidade de uma divisão do trabalho em que os talentos de cada um pudessem frutificar, porque a especialização reparte o poder meritório.

A decisão sobre que assuntos subordinar diretamente à opção democrática, e quais aqueles a serem decididos por indivíduos selecionados segundo suas capacidades específicas, não pode ser determinada de maneira geral e permanente. Como sucede com as questões relativas ao tamanho e à especialização da comunidade, eles devem ser resolvidos por um julgamento prudencial.

Nisso, também, a prudência tem critérios a seguir – critérios aos quais só a compreensão empírica das circunstâncias, e suas modificações, pode emprestar um determinado conteúdo. A atribuição de tarefas deve ser feita de acordo com os valores comuns democraticamente determinados, tanto em relação aos objetivos que promovem quanto ao sistema de relações sociais que estabelece. Além disso, o grau de poder exercido pelos indivíduos não deve, de modo algum, tornar-se tão pronunciado que possa subverter a igualdade de participação na democracia de fins. Não se pode esperar que homens, cuja experiência quotidiana tenha sido de submissão ou de predominância, possam pensar ou agir como se fossem iguais, ao passarem a tratar dos assuntos do grupo. Por fim, a noção de eficiência deve ser capaz de determinar, automaticamente, os limites do poder democrático. Só a prática indicará de que maneira o conteúdo e a tendência dos desejos serão transformados pela nova experiência política do grupo.

Conhecimento e política

Uma segunda categoria de problemas é relativa ao relacionamento entre a democracia na instituição e na sociedade. A luta pela democratização institucional só faz sentido quando ela é acompanhada pela ação política na arena mais ampla da sociedade nacional e supranacional. Há duas razões para isso. Cada grupo deve procurar instruir-se com os outros, e cada um deles depende de uma certa concordância entre as comunidades. A democracia interna desenvolve-se à medida que a dominação de classe é eliminada e as forças que apoiam o poder meritocrático são derrotadas, o que não pode acontecer enquanto o capital, ou uma direção independente, imposta de cima ou de fora, controla as questões do grupo.

A terceira dificuldade – que é, de todas, a maior – tem a ver com as limitações e os perigos da política. O princípio da democracia de fins reconhece que tudo pode ser trazido ao âmbito do discurso público. No entanto, embora a fronteira entre a vida pública e a particular seja móvel, seu desaparecimento corromperia o grupo. Porque a desconsideração dos limites da decisão coletiva representaria ou uma negação do que separa as exigências da individualidade daquelas que decorrem da sociabilidade ou sacrificaria a primeira à última. Em ambos os casos, isso significaria o fim da autonomia.

Em determinadas ocasiões alguns assuntos encontram-se além do alcance da política, mas nada permanece fora de seu alcance inerentemente ou para sempre.

Afirmar que a vida pública nunca pode ser completamente absorvida pela vida particular, porque a natureza humana permanece dividida entre sua universalidade e sua particularidade, é outra maneira de afirmar que nenhuma categoria de práticas democráticas pode ser ou suficientemente universal ou tão particular que seja capaz de atender a todas as exigências dos indivíduos. As limitações da política constituem outra faceta da imperfeição de nossos esforços por alcançar o bem e torná-lo presente a alguma forma de vida social. Assim, a reação política apropriada a essas limitações é aquela que leva a sério essa imperfeição. A política deve manter-se alheia aos assuntos que, por serem de ordem privada, num determinado momento, podem aumentar a capacidade do indivíduo de transcender a

A teoria dos grupos orgânicos

experiência de sua época e de seu grupo e provocar experiências de natureza humanística.

A divisão do trabalho

Definição. A comunidade de vida e a democracia de fins descrevem os atributos de associações baseadas na solidariedade cujas práticas manifestam a natureza da espécie. Mas esses princípios institucionais não definem o significado, para o grupo, do que beneficia particularmente um indivíduo: o aperfeiçoamento de suas capacidades e afirmação da consciência de sua identidade. Realizar isso é o objetivo do princípio da divisão do trabalho.

O ideal da universalidade concreta estabelece as formas gerais da conquista do bem particular. O princípio da divisão do trabalho é a manifestação política desse ideal. Afirma que a distribuição de tarefas deveria permitir a cada indivíduo o desenvolvimento de suas habilidades únicas, de maneira a expressar valores e práticas cuja legitimidade ele possa reconhecer como indicações da natureza da espécie. Mas através de que medidas poderá a divisão do trabalho, que é a própria mola da ordem burocrática e o instrumento predileto da dominação, transformar-se, em vez disso, na expressão da universalidade concreta?

A primeira condição é a observância dos outros princípios institucionais. Se não houvesse uma comunidade de vida, a divisão do trabalho tornaria impossível aos homens conhecerem-se e tratarem-se, uns aos outros, como indivíduos concretos. Se não houvesse uma democracia de fins, os poderes conferidos pelo trabalho especializado constituir-se-iam em formas de dominação. Uma segunda exigência é a de que a divisão do trabalho fosse estabelecida de maneira a permitir que o indivíduo compreendesse e experimentasse a conexão entre seu trabalho particular e as finalidades mais universais que lhe emprestam um significado maior.

Ambas as condições implicam um compromisso em tornar a divisão do trabalho menos rígida e reduzir sua influência sobre a existência individual. A comunidade de vida e a democracia de fins limitam a extensão em que o

Conhecimento e política

tempo de que o indivíduo dispõe deva ser gasto em tarefas especializadas. Elas pressupõem um processo contínuo de relações sociais e atividades políticas cuja própria natureza consista em dispensar qualquer tipo de especialização, porque o acesso a elas é da pessoa, e não do artífice. Além disso, ao tornar-se mais extensa, a divisão do trabalho produz sua própria hierarquia de poder que solapa o caráter comunitário e democrático do grupo.

Conclusões similares decorrem da necessidade de enfatizar os laços entre a natureza da espécie e as tarefas individuais, através das quais ela é particularizada e desenvolvida. Se o indivíduo encarar sempre os ideais que justificam seu trabalho na perspectiva de uma só tarefa, não conseguirá provavelmente apreender seu alcance nem considerar as contribuições que lhe podem ser dadas por seus semelhantes. E a não ser que possa experimentar continuamente diferentes formas de vida, pode perder a consciência de sua capacidade de transcender o lugar que ocupa na ordem social e de fazer com que seu trabalho expresse tanto o elemento particular quanto o elemento universal que contém em si mesmo.

Essas exigências sugerem alguns objetivos de ordem prática. O grupo orgânico deveria utilizar vários critérios diferentes de graduação. Os indivíduos que exercessem autoridade num setor sujeitar-se-iam à autoridade de outrem, num diferente setor.[9] A rotação de tarefas pode ser usada como instrumento de moderação. É possível que existam, por fim, tarefas no grupo cuja realização seja indispensável, mas que causem uma aversão geral e pouco contribuam para o desenvolvimento das capacidades de cada um ou estejam distantes demais dos ideais a que ele serve para satisfazerem as aspirações do eu abstrato. O grupo deve assumir essas tarefas como um fardo comum, até que o desenvolvimento técnico as torne desnecessárias.

Embora o princípio da divisão do trabalho exija que a especialização seja moderada, não prescreve que ela seja abolida. Pelo contrário, considera a diferenciação entre a vida e o trabalho como parte integral do bem. Na verdade, quanto mais comunitário torna-se o grupo, tanto menos a diferenciação e a comunidade funcionam como forças antagonísticas. Examinada de mais perto, a textura da comunidade consiste numa série de laços de amizade que

A teoria dos grupos orgânicos

são como pequenos ímãs de solidariedade. Quanto maior for a ligação entre essas pequenas associações, tanto menos se achará, cada uma delas, ameaçada na sua coesão interna por diferenças entre seus membros. Cada uma se torna, ao mesmo tempo, menos importante como refúgio contra os conflitos da vida social e menos dependente da semelhança entre seus membros, para que estes se mantenham unidos num meio hostil.[10]

Existe, no entanto, uma falha crucial no princípio da divisão do trabalho que reflete a tensão não solucionada na realização da universalidade concreta e é paralela às lacunas da democracia de fins e da comunidade de vida. Para que fosse perfeita, a divisão do trabalho teria que expressar os objetivos universais de uma comunidade universal, porque, só então, poderia satisfazer a ambição do homem de superar sua finitude vivendo para o que é universal. Mas tudo o que na vida pudesse ser universal seria também remoto, das preocupações de um indivíduo, enquanto ser particular. Só Deus, se Ele existir, combinaria a universalidade com a presença imediata.

À medida que a tensão entre o eu abstrato e o eu concreto atinge o ponto máximo, o indivíduo perde a capacidade de ver sua própria conduta como uma representação de ideais transcendentais. Ao contrário, esses ideais parecem ser tarefas que o escravizam. Assim, fica dilacerado entre o desejo de pertencer a uma divisão do trabalho, cujo quadro seja uma comunidade universal, e o de pertencer a outra que continue a ser a do grupo pequeno. Essa oposição surge de sua incapacidade de manifestar plena e diretamente a natureza de sua espécie no curso da própria vida. Assim se apresenta outro aspecto ainda do irreconciliável conflito entre a universalidade e a particularidade.

Possibilidades e problemas. As tentativas de diminuir a divisão do trabalho possuem as mesmas características de uma faca de dois gumes que as tendências à democracia comunitária ou à democracia institucional. Podem tornar-se ou acomodações superficiais dos desejos humanos, que deixam intacta a estrutura do poder, ou oportunidades para uma política de grupo orgânico.

Semelhante política levará em conta as alegações de eficiência na divisão do trabalho, mas esta será, ao mesmo tempo, constantemente revista e criticada, à medida que a experiência da comunidade reorientar as necessidades

Conhecimento e política

humanas. Reconhecerá que só a democracia, dentro e fora da instituição, pode evitar que o trabalho especializado se transforme numa forma de opressão. E será sensível à incapacidade de qualquer divisão de tarefas de satisfazer as ambições tanto do eu abstrato quanto do eu concreto. E por isso precisa resistir a todas as tentativas de enaltecer uma divisão particular do trabalho e apegar-se a todos os atos de desafio ou genialidade, de arte ou simples lazer, através dos quais a totalidade da natureza humana lança seu brilho sobre o mundo por um breve momento.

Conclusão

Os princípios institucionais da comunidade de vida, da democracia de fins e da divisão do trabalho pressupõem e reforçam uns aos outros. Todos sofrem as implicações do conflito entre universalismo e particularismo, na relação do homem com o mundo. E todos eles exigem uma política comunitária cujos aspectos distintos sejam a crítica da eficiência, a aliança entre a política, na instituição, e a política na sociedade, em geral, e o reconhecimento das limitações da própria política.

Algumas questões de grande relevância para a conquista política do bem permanecem em aberto. Que poderes devem os grupos exercer sobre seus membros? Este é o problema da liberdade. Como devem os grupos ser organizados entre eles? Este é o problema do Estado. Qual é o relacionamento da solidariedade e da concórdia interna dos grupos e entre a estrutura ideal do grupo e o processo ideal de seu desenvolvimento? Essa é a problemática dos dilemas da política comunitária. Qual é o significado da imperfeição da comunidade? Isso leva ao problema de Deus.

LIBERDADE

Muitos dos pensadores liberais dedicaram-se à liberdade, embora mantivessem um princípio metafísico falso, que quase sempre os impedia de apreender sua verdadeira natureza. Mesmo, porém, que não exista outro

A teoria dos grupos orgânicos

motivo senão o dessa própria dedicação, figuram para sempre como heróis e mestres da raça humana, assim como se todos os pecados da Inglaterra lhes fossem perdoados devido aos serviços que prestaram à liberdade.

Sob a influência do pensamento liberal, o emprego comum da palavra define a liberdade como a não existência de uma interferência externa com a possibilidade de fazermos aquilo que desejamos. O termo é frequentemente reduzido a significar a ausência de uma compulsão humana ou, mesmo, apenas por parte dos governos. A antítese da liberdade é a dominação.

Uma das objeções a esse conceito da liberdade é sua fatal imprecisão. O eu não pode ser imaginado fora do contexto social; extrair o indivíduo e seus esforços dos laços da associação com os outros homens representaria uma tentativa vã. A conduta de todos impede, facilita ou estimula sua própria conduta de inúmeras maneiras. O problema básico da liberdade é o de distinguir o poder legítimo do poder ilegítimo, porque só este último representa uma dominação. A fim de distinguirmos uma coisa da outra é necessário confiarmos numa visão do que é o bem. Se o bem representa a conquista do ideal do eu, esse ideal deve constituir-se no critério a partir do qual a liberdade é definida.

Outra deficiência do uso tradicional do conceito da liberdade é a aparente congruência entre sua intenção e suas asserções. A hostilidade a toda e qualquer coerção parece resultar do reconhecimento de que o que é bom para o indivíduo e o que ele escolhe para si próprio não são opções totalmente distintas, embora possam não ser idênticas. A dominação é odiosa porque impede o homem de ser ele próprio. Novamente, portanto, a doutrina da liberdade só faz sentido como parte de uma visão do eu e do bem.

Assim, somos levados a redefinir a liberdade como sendo a medida da capacidade de um indivíduo de atingir o bem. Uma pessoa é livre segundo o aperfeiçoamento dessa capacidade. Mesmo o pensamento liberal poderia concordar com essa definição, na medida em que o bem fosse concebido como um desenvolvimento da particularidade do indivíduo através de suas próprias opções. O antiliberal, por seu turno, consideraria apenas o aspecto

Conhecimento e política

universal do bem e o definiria como um conjunto de valores objetivos ou comunais. Consequentemente seria forçado a chegar à conclusão, aparentemente paradoxal, de que qualquer espécie de conformidade imposta para atingir o bem constituir-se-ia em liberdade, a despeito dos meios através dos quais ela fosse obtida.

Ambas as interpretações são inconsistentes com a visão do bem apresentada neste ensaio. O bem de cada indivíduo apresenta um aspecto universal e particular ao mesmo tempo, de modo que nem a afirmação da individualidade nem a obediência aos princípios ou práticas são suficientes para caracterizarem a liberdade. Em vez disso, a liberdade consiste no relacionamento entre o bem particular e o bem universal, e entre a opção e o valor, retratados pelas teorias da natureza humana e da comunidade. A opção individual é importante, tanto como manifestação da individualidade quanto como indício da natureza da espécie, natureza esta que nunca é plenamente representada por qualquer categoria de valores comuns. Mas podemos enganar-nos sobre a humanidade ou sobre nós mesmos; fazermos escolhas erradas e assim tornarmo-nos não mais, porém menos livres. O valor, embora revelado pela opção, sempre a transcende.

Consequentemente, a condição da liberdade é a mesma espiral de dominação e de comunidade, através da qual atingimos uma compreensão melhor do bem. A liberdade é, portanto, num sentido, simplesmente o lado inverso das características institucionais do grupo orgânico; cabe mais à visão interior gerada pela experiência da comunidade que à filosofia tornar mais concreta a doutrina da liberdade.

Existem, no entanto, certas limitações externas fixas ao direito que cabe a um grupo ou a uma maioria democrática, dentro da comunidade, de impor medidas que representem seus objetivos comuns a indivíduos que discordem dessas medidas. O argumento para a definição destes limites independentes é simples e resulta diretamente da definição geral da liberdade e da doutrina dos grupos orgânicos.

A liberdade descreve a capacidade que o indivíduo possui de conquistar o bem. O bem, na medida em que é capaz de levar a realizações sociais,

A teoria dos grupos orgânicos

torna-se disponível ao indivíduo através do estabelecimento de grupos orgânicos. Tais grupos são definidos pelos princípios institucionais da comunidade de vida, da democracia de fins e da divisão do trabalho.

Esses princípios mostram-se sem sentido ou falhos, a não ser que certas defesas, quase incondicionais, do indivíduo contra a imposição do poder exercido pelo grupo sejam respeitadas. Assim, pela mediação da doutrina de grupos orgânicos, a liberdade, como poder capaz de alcançar o bem, exige liberdades mais particulares que lhe permitam não levar em conta decisões de grupo e valores comuns. Essas liberdades correspondem aos três princípios institucionais do grupo orgânico: a liberdade de aderir a grupos de comunidade de vida e de deixá-los; a liberdade de expressão, na democracia de fins; a liberdade de escolher as características da própria tarefa na divisão do trabalho.

Uma participação forçada na comunidade de vida, ou uma proibição de separar-se dela, viola as condições sobre as quais sua existência se baseia. Suponhamos que existam muitos grupos orgânicos já estabelecidos, cada um unido aos outros por conjuntos de experiências comuns e pela comunhão de objetivos inicialmente diversos. O indivíduo deveria poder escolher a quais deles associar-se ou quais deixar de lado, tendo em vista suas experiências e seus propósitos. De outro modo, a distribuição dos indivíduos em grupos seria fortuita, disso resultando que a unidade de crenças e ideais nas comunidades poderia tornar-se mais difícil ou impossível. Mas essa unidade é indispensável ao grupo e constitui um pré-requisito para uma concórdia posterior mais ampla entre os grupos.

Outro fundamento da liberdade de aderir ou deixar a comunidade de vida é a necessidade desta de buscar uma forma de existência social em que a dominação desapareça progressivamente. Ser compelido a juntar-se a um grupo, ou a permanecer nele contra a própria vontade, é estar sujeito a uma espécie de dominação de segunda ordem que corrompe as relações sociais dentro do grupo. A sociabilidade não pode satisfazer o ideal de solidariedade se for estabelecida através de uma restrição imposta à individualidade.

Finalmente, se existir uma relativa especialização do trabalho entre os grupos, o indivíduo deve ser capaz de escolher uma comunidade na qual

Conhecimento e política

suas capacidades peculiares possam fruir. Privada dessa liberdade, a pessoa não será capaz de atingir o que representa para ela o bem, cuja realização é uma das bases da comunidade de vida. O mesmo argumento sugere, embora não implique necessariamente, que o indivíduo deveria ter o direito de ser membro de vários grupos. O problema da prudência consistiria, então, em reconciliar as exigências da comunidade, que abraçam muitos aspectos da vida, com a possibilidade de uma associação pluralista.

A segunda liberdade que o grupo não deve violar é a liberdade de expressar ideias. Essa liberdade é exigida pela democracia de fins. O princípio democrático estabelece um processo para o desenvolvimento de objetivos comuns. Esses objetivos comuns são válidos na medida em que revelam tanto as naturezas individuais daqueles que colaboraram para sua realização quanto a natureza da espécie humana. A opção não poderá demonstrar nem a natureza do indivíduo nem a natureza da espécie, a não ser que exista liberdade de expressão no grupo.

A discussão sobre o eu e os outros demonstrou que é só através da comunicação, na sociedade, que a individualidade pode desenvolver-se e revelar-se. Além disso, a natureza da espécie, da qual todos os indivíduos participam, é oculta. Para descobri-la e expressá-la nos propósitos comuns da vida social, os homens devem poder comparar seus pontos de vista individuais e discutir as bases desses pontos de vista.

A base definitiva da liberdade de expressão é a relatividade da visão que qualquer conjunto de objetivos e crenças comuns nos pode oferecer quanto à essência e ao ideal da humanidade. Esses objetivos são indícios do bem – e não o próprio bem. Por isso permanecem aquém de uma concórdia totalmente universal e de uma realização definitiva do ideal na História. É por esse motivo que existe sempre a possibilidade de que os princípios que tenham triunfado na sociedade de grupos orgânicos possam divergir daquilo que deveriam ser.

Existe, realmente, o perigo de que todo o conceito sobre o qual se fundou uma sociedade semelhante seja falso e nocivo, como terá de admitir quem tiver apreendido a maneira pela qual a antinomia entre a teoria e o fato torna

A teoria dos grupos orgânicos

qualquer conhecimento imperfeito. O interesse na verdade é supremo, porque a primeira exigência para o progresso rumo ao bem é a de conhecer o bem.

Portanto, uma associação que busque aproximar seus objetivos comuns cada vez mais do ideal deve proteger e encorajar a liberdade de expressão, por pressentir que um único indivíduo, orgulhoso e rebelde, pode mostrar aos seus companheiros ou à sua posteridade que o ideal verdadeiro é totalmente oposto àquilo que eles imaginavam ser.

A terceira liberdade que decorre diretamente dos aspectos institucionais do grupo orgânico é a liberdade do trabalho. É um requisito do princípio da divisão do trabalho. A liberdade do trabalho permite ao indivíduo determinar quais de suas capacidades deve desenvolver e se elas devem ser desenvolvidas dentro das formas estabelecidas da divisão do trabalho, ou fora delas.

A divisão do trabalho é justificada como sendo uma atualização da universalidade concreta. É, por conseguinte, outra maneira através da qual o bem universal e particular do homem pode ser realizado mais plenamente. Para que isso aconteça, os esforços pessoais de um indivíduo dentro do grupo devem expressar as capacidades nas quais ele próprio reconhece a marca de seu ser individual e de suas aspirações. A garantia fundamental da possibilidade de semelhante reconhecimento é a liberdade de escolher o tipo de trabalho que faremos. É através da liberdade de trabalho que a diversidade dos talentos individuais e da maneira de realizá-los pode continuamente desenvolver e aperfeiçoar a natureza da espécie.

As liberdades de participação no grupo, de expressão e de trabalho representam uma espécie de carta constitucional da liberdade. Esta carta é baseada na própria estrutura do grupo orgânico e no conceito genérico da liberdade como sendo o poder dado ao indivíduo para que ele conquiste o bem. É certo que nem a doutrina da liberdade pode dispensar os julgamentos prudenciais que dão conteúdo concreto aos seus comandos abstratos, ou especificam seu significado e estabelecem seus limites. As liberdades podem sempre entrar em conflito umas com as outras, ou com a sobrevivência das condições institucionais que as tornam possíveis. No entanto, essas liberdades são tão importantes para o grupo orgânico e o ideal que representam

Conhecimento e política

que nunca devem ser interpretadas sem a reverência que lhes é devida, nem podemos restringi-las sem que estremeçamos.

O ESTADO

O grupo orgânico só pode assumir existência no quadro de uma sociedade emergente de grupos orgânicos, assim como a burocracia é parte de todo um contexto de existência social. A comunidade de vida, a democracia de fins e a divisão do trabalho restringem a dimensão das coletividades em que os homens são destinados a passar grande parte de sua vida quotidianas. No entanto, cada uma delas exige, por seu turno, uma associação universal capaz de expressar uma humanidade universal. A tarefa da doutrina do Estado é examinar o sentido em que o conflito entre a ideia do pequeno grupo e a da república universal possa ser solucionado. Sua premissa é a da pluralidade dos grupos; seu desejo é o de que a sociedade que esses grupos constituem possa, ela própria, adquirir as características de comunidade; seu receio é o de que esta esperança venha a ser, na melhor das hipóteses, apenas parcialmente realizada.

Iniciemos com o fato da pluralidade. É um bem e uma dádiva: cada grupo deve confiar na prática e na experiência dos outros para orientar sua própria busca do ideal. Mas, uma vez assegurada a pluralidade, dir-se-ia que todos os problemas do pensamento liberal voltam a surgir, com a diferença de que se aplicam às relações entre membros de diferentes comunidades e não a cada encontro entre indivíduos. O que impedirá os grupos de se destruírem uns aos outros se eles se acham separados pelo lugar que ocupam na divisão social do trabalho e, consequentemente, pela experiência que fornecem a seus membros? Qual o critério através do qual o poder pode ser exercido sobre esses grupos? Devem as relações intergrupais apresentar todos os aspectos da sociedade liberal?

Se concebermos a sociedade como uma hierarquia de associações, deixando de lado, por enquanto, a questão de ser, ela, também, uma hierarquia de comunidades, o Estado é a associação de nível mais alto. Seu primeiro

A teoria dos grupos orgânicos

objetivo é manter-se acima dos grupos orgânicos e estabelecer a paz entre eles. Para realizar isso, é necessário que já tenha subvertido a dominação pela classe e pelo mérito. Enquanto esta persistir, a espiral de dominação e do ideal de comunidade não pode desdobrar-se, disso resultando não haver base para uma participação eficaz de objetivos entre grupos.

O segundo objetivo do Estado é a liberdade individual. As liberdades básicas de associação, expressão e trabalho requerem a proteção de uma entidade outra que não aquela mesma cujos poderes elas restringem. Ao mesmo tempo que o Estado garante a segurança do indivíduo no grupo, o grupo serve de calço entre o indivíduo e o Estado, protegendo o primeiro das usurpações deste.[11]

Os objetivos da paz e da liberdade são, contudo, insuficientes para distinguir uma sociedade semelhante do Estado liberal, ou para fornecer critérios à solução dos conflitos de grupo. Permanece o risco de que o relacionamento entre associações venha simplesmente repetir o antagonismo entre indivíduos descrito pela doutrina política liberal. O terceiro objetivo do Estado deve ser, portanto, o de desenvolver instituições que imitem, nas relações entre grupos, o que a comunidade de vida, a democracia de fins e a divisão do trabalho realizam dentro do grupo orgânico.

Existe a necessidade de um tipo de associação capaz de substituir a comunidade de vida, como base para o desenvolvimento gradativo de propósitos morais comuns entre os grupos. Por este motivo, deveria ser permitido aos indivíduos pertencerem a vários grupos, na medida em que isso for consistente com a organização interna de cada um deles. As comunidades cuja divisão do trabalho for semelhante deveriam ser reunidas em coletividades maiores, estas, por seu turno, colocadas dentro de associações ainda mais abrangentes. Em cada degrau dessa escada, as associações de ordem superior tornar-se-iam responsáveis pela coordenação das atividades daquelas que lhes fossem inferiores e pela realização de tarefas que elas fossem incapazes de executar sozinhas. Veremos, mais para a frente, que, embora a associação pluralista e a hierarquia associativa forneçam oportunidades para a elaboração de propósitos comuns e o reconhecimento da individualidade concreta, cobram um preço potencialmente intolerável.

Conhecimento e política

A conquista de uma democracia de fins, na esfera das relações de grupo, constrói-se sobre a ideia de uma hierarquia de comunidades. Cada degrau mais alto de organização deve refletir a mesma preeminência do poder democrático sobre o poder meritocrático que prevalece dentro do grupo orgânico. De outro modo, as atividades dessas instituições que se iriam sobrepondo umas às outras representariam, elas próprias, uma espécie de dominação. A fim de construir a cadeia de grupos que culminaria no Estado, a técnica de representação ocupacional e territorial parece inevitável, a despeito de seus vícios.[12]

A preocupação principal das entidades representativas deveria ser o confinamento das equipes técnicas a funções auxiliares e a subordinação da racionalidade instrumental à opção política. O principal problema é a necessidade de reconciliar uma ampla medida de poder autônomo, nos grupos orgânicos, com a existência de associações maiores e do Estado. Sem as primeiras, os grupos perderiam uma fundação indispensável à comunidade, e sua democracia interna perderia o significado. Sem o segundo, não haveria base para a paz e uma compreensão mais perfeita, nem a realização do bem.

A responsabilidade do Estado na divisão do trabalho é dupla. Por um lado, deve coordenar as atividades dos grupos orgânicos, de modo que possa haver uma divisão do trabalho entre eles. A especialização das tarefas do grupo parece necessária ao alargamento da variedade de empregos na sociedade; para que cada grupo seja um microcosmo de toda a ordem social, sua diferenciação interna deve permanecer severamente limitada. Por outro lado, o Estado deve constituir-se no cenário em que os ideais que transcendem a experiência de qualquer grupo orgânico possam ser expressados e desenvolvidos. Deste modo, fomenta a universalidade concreta, ajudando a localizar as tarefas mais expressivas para a natureza da espécie dentro de cada comunidade. A busca do universal impõe ao Estado a obrigação especial de propagar os trabalhos do gênio, porque a história de suas obras é a história da própria natureza humana tornada explícita e permanente. Não será surpreendente descobrirmos que tanto a especialização das tarefas da comunidade quanto a difusão da cultura universal ameaçam, ao mesmo tempo em que revigoram, o grupo orgânico.

Com que entidade pode o Estado que descrevi coincidir? Enquanto continuar a ser o equivalente do Estado-nação moderno representará, ainda, uma associação parcial e, neste sentido, um cenário inadequado para a descoberta da natureza da espécie. Além disso, a tarefa de modelar relacionamentos entre coletividades nos relacionamentos entre indivíduos, dentro do grupo orgânico, permaneceria incompleta na esfera internacional. Consequentemente, haveria um obstáculo insuperável à melhor compreensão do ideal e à melhoria de vida no grupo. Só quando o Estado transformar-se num Estado universal e sua paz numa paz universal poderá o bem tornar-se tão plenamente presente a todos nós quanto o permitirem as limitações da política.

OS DILEMAS DAS POLÍTICAS COMUNITÁRIAS

Ao desenvolvermos um conceito do ideal social e seu relacionamento com a presente condição da sociedade, existe sempre o risco de que tentemos encobrir, aos nossos próprios olhos, os perigos e as dificuldades que acompanham o nascimento de uma nova forma de vida. Passa-se, com a maior facilidade, de uma violência implacável na crítica do passado a uma ingenuidade infantil na antecipação do futuro. Estimula-se, assim, a ilusão de que o ideal possa ser plenamente realizado no decorrer da história.

O erro oposto consistiria em supormos que as difíceis opções enfrentadas por uma sociedade de grupos orgânicos sejam realmente as mesmas que as da sociedade que esta procura substituir. Os dilemas da política comunitária podem ser de difícil solução. Mas desviam o enfoque da luta política de modo a destacar os conflitos decisivos entre os diferentes aspectos do ideal social. Esses conflitos revelam e fixam as limitações externas de nossa capacidade de atingirmos os fins que a filosofia nos prescreve.

O primeiro dilema é ligado às relações entre grupos. O segundo, aos relacionamentos entre entidades comunais e as organizações de mais alto nível

Conhecimento e política

que as coordenam, ou, mais concretamente, ao ligamento entre a comunidade e o Estado. O terceiro dilema tem a ver com as disputas entre as comunidades estabelecidas e as comunidades emergentes. O quarto preocupa-se com a colocação recíproca dos valores de grupo e da cultura universal e, portanto, com o lugar ocupado pela filosofia na política.

Duas imagens, que representam dois polos opostos, podem descrever as relações entre grupos orgânicos. Cada uma dessas imagens possui importantes atrativos e deficiências fatais. A primeira é o modelo da integração vertical. Cada grupo é visto como uma comunidade relativamente autossuficiente e compacta, uma comuna muito diferente das organizações ocupacionais que existem atualmente. Isso significa que poderia haver pouca divisão do trabalho entre diferentes grupos, mas muita no interior de cada um deles. O polo alternativo é o modelo de integração horizontal segundo o qual cada associação realizaria um número limitado de atividades, mas estas se interligam constantemente às de outras comunidades. Consequentemente, haveria pouca divisão do trabalho dentro dos grupos, mas muita entre eles. O modelo de integração horizontal poderia focalizar os grupos ocupacionais existentes como pontos de partida para a ação política.

A política de integração vertical não parece consistente com os compromissos exigidos pela civilização industrial porque ela opõe uma sólida barreira às dimensões do trabalho em colaboração. Além disso, a integração vertical representa uma ameaça à autonomia individual: tudo indica que um sistema de comunidades verticalmente integradas só poderia funcionar se existissem severas restrições à liberdade de aderir a elas ou de abandoná-las. Ao mesmo tempo, a integração vertical impede-nos de solucionar o problema do eu e dos outros no nosso relacionamento com as pessoas, a não ser aquelas que pertencessem ao mesmo grupo a que pertencêssemos. Como corolário, não haveria contexto para uma experiência moral universal sobre a qual pudessem ser baseados valores universalmente compartilhados. E a extrema diversidade de experiência poderia encorajar um antagonismo destruidor entre os grupos, negando-lhes um critério de escolha entre ideais competitivos.

A teoria dos grupos orgânicos

Os perigos da integração horizontal parecem igualmente sérios. Se houver uma divisão marcante de trabalho entre os grupos, a associação a cada grupo exigirá o domínio de capacidades ou talento especializados e a execução de tarefas particulares. O grupo não correria o risco de transformar-se numa associação de executantes de papéis em vez de uma comunidade de propósitos comuns? E sua especialização, bem como seu isolamento, não produziria, forçosamente, conflitos morais favoráveis à guerra?

Outro dilema surge quando procuramos pensar numa hierarquia ou numa pluralidade de associações. Há duas maneiras extremas de concebermos o relacionamento entre os grupos e o Estado, ou, mais genericamente, entre os grupos e as instituições de nível mais alto. De um ponto de vista, estas se constituem simplesmente em instrumentos de coordenação que possuem pouca vida própria, enquanto comunidades; o Estado é apenas a ordem constitucional dos grupos orgânicos. Do ponto de vista oposto, as instituições superiores são grupos reais por seus próprios méritos; o Estado é uma comunidade de comunidades.

Uma objeção à ideia do Estado como sendo a ordem constitucional dos grupos orgânicos é a de que o enfraquecimento das instituições de alto nível tornaria difícil evitar a erupção de conflitos entre as coletividades de base. Esta dificuldade é apenas o sintoma de um problema mais profundo: a não ser que o ideal de comunidade assuma existência em associações cada vez mais abrangentes que o grupo reduzido, a espiral pode não apenas deixar de crescer, mas desfazer-se. Uma das bases da autoridade exercida pelas crenças ou princípios comunais e pela atribuição do poder é a corroboração ou revisão progressiva dos mesmos à luz do consenso emergente de uma comunidade mais universal. Sem semelhante atrativo o grupo orgânico transformar-se-ia num universo moral baseado num solipsismo, prisioneiro da armadilha do valor subjetivo.

Essas dificuldades podem levar-nos à tentação de sustentarmos a ideia oposta do Estado como constituindo-se, ele próprio, numa comunidade. Mas quando as agências de alto nível transformam-se em mais que instrumentos de coordenação, ameaçam sugar a vitalidade dos grupos orgânicos. Uma comunidade exige que seus membros lhe dediquem seu tempo; ela não pode

Conhecimento e política

sobreviver sem que eles se envolvam, constantemente, com sua política e sejam, assim, irresistivelmente afastados das preocupações dos grupos que a originaram. A escassez de tempo e a primazia das questões de ordem política na vida comunal conspiram contra a divisão de compromissos em que implica uma hierarquia de comunidades. Mais inquietante ainda é a possibilidade de que o Estado possa ser incapaz de transformar-se numa verdadeira comunidade, mesmo que assim o desejássemos. Sendo, por hipótese, uma associação de estranhos, não pode confiar na coexistência face a face e na experiência comum capazes de estimular um propósito comum e o reconhecimento da individualidade concreta.

O terceiro dilema decorre das exigências divergentes feitas pelas antigas e pelas novas comunidades. Cada comunidade imprime sua marca ao meio social; organiza as atividades de seus membros e suas relações com os membros de outros grupos.

Se todos pudessem penetrar no território de outra associação estabelecida e exercer outras influências sobre ele, a ruptura da experiência comunal poderia tornar-se tão frequente, e de tal alcance, que acabaria por ameaçar a existência da comunidade. Cada grupo orgânico seria capaz de pronunciar uma sentença de morte para as outras simplesmente por imiscuir-se nas suas formas internas de vida.

No entanto, a espiral de dominação e do ideal de comunidade progride através de constantes experiências de associação. A não ser que os grupos emergentes possam desenvolver-se livremente, e não se encontrem numa posição desvantajosa em relação àqueles que já existem, surge o perigo de que uma visão parcial do bem torne-se petrificada e o desenvolvimento da espiral seja detido. Transformações fundamentais da visão moral podem ser de realização mais difícil nas comunidades já estabelecidas que nas mais novas. É, na verdade, provável que a ameaça de deixar uma comunidade e associar-se a outra, ou criá-la, represente um fator para que o grupo se torne mais sensível à crítica e capaz de transformar-se.[13]

O quarto dilema opõe as exigências da coesão do grupo ao ideal de uma formação crítica baseada nos princípios e nas criações passadas e

A teoria dos grupos orgânicos

presentes da humanidade e em sua rica e plena diversidade. A comunidade requer coesão: ela só pode sobreviver numa atmosfera de concordância moral profundamente sentida, embora relativa e mutável. Ao mesmo tempo, contudo, os indivíduos devem ter acesso a uma cultura que transcende o que qualquer grupo possa perceber ou realizar por sua própria deliberação. As diferentes tradições de pensamento ou trabalho constituem o cabedal da natureza da espécie na história. Por esse motivo, elas representam, a despeito de suas distorções, resultantes dos vícios de dominação, parte dos elementos bons e indispensáveis a suas realizações maiores. Além disso, sem uma base para a crítica dos valores comuns, surgirá a tendência a sacrificar a autonomia à união moral e a transcendência à imanência.

A despeito de sua indispensabilidade, uma educação crítica pode exercer um efeito permanentemente subversivo sobre a coesão de qualquer grupo. Tendo permanentemente diante de seus olhos a diversidade e a excelência dos ideais da cultura, os membros do grupo podem sentir-se constantemente separados uns dos outros e da política de sua comunidade. E assim, perdendo a esperança num bem comum, cada qual poderá partir em busca da ilusão de uma visão e de uma salvação peculiar.

Os quatro dilemas que descrevi apresentam problemas similares para uma política de comunidade. Em cada caso, ambas as visões polarizadas, levadas ao extremo, destruiriam o ideal comunitário. Em nenhum dos casos, contudo, parece haver um critério teórico capaz de determinar onde e como encontrar o equilíbrio. Nem podemos, na verdade, estar certos de que esse equilíbrio exista; pode acontecer que nenhuma mistura dos dois polos seja consistente com os aspectos característicos do ideal social, porque este ideal exige mais que a metade do que cada um desses modelos equivalentes oferece. Neste caso teríamos que rejeitar a ideia de uma sociedade de grupos orgânicos como utópica e rever nossas noções teóricas à luz dessa nova experiência. Segundo é mais provável, a prática política forneceria uma combinação mutável na qual a predominância temporária de um lado do espectro cederia lugar, periodicamente, à hegemonia do outro. Poderíamos até

Conhecimento e política

esperar que este ciclo, ele próprio, viesse a transformar-se numa espiral, e cada nova oscilação conseguisse combinar de maneira mais perfeita as virtudes das tendências contrastantes.

A teoria pode definir as tensões e sugerir os fatores que deveriam ser levados em conta ao lidarmos com eles. Mas só a prudência pode ensinar-nos o que fazer em relação a eles a cada momento. E só a prática pode fornecer a visão mais profunda que nos permitirá corrigir as decisões tomadas.

A razão pela qual os dilemas criam dificuldades semelhantes é o fato de que provêm do mesmo conflito subjacente. Os dois primeiros problemas apresentam a situação ideal aparente, dentro da comunidade, e a forma desejável de relacionamento entre as comunidades. A integração vertical e o confinamento do Estado a um papel de coordenação podem parecer mais indicados para o grupo orgânico como entidade isolada. Mas tornam impossível um relacionamento satisfatório entre os grupos e, consequentemente, corrompem, em última análise, a vida interna do grupo, pondo em perigo sua sobrevivência e roubando-lhe uma fonte indispensável de orientação moral. Por outro lado, a integração horizontal e a hierarquia comunal podem parecer mais indicadas para os interesses externos dos grupos orgânicos, mas tendem a apagar o caráter comunitário das associações que pretendem unir.

O segundo par de dilemas representa o conflito entre o que parece mais importante para a perpetuação de uma sociedade de grupos orgânicos e o que parece indispensável ao seu progresso. A proteção das comunidades estabelecidas e a coesão do grupo são, aparentemente, exigências da própria estrutura de uma sociedade comunitária. Mas podem constituir-se em obstáculos ao processo através do qual as comunidades são formadas e aperfeiçoadas. A ênfase na renovação do espírito associativo e na educação crítica pode ser básica para o desenvolvimento de uma política comunitária, mas ameaça destruir, por um lado, o que criou pelo outro.

A tensão entre o que é melhor para o grupo e o que é melhor para a sociedade de grupos, e entre a estrutura dessa sociedade e o processo de

QUADRO 2
Os dilemas das políticas comunitárias

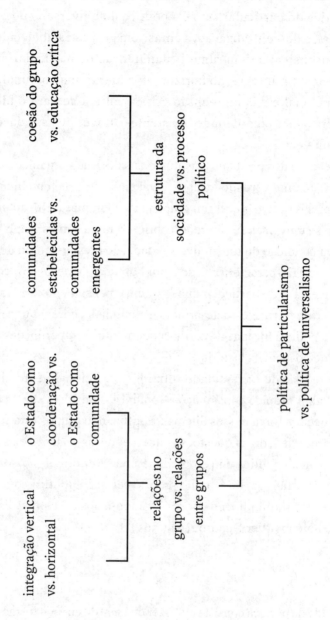

- integração vertical vs. horizontal
- o Estado como coordenação vs. o Estado como comunidade
- comunidades estabelecidas vs. comunidades emergentes
- coesão do grupo vs. educação crítica
- relações no grupo vs. relações entre grupos
- estrutura da sociedade vs. processo político
- política de particularismo vs. política de universalismo

Conhecimento e política

seu crescimento, expressa uma luta ainda mais profunda e geral entre a política do particularismo e a política do universalismo. A integração vertical, a descentralização, a ênfase em grupos estabelecidos e a defesa do consenso apontam rumo à manutenção da particularidade de cada associação. A integração horizontal, a hierarquia comunal, a inventiva institucional e a compreensão crítica voltam-se para o ideal da transcendência das coletividades existentes através de associações cada vez mais universais.

O estudo dos princípios institucionais do grupo orgânico já nos mostrou que existe uma verdade insubstituível em ambas as tendências. A comunidade precisa permanecer um grupo particular, mas deve, ao mesmo tempo, tornar-se universal. Assim redescobrimos, na tela mais ampla da política, a mesma condição de uma universalidade, ao mesmo tempo desejada e proibida, que é tão característica do amor humano – a mesma irreconciabilidade do universal e do particular que mantém o pensamento e a vida humana na sua mão de ferro. É essa desarmonia, abrandada, porém nunca desfeita, que torna a política incapaz de corrigir totalmente as imperfeições da existência, atingindo o ideal na história.

As teorias de comunidade sofreram, tradicionalmente, de uma mistura de sabor utópico e insinuações totalitárias devido à sua incapacidade de reconhecer a força desses dilemas. Focalizando grupos estáticos e isolados, colocaram de lado as questões concernentes às relações entre os grupos e a construção política da comunidade no correr do tempo. Mas essas questões encontram-se, de fato, no próprio cerne da política comunitária e lhe emprestam profundidade e força, ligando-a aos problemas básicos da existência humana.(Ver Quadro 2, pág. 365.)

DEUS

A virtude da política consiste em fazer do ideal do eu uma forma de vida social. A doutrina dos grupos orgânicos descreve a construção de uma sociedade em que o ideal já não permaneça confinado aos sonhos e aos entretenimentos

A teoria dos grupos orgânicos

da vida privada, mas penetre, em vez disso, na vida do trabalho quotidiano e modifique o caráter das relações sociais.

Há, no entanto, limitações à capacidade do homem de conquistar o bem através da história. A política pode afastar essas limitações, mas não pode superá-las. A consciência do homem nega-lhe a experiência plena da harmonia natural. A brecha que separa sua individualidade de sua sociabilidade impede-o de atingi-la. A oposição entre suas aspirações infinitas e a finitude da vida humana rouba-lhe a universalidade concreta. Sua busca individual do bem deságua na amarga consciência do conflito entre a tentativa de alcançar uma visão extraordinária e a qualidade da vida quotidiana. Sua luta pública em prol da comunidade choca-se contra a necessidade de o grupo orgânico manter as características de uma associação particular e de tornar-se, ao mesmo tempo, uma organização universal. Seus grandes empreendimentos neste mundo estão todos condenados à imperfeição.

O que acontece à conduta volta a acontecer no que diz respeito à compreensão. A visão interior que o homem tem do mundo permanece dividida entre o conhecimento abstrato e o conhecimento concreto. Falta, sempre, à teoria a concretude da prudência e à prudência, a transparência da teoria.

As imperfeições da política e do conhecimento possuem uma fonte comum no problema que é a temática central deste ensaio. Sob seu aspecto metafísico, trata-se da questão do universal e do particular: de que modo podemos conceber o universal e o particular como sendo tanto unidos como diversos? Sob seu aspecto religioso, defronta-nos o enigma da imanência e da transcendência. Em que consiste a união da imanência e da transcendência? Se essa união é o bem, como podemos atingi-la?

A questão metafísica e a questão religiosa se equivalem. O que a filosofia descreve como união do universal e do particular, a religião conhece como imanência. O que a filosofia descreve como separação do universal e do particular, a religião denomina transcendência.

A elucidação deste problema é o requisito indispensável à crítica total da doutrina liberal. Solucioná-lo, na teoria e na política, ainda que parcialmente,

Conhecimento e política

é a base imprescindível a qualquer tentativa de avançarmos além do pensamento liberal e do Estado moderno.

O ideal do eu só poderia ser totalmente realizado no mundo se fosse possível obtermos, na história, a conjunção da imanência e da transcendência: aquela circunstância em que o eu seria uno com a natureza, o outro e seu próprio ser concreto e ao mesmo tempo permaneceria separado deles. Do mesmo modo, a brecha entre o conhecimento abstrato e o conhecimento concreto só seria vencida se o universal e o particular mantivessem o relacionamento de identidade e separação simultânea que corresponde à união da imanência e da transcendência.

Para o homem que tivesse conquistado tal conhecimento, o mundo já não teria segredos. Aos seus olhos, o universal, transcendendo o particular, manteria nele sua plena imanência. Poderia, assim, esperar que a espécie humana viesse a adquirir, no curso de sua história, uma compreensão completa e perfeita da realidade.

É a qualidade do mundo e do lugar que o homem ocupa nele, e não tanto alguma falha remediável da capacidade humana, que torna a reconciliação da imanência e da transcendência necessária e permanentemente impossível. Essa impossibilidade é confirmada pela contradição existente na própria ideia de semelhante união. Se for verdade que unir a imanência à transcendência representa o bem, sua completa realização na história transformaria o mundo na própria encarnação da bondade. Mas a base da transcendência é a noção de um bem que permanece afastado do mundo. Se o mundo e o ideal fossem uma só coisa, a transcendência não seria nem desejável nem possível. Nada haveria acima ou além dos fenômenos da natureza, da associação com os outros, ou da realidade concreta de nossa vida, posição e trabalho. Assim, pertence à natureza da união da imanência e da transcendência sua capacidade de manifestar-se de maneira completa no mundo.

A mesma conclusão aplica-se ao problema do universal e do particular. Os particulares têm um prolongamento e uma duração. Mas tudo aquilo que se prolonga ou que perdura no mundo possui uma individualidade; difere de todo o resto. Portanto, se um universal fosse composto por muitos particulares,

A teoria dos grupos orgânicos

cada um desses particulares teria que se distinguir dos universais que representa. De outra maneira, os particulares não poderiam se diferençar entre si.

A ideia de uma união da imanência e da transcendência, ou de um ser universal que conheça e determine todos os particulares, sem destruir sua particularidade, é a ideia de Deus. Quatro questões principais surgem em relação ao conceito de Deus: se o mesmo ente supremo é contido nas diversas interpretações dadas ao nome de Deus; que atributos teria Deus, se existisse; se Ele existe ou não; e de que maneira sua perfeição poderia responder à imperfeição do homem.

Os homens nem sempre conceberam Deus da maneira sugerida por minha definição. Mas suas seitas religiosas costumam, frequentemente, visualizá-lo como uma força sagrada que existe no mundo e que o penetra. E nas suas teorias metafísicas definiram Deus, por vezes, de modo análogo, como sendo a totalidade do mundo, embora essa totalidade pudesse ser distinta da soma de suas partes, segundo o princípio da totalidade.[14] De acordo com essa doutrina, faltaria sempre um fundamento seguro à individualidade das coisas no mundo, porque elas não poderiam ser definidas independentemente dos todos de que seriam partes.

Em outros casos, porém, a religião tem apresentado Deus como uma pessoa transcendente posta em contraste com o mundo. De modo parecido, metafísicos descreveram Deus como um ser universal, que, como causa derradeira de todas as coisas particulares, é, no entanto, diverso delas de tal maneira que estas podem ser percebidas como estando separadas d'Ele.

O argumento do meu ensaio sugere que essas duas categorias de crenças metafísicas e religiosas são igualmente inadequadas, mas representam concepções de uma só coisa vista de várias perspectivas. São conceitos do ideal do eu, do bem supremo, ou da perfeição do ser, o que é o único sentido que a filosofia pode atribuir à ideia de Deus. Sua unidade de referência baseia-se na unidade da condição humana no mundo. As imperfeições do homem determinam o que o ser perfeito pode representar para ele. Mas, porque a natureza humana é construída na História, este ser supremo será visto sob uma luz diferente, na medida em que a experiência histórica se modifica.

Conhecimento e política

O pensamento especulativo estabelece ou define os aspectos deste ideal, ou bem, ou perfeição, refletindo sobre o homem. Somente o homem, por ser consciente, pode perguntar a si próprio qual será a natureza do ser perfeito, e é em relação à sua própria existência, e dentro dos limites impostos pela sua mente, que deverá responder à pergunta. Podemos inferir a natureza do ideal a partir das características do eu e da manifestação de suas qualidades sob a forma da vida social. Na verdade, para que tanto nossa visão do eu como nosso entendimento de sociedade façam sentido temos que recorrer ao conceito deste ideal.

Mas por que deverá a filosofia discutir sobre Deus em vez de contentar-se com as noções do ideal, do bem ou do ser perfeito? A reconciliação da imanência e da transcendência é a afirmação religiosa de uma visão do eu, assim como a síntese das duas doutrinas de universais e particulares é a expressão metafísica deste ponto de vista. É a noção do eu como um ser que é uno com a natureza, os outros e sua própria vida, sendo, ao mesmo tempo, independente deles. Um ser que tenha essas características possui os atributos da personalidade. Por conseguinte, Deus, que é a perfeição de semelhante ser, deve ser também uma pessoa, se existir. A virtude do conceito filosófico de Deus consiste em enfatizar o princípio de que só uma pessoa poderia realizar plenamente o ideal e que esta pessoa não pode ser o homem na história.

Assim, Deus foi definido como a pessoa que, ao mesmo tempo, se revela na natureza e se sobrepõe à ordem natural como autor do mundo e a origem de sua glória. Aqueles que dizem que Deus é amor insinuam que o problema do eu e dos outros é solucionado na Sua personalidade. Ele mantém todos os homens no seu amor universal sem destruir sua separação d'Ele. Quando os filósofos declaram que a essência de Deus é idêntica à sua existência, significam que Seu ser possível ou ideal, diversamente do do homem, realiza-se plenamente nas suas obras concretas. Ele soluciona tão completamente o problema do eu abstrato e do eu concreto que é, eternamente, tudo o que poderia ou deveria ser.

Estabelecendo analogias com nós mesmos, a filosofia pode definir os atributos da pessoa que seria um ser perfeito. E pode mostrar como a imagem

A teoria dos grupos orgânicos

desta pessoa se acha implícita na natureza humana e na história como uma busca daquilo que somos incapazes de ser. Mas aí se detém o poder do pensamento especulativo. Ele não pode nos mostrar nem que Deus de fato existe nem de que modo sua existência poderia remediar nossas falhas.

A existência de Deus e a salvação dos homens são ideias cuja verdade só poderiam demonstrar-se, caso pudessem sê-lo, por Deus, através de sua revelação direta na história. Como pessoa que permanece acima do mundo e à parte do pensamento, Ele não pode ser conhecido, exceto na medida em que se fizer presente a nós no mundo; precisamos ver sua transcendência através de sua imanência. É ele quem deve revelar esse ser imanente e nós é que devemos orar para que o revele. Só Ele pode apontar-nos o caminho da salvação. A revelação poderia indicar-nos de que modo, através d'Ele, num mundo que não podemos descrever nem construir totalmente, a oposição entre a natureza e a humanidade seria vencida; como, buscando imitar seu amor universal, segundo a medida limitada de nossa humanidade, podemos prefigurar a circunstância em que o conflito entre o eu e os outros se resolveria sem o sacrifício da individualidade; e como nossa participação n'Ele pode trazer-nos a esperança de que nós também, num outro mundo, poderemos unir, finalmente, a essência à existência e o eu abstrato ao eu concreto.

A filosofia é um território cujas fronteiras são, de um lado, a política, e, do outro, a religião. Logo que tenta atravessar esses limites e tomar o lugar do julgamento político ou da visão religiosa, ela se desintegra. A prática da política exige a prudência, a percepção dos particulares e a escolha entre estas. Mas a prudência não pode jamais ser alcançada por uma metafísica que permanece comprometida com a linguagem do universal.

O relacionamento entre a filosofia e a religião leva a conclusões semelhantes. Como resposta a uma experiência imediata da verdade, a resposta da fé ao acontecimento da revelação – trata-se não tanto de uma forma de argumento, mas de uma maneira de visão. Como a prudência, embora de modo diverso, ela reconhece a presença de um dado imediato e resiste, por isso, à exigência do filósofo de arguir e provar. De fato, se minha doutrina filosófica for correta, quanto mais a religião avançar rumo a sua verdadeira

Conhecimento e política

finalidade, tanto menos tornar-se-á capaz de ser imitada ou substituída pela filosofia, porque, quanto mais próxima estiver daquele objetivo, tanto mais dirá respeito a um domínio do ser em que a imanência e a transcendência se unem e se confundem e o universal e o particular permanecem, a um só tempo, separados e unidos. Mas a união final da imanência e da transcendência é estranha à vida terrena de que nos fala a filosofia, e o conceito de uma unidade simultânea e diversa do universal e do particular quebra a estrutura do discurso racional de que depende a filosofia.

A política e a religião, quando levadas ao auge, entraram frequentemente em guerra aberta ou não declarada. Ambas tentaram, além disso, dominar e escravizar a filosofia. E a filosofia, que é a menos amada e mais vulnerável das três rivais, reagiu por vezes violentamente, pretendendo ser dona da política e sucessora da religião. Sempre que uma dessas modalidades de discurso e formas de existência invade o domínio das outras, corrompe a si mesma e a suas vítimas. Por este motivo, deve firmar-se um tratado de paz entre as três rivais através do qual cada uma garanta à outra um certo grau de autonomia, reconhecendo a importância que possui para seus próprios dilemas.

No território que ocupa, a filosofia é soberana. Mas trata-se de um território limitado, e a própria experiência de esbarrar de encontro a estes limites é indispensável ao conhecimento que dele temos. Aquele que analisa os problemas filosóficos em toda a sua extensão chega, finalmente, às fronteiras externas da política e da religião, onde se joga por terra o orgulho do filósofo e outras formas de busca vêm à tona.

Quando a filosofia conquista a verdade que é capaz de alcançar, passa à política e à oração – a política por meio da qual que se transforma o mundo, e a oração pela qual os homens pedem a Deus que complete a transformação do mundo, levando-os à Sua presença e dando-lhes aquilo que, entregues a si mesmos, sempre lhes fará falta.

Desejosos de fé, tocados pela esperança e movidos pelo amor, os homens procuram Deus sem parar. Essa busca prossegue mesmo, e sobretudo, ali onde o pensamento se detém e a ação fracassa. Na sua visão d'Aquele que buscam encontram o começo e o fim de seu conhecimento do mundo e de

A teoria dos grupos orgânicos

seu amor pelo outro. E, assim, a meditação sobre Deus representa a união suprema do pensamento e do amor – do amor que é o pensamento esvaziado da linguagem e devolvido à sua fonte.

Mas nossos dias passam e ainda não Te conhecemos plenamente. Por que, então, Te calas? Fala-nos, Deus.

POSFÁCIO À EDIÇÃO INGLESA DE *CONHECIMENTO E POLÍTICA*

Tradução de Tiago Medeiros

O pensamento especulativo costuma adotar estratégias próprias para sobreviver e avançar. Uma delas é reconhecer como realidade apenas o que sabemos ordenar com as ferramentas intelectuais que já possuímos ou podemos fabricar. Quando nosso reconhecimento da realidade se adianta a nossa capacitação para lidar com ela, corremos o risco de ficar desnorteados. A confusão resultante pode nos impedir de desenvolver as ideias mais sutis e abrangentes de que precisamos para entender melhor, não apenas para perceber mais. Se, contudo, nunca formos até o limite de nossa capacidade imaginativa, perderemos a oportunidade para descobrir verdades que ponham à prova a adequação de nossas ideias ao entendimento do mundo.

Quando escrevi *Conhecimento e política*, eu estava interessado em temas factuais e normativos, da sociedade e da personalidade, que eu ainda não sabia como encarar diretamente. Apenas em retrospecto pude apreciar quanto minha abordagem desses temas havia sido indireta. Os problemas que me interessam mudaram desde que escrevi este livro. Não mudaram tanto, porém, quanto minha maneira de encará-los.

Tratei os assuntos que me preocupavam como oportunidades para montar confronto entre categorias abstratas, conectadas umas às outras em moldura quase lógica. A desvantagem desse expediente não é tanto o "racionalismo" ou o "idealismo" que pode aparentar – pois tive o cuidado de desarmar tais interpretações de meu pensamento – quanto à imprecisão perigosa do *quase*

Conhecimento e política

no uso de um método quase lógico. Os argumentos de *Conhecimento e política* deveriam ser levados pelo que aparentam? Ou deveriam ser lidos como uma alegoria de problemas da experiência moral e política – estranha alegoria em que o mais abstrato representa o menos abstrato?

Minhas ideias a respeito dos temas deste livro moveram-se em três direções principais. Essas mudanças são dignas de nota porque elas sugerem uma interpretação da alegoria meio deliberada a que recorri que pode não ocorrer ao leitor.

A concepção da realidade social

Conhecimento e política é marcado por uma atitude de tudo ou nada quanto às estruturas mentais e sociais, e por fé correspondente na possibilidade e na necessidade de mudança descontínua e forte na configuração habitual de nossas atividades sociais e mentais. O sinal mais claro dessa atitude está em minha procura pelo princípio mestre ou mecanismo regulador que sustenta um sistema de pensamento ou uma forma de vida social em curso. Uma vez identificado esse elemento-chave, poderíamos, a argumentação do livro sugere, substituí-lo.

Agora, entretanto, penso que o ponto de partida para abordar a realidade e as transformações sociais deve ser rejeitar duas concepções enganosas. Uma delas, identificada com a historiografia ingênua e com a ciência social positivista, nega relevância ao contraste entre os atos que preservam e os que mudam as estruturas estabelecidas. Vê apenas acontecimentos que se sucedem ou causas específicas que produzem efeitos específicos. Desconsidera quanto do que ocorre na vida social depende de arranjos institucionais e de pressupostos imaginativos que deixamos incólumes. Despreza as descontinuidades entre as formas de vida e de consciência moldadas por tais arranjos e pressupostos.

A outra visão – mais claramente representada pelas teorias sociais evolucionistas e funcionalistas do século XIX e do início do século XX – distingue as atividades contidas dentro dos limites de cada regime institucional e

Posfácio à edição inglesa de *Conhecimento e política*

ideológico e as atividades que desafiam e mudam tais regimes. É, por exemplo, o contraste, nas formas de pensamento influenciadas pelo marxismo, entre o reformismo, que maneja um modo de produção, e a revolução, que o substitui; vê cada regime como um sistema indivisível que ocupa lugar dentro da lista de tipos possíveis de organização social ou de sequência compulsiva de estágios da evolução social. E trata tal lista ou sequência como se fosse regida por leis da história.

Suponha, por contraste a essa maneira de pensar, uma prática de pensamento social que insista na diferença entre preservar e transformar, mas que se recuse a ver os regimes de organização social ou de pensamento como sistema indivisíveis, sujeitos a leis superiores da história. Vê as estruturas como capazes de serem renovadas ou recombinadas de maneira fragmentária, não apenas no tudo ou nada fantasioso. Sua imagem predominante de transformação é a reforma revolucionária: ao mesmo tempo estrutural e localizada, fragmentária e cumulativa.

O pensamento social que segue tal rumo deixa de procurar o princípio maior ou o mecanismo gerador de um sistema total de pensamento ou organização social. Em vez disso, é atento ao que pode haver de incongruência e desvio em nosso modo de pensar e de viver. É sensível às anomalias que não podem ser completamente suprimidas. E reconhece que o jeito mais comum de mudar a vida e a consciência de uma sociedade é aproveitar as contradições da ordem existente, fazendo do que nela era desvio a inspiração de nova ordem.

A crítica ao liberalismo

Hoje, estaria menos preocupado em sublinhar a dependência das ideias que chamo liberais de certas concepções básicas da filosofia moderna: concepções que ganharam forma primeiramente no século XVII. Meu foco recairia mais explicitamente no liberalismo clássico do século XIX. Junto ao socialismo e ao comunismo, os ensinamentos liberais representam uma das grandes doutrinas modernas de emancipação.

Conhecimento e política

Todas essas doutrinas compartilham fé no empoderamento do agente individual e coletivo: a pessoa, a comunidade, a nação. O que se busca nessas doutrinas é a superação das restrições que as hierarquias e divisões da sociedade impõem às relações entre as pessoas. Uma espécie do empoderamento que pode resultar de tal emancipação é o desenvolvimento de capacidades produtivas. Outra é a construção de relações sociais que nos poupem da necessidade de escolher entre o isolamento e a sujeição aos outros – à sua autoridade ou a suas opiniões. O empoderamento também resulta da possibilidade de participar de um mundo social ou conceitual sem ter de nos render a ele. Para isso, é preciso que as estruturas, sejam da sociedade, sejam do pensamento, facilitem e organizem sua própria revisão.

Mas a visão do empoderamento nas doutrinas clássicas de emancipação é obscurecida por premissas injustificadamente restritivas quanto às formas possíveis de vida social. Entre essas premissas, sobressaem ideias a respeito das formas possíveis de economia de mercado e de democracia. No lugar da teoria de grupos orgânicos, eu proporia um programa que alarga o ideal de empoderamento e vise o objetivo de ficarmos maiores juntos, que trata as formas institucionais estabelecidas do mercado e da democracia como momentos a serem superados em sociedades que democratizem o mercado e aprofundem a democracia. Para cultivar a imaginação institucional necessária à formulação de tal programa, precisamos de uma prática de pensamento como aquela a que aludi.

Um programa dessa natureza apresentaria suas propostas como resultados de uma sequência de revisões de instituições que já existem e de ideias que já temos. Aprofundaria a concepção de liberdade como empoderamento, propondo caminhos pelos quais essa liberdade se pudesse efetivar mais plenamente. Apostaria no modernismo, e evitaria buscar em fantasias antimodernistas uma consolação secreta para nossos malogros no esforço de repensar e reconstruir as sociedades e culturas atuais. Seria antes um superliberalismo do que um antiliberalismo ou do que uma síntese do liberalismo com seu oposto imaginário.

As categorias da filosofia

Boa parte do livro aborda um esquema de categorias especulativas que quase dominou a filosofia ocidental desde que ela perdeu sua âncora no essencialismo aristotélico e na teleologia. Esse esquema exerceu sua influência menos como arcabouço coeso do que como conjunto de ferramentas conceituais. Os usos e as limitações dessas ferramentas influenciaram decisivamente a história do pensamento.

O que sobra da análise dessas categorias e de sua relação com a política quando se reorienta a crítica ao liberalismo da maneira indicada neste posfácio?

As categorias podem ser entendidas como as ideias de uma tradição filosófica que quis precaver-se de abraçar um entendimento específico da sociedade, da personalidade ou da natureza. Essa evasão não funcionou. Ao recorrer a ela, a filosofia moderna apenas gerou mais uma visão da sociedade e do eu: a visão cujos componentes os capítulos deste livro a respeito da psicologia e da política liberal se propõem a descrever. Leia-se minha análise das antinomias dessa tradição de pensamento como prova da tese de qualquer ideário informado por tais categorias gera problemas que ele é incapaz de resolver com seus próprios recursos.

Essa tese tem implicações políticas. A concepção alternativa a respeito de universais e de particulares defendida em *Conhecimento e política* propõe implicitamente uma maneira de entender nossa relação com os contextos em que atuamos. O fato real subjacente à obscura noção metafísica de universal é a personalidade humana viva, quer como mente engajada na investigação da realidade, quer como sujeito encarnado e emaranhado num mundo social. Os particulares são as disciplinas de pensamento e os regimes institucionais e ideológicos que sustenta, maneira de viver em sociedade.

A abordagem do problema de universais e particulares que defendo em *Conhecimento e política* equivale a uma ideia a respeito de nossa relação com tais disciplinas e regimes. Representa, também, por isso mesmo, uma visão da identidade humana que compartilhamos. Não nos é dado, jamais, pensar ou viver num arcabouço definitivo e incontestável – uma ordem que nos

Conhecimento e política

permita finalmente estar em casa no mundo. Sempre podemos descobrir mais que qualquer conjunto de disciplinas e métodos pode acomodar.

Nenhuma maneira de organizar a sociedade, e nenhum conjunto de formas de organização social, sustenta todas as formas de cooperação e relacionamento entre as pessoas que temos razões para querer. No decurso da história do pensamento e da sociedade, contudo, podemos mudar nossa relação com as disciplinas e os regimes. Podemos construir maneiras de praticar o pensamento e de ordenar a vida em sociedade que nos libertem e fortaleçam, em parte porque facilitam sua própria revisão e nos deixam de aprisionar. Essa é a tarefa da filosofia e da política.

Como muitas outras obras filosóficas, *Conhecimento e política* recorre a manobras que acabam por contradizer suas intenções. Sua rejeição da mais importante constelação de categorias e oposições categóricas da filosofia moderna não se destina a defender o regresso à teleologia e ao essencialismo, que a tradição filosófica moderna nasceu combatendo. Na ausência, porém, de melhores alternativas, mobilizei aqui ideias arcaicas, até mesmo com traços teleológicos e essencialistas, a serviço da agenda ultramodernista. Toquemos a agenda em frente, apesar das concessões que comprometeram sua formulação neste livro.

Maio de 1983

NOTAS

INTRODUÇÃO

1 Arthur Schopenhauer, *Die Welt als Wille und Vorstellung*, prefácio à 1ª ed., *Sämtliche Werke*, ed. P. Deussen (Munich, Piper, 1911), vol. I, p. XXVII.

2 Extraí o termo "estrutura profunda" (*deep structure*) de Noam Chomsky, em cujo trabalho, no entanto, tem um significado diferente do que aqui é dado. Ver *Aspects of the Theory of Syntax* (Cambridge, M.I.T., 1969), pp. 16-18, 136.

3 Duas vantagens da imitação da análise lógica são demonstradas pela crítica de Descartes na *Secundae Objectiones*: "Seria melhor completar suas proposições com definições, postulados e axiomas que possam servir como premissas das quais se possam extrair conclusões de acordo com o método geométrico... Cada leitor estaria, então, habilitado a apreender o argumento à primeira vista e seria completado pelo reconhecimento de Deus". Ver *Oeuvres de Descartes*, eds. C. Adam e P. Tannery (Paris, Vrin, 1973), vol. VII, p. 128. Hegel salienta o principal vício desse método quando, na crítica a Spinoza, ele compara o formalismo do método com o caráter substantivo do tema filosófico. Ver *Vorlesungen über die Geschichte der Philosophie*, v. III, *Sämtliche Werke*, ed. H. Glockner (Stuttgart, Fromman, 1928), vol. XIX, pp. 374-375. A respeito do significado da dicotomia entre forma e substância, mais será dito adiante.

Conhecimento e política

4 Hegel, *Grundlinien der Philosophie des Rechts*, prefácio, *Sämtliche Werke*, vol. VII, p. 37.

5 Ver Diderot, *Le Neveu de Rameau*.

CAPÍTULO 1 – PSICOLOGIA LIBERAL

1 (A) Para o enunciado autorizado da doutrina das essências inteligíveis, uma doutrina que pode ser entendida como uma revisão da teoria das ideias de Platão, ver Aristóteles, *Metafísica*, 1. 7, cap. 4, § 1030a. A essência é a forma que, por tornar-se corporificada em matéria, empresta a cada ser sua identidade distinta. Para o desenvolvimento do ponto de vista aristotélico, ver Christian Wolff, *Philosophia Prima sive Ontologia*, § 143, ed. J. Ecole, *Gesammelte Werke*, eds. J. Ecole e H. Arndt (Hildsheim, Olms, 1962), vol. III, pp. 120-121. Nesta tradição, define-se essência por contraste a acidente, por um lado, e a existência, por outro. Essência é tanto τὸ τί ἦν εἶναι como οὐσία. As duas definições são conexas porque a existência é acidental (Aristóteles, *Categorias*, cap. 2, § 1b, ll. 6-7), apesar de a filosofia posterior fazer uma exceção a Deus. A doutrina clássica de essências inteligíveis foi reavivada na fenomenologia de Brentano e Husserl.

(B) A metafísica moderna adota uma das abordagens ao problema das essências. A primeira é rejeitar a doutrina clássica completamente ao desenvolver uma concepção nominalista das essências. (Ver nota 2.) A segunda é tentar acomodar algumas versões das essências inteligíveis. Há duas principais variações desta última tendência. Para alguns, a essência significa qualquer coisa que é necessária para fazer algo possível e inteligível; ela não descreve nada no mundo empírico. Ver Kant, *Metaphysische Anfangsgründe der Naturwissenschaft*, prefácio, *Kants Werke*, ed. Academia Prussiana (Berlin, Bruyter, 1968), vol. IV, p. 467. Para os racionalistas, no entanto, a essência que torna a compreensão possível também faz a existência necessária porque as ordens de ideias e de acontecimentos são as mesmas. Ver Spinoza, *Ethica*, pt. 2, def. 2, *Spinoza Opera*, ed. C. Gebhardt (Heidelberg, Winter, 1972), vol. II, p. 84.

(C) A aceitação e a rejeição da doutrina das essências inteligíveis no pensamento moderno correspondem a duas maneiras características de tratar o que eu chamo de antinomia entre teoria e fato. Se aceitamos a doutrina com o propósito de garantir ou explicar a possibilidade do conhecimento, seremos forçados a certas

Notas

conclusões políticas morais incompatíveis. (Ver a discussão no Capítulo 2 a respeito do princípio de normas e valores.) Além do mais, cairemos no que o próprio Kant estigmatizava como dogmatismo filosófico, porque presumimos a coincidência das categorias da mente e das relações entre acontecimentos no mundo. Se, ao contrário, rejeitarmos a doutrina inteiramente, o conhecimento é deixado pendurado no ar. Ver o requisito do argumento nesta seção.

(D) Ao prosseguirmos, ficará demonstrado que há uma estreita conexão entre o problema das essências e o tema dos universais.

2 A respeito da rejeição da doutrina das essências inteligíveis pelo pensamento liberal, ver Hobbes, *Leviathan*, pt. 4, cap. 46 (Oxford, Clarendon Press, 1967), pp. 524-528. Para o estágio posterior dessa corrente de pensamento sobre o problema das essências, ver John Stuart Mill, *A System of Logic*, 1. 1, cap. 6, § 2 (Toronto, Toronto, 1973), pp. 90-93. Mill entende as essências como simplesmente a soma dos atributos que transparecem de uma palavra; eles não herdam as substâncias as quais estejam complementando.

3 Ver W. V. Quine, *Two Dogmas of Empiricism*, em *From a Logical Point of View* (New York, Harper, 1963), p. 44.

4 Um corolário existente do argumento de que a mente participa na forma da experiência é a distinção de Kant entre as coisas como elas são em si e as coisas como elas aparentam. Ver Kant, *Kritik der reinen Vernunft*, 2ª ed., *Werke*, vol. III, pp. 69-71.

5 A antinomia entre teoria e fato está no âmago dos debates correntes na história das ciências. Ver Thomas Kuhn, *The Structure of Scientific Revolutions* (Chicago, Chicago, 1970), pp. 198-204, e Paul Feyerabend, *Consolations for the Specialist*, em *Criticism and the Growth of Knowledge*, eds. I. Lakatos e A. Musgrave (Cambridge, Cambridge, 1970), pp. 197-229.

6 Ver Kant, *Kritik der reinen Vernunft*, 2ª ed., *Werke*, vol. III, pp. 21-22.

Conhecimento e política

7 Para a discussão sobre o problema de forma, substância e acidente na concepção de ciência que descrevo, ver Emil Lask, *Fichtes Idealismus und die Geschichte, Gesammelte Schriften*, ed. E. Herrigel (Tübingen, Mohr, 1923), vol. I, pp. 38-44. Ver também Georg Lukács, *Die Verdinglichung und das Bewusstsein des Proletariats*, em *Geschichte und Klassenbewusstsein* (Newied, Luchterhand, 1970), pp. 199-200.

8 Extraí o exemplo do círculo de Lask, *Fichtes Idealismus, Gesammelte Schriften*, vol. I, p. 45.

9 A respeito de duas variações sobre essa concepção da mente, a segunda das quais parte dela em alguns importantes aspectos, ver Hobbes, *Leviathan*, caps. 1-5, pp. 11-38, e Locke, *An Essay Concerning Human Understanding*, 1. 2, cap. 1, *The Works of John Locke*, 11ª ed. (London, 1812), vol. I, pp. 77-128.

10 O princípio desses dois pontos pode ser considerado, o primeiro, o centro da "estética transcendental" de Kant, e o segundo, o resultado de sua "lógica transcendental".

11 Hobbes, *Leviathan*, cap. 8, p. 57.

12 (A) Hobbes adota o princípio da razão e do desejo quando distingue o raciocínio da paixão e argui a subordinação do primeiro ao segundo. *Leviathan*, cap. 5, p. 32. Locke afirma o princípio como a distinção entre os dois "poderes", compreensão e vontade. *Essay*, 1. 2, cap. 6, § 2, e 1. 2, cap. 21, § 5-6, *Works*, vol. I, pp. 104-105, 223-224. Ver também Berkeley, *The Principles of Human Knowledge*, pt. 1, § 27 (London, Tonson, 1734), pp. 57-58. O contraste entre compreensão e paixões predomina no plano do *Tratado* (*Treatise*) de Hume. Além disso, ele assevera a impotência da razão em face das afeições. *A Treatise on Human Nature*, 1. 2, pt. 3, § 3, e 1. 3, pt. 1, § 1, ed. Selby-Bigge (Oxford, Clarendon, 1968), pp. 413-418, 458 *supra*. De maneira idêntica, Spinoza diferencia o estudo da mente do das emoções e afirma que "desejo (*cupiditas*) é a própria essência do homem", *Ethica*, pt. 3, definições de desejos, nº 1, *Spinoza Opera*, v. II, p. 190. Kant aceita o princípio da razão e do desejo quando

Notas

identifica o desejo com a própria vida e nega que o prazer ou o desprazer com o qual o desejo está ligado pode representar qualquer forma de conhecimento, até mesmo conhecimento de si próprio. Ver *Einleitung in die Metaphysik der Sitten, Werke*, vol. VI, pp. 211-212.

(B) Os pontos de vista precedentes não devem ser identificados com distinções anteriores entre intelecto e desejo, cuja influência persistente pode, no entanto, ser detectada nos escritos dos pensadores liberais. Assim, dentro da categoria dos desejos, ὄρεξις (*cupiditas*), Aristóteles distingue vontade, βούλησις (*voluntas*), de concupiscência, επιθυμία (*voluptas*). Ver *De Anima*, 1. 3, cap. 7, § 431b, e 1. 3, cap. 9, § 432b. Vontade é ao mesmo tempo a afirmação de verdade pelo intelecto especulativo e a afirmação do bem pelo intelecto prático, considerando concupiscência como a inclinação cega do prazer. A ênfase está no contraste entre desejo racional e irracional mais que na oposição entre razão e desejo. A concepção clássica da razão prática sobrevive na *prudentia* escolástica. Tomás de Aquino, *Summa Theologica*, pt. II-II, questões 47-51.

(C) A tendência dos modernos é abolir a noção da razão prática e, com ela, a divisão entre *voluntas* e *voluptas*. Ambas são absorvidas em uma mais geral: *cupiditas*. Concepções modernas da razão prática como a de Kant confirmam o princípio da razão e do desejo ao invés de sobrepujá-las, pois esta nova razão prática não tem relação com o conceito de desejo. Ver *Kritik der praktischen Vernunft, Werke*, vol. V, p. 21.

13 Para um tratamento do vínculo entre o princípio da razão e do desejo e a validade prática da dicotomia, ver Hume, *Treatise*, 1. 3, pt. 1, § 1, pp. 459-463.

14 Ver ainda Hobbes, *Leviathan*, cap. 8, pp. 56-57.

15 Ver Locke, *Essay*, 1. 4, cap. 13, § 2, *Works*, vol. III, pp. 84-85, e Descartes, *Discours de la Méthode*, pt. 1.

16 Ver Tomás de Aquino, *De Ente et Essentia* (*L'Être et l'Essence*), cap. 3, ed. Capelle (Vrin, 1947), p. 39.

Conhecimento e política

17 Ver, por exemplo, Clifford Geertz, *Islam Observed* (New Haven, Yale, 1968), p. 97.

18 (A) Talvez a mais convincente afirmativa do princípio do desejo arbitrário seja encontrada em Hume, *Treatise*, 1. 3, pt. 1, § 1, pp. 455-470. Para uma formulação mais recente do princípio, acompanhada de um ataque à doutrina dos fins objetivos, ver Moritz Schlick, *Fragen der Ethik* (Vienna, Springer, 1930), pp. 74-87.

(B) Há uma tendência recorrente na história do pensamento liberal em tentar escapar do princípio do desejo arbitrário pela volta à doutrina das essências morais inteligíveis. Locke, *Essay*, 1. 3, cap. 11, § 16, *Works*, vol. II, pp. 278-279. Os defensores dessa reversão caracteristicamente tentam perpetuar a doutrina sem aceitar suas bases em ideias mais gerais sobre pensamento e linguagem. Além disso, querem admitir algumas de suas consequências e rejeitar outras. Caem, por isto, num ecletismo incoerente.

(C) Diversos movimentos na filosofia moderna rejeitam mais ou menos completamente o princípio do desejo arbitrário e a validade do contraste. Entre as quais: (1) ética fenomenológica, p. ex.: Max Scheler, *Der Formalismus in der Ethik und die materiale Wertethik* (Berlin e Munich, Franck, 1966), pp. 270-275, e Nicolai Hartmann, *Ethik* (Berlin, Cruyter, 1962), pp. 183-185; (2) pragmatismo americano, p. ex.: William James, *Pragmatism*, Lecture 2 (London, Longmans, 1922), pp. 75-77, e John Dewey, *Experience and Nature* (La Salle, Open Court, 1971), pp. 341-354. Esses pontos de vista representam uma crítica parcial ao pensamento liberal, de diferentes perspectivas.

19 Descartes, *Les Passions de l'Âme*, cap. 6 do *Leviathan*, de Hobbes, e 1. 2 do *Treatise*, de Hume, cada qual representando tentativas de estabelecer uma ciência do desejo, cujo produto é a psicologia empírica moderna.

20 Ver a observação em *Kritik der Praktischen Vernunft*, § 1, *Werke*, vol. V, pp. 19-20.

21 Acerca das qualificações do princípio do desejo subjetivo, os quais caem em uma das três categorias que mencionei, ver Hume, *Treatise*, 1. 3, pt. 1, § 1, pp. 459-460, e J. D. Mabbott, "Reason and Desire", *Philosophy* (1953), vol. XXVIII, p. 113.

Notas

22 Aristóteles define substância como algo que "pode existir à parte". *Metafísica*, 1. 12, cap. 5, § 1071a, 1. 1. Essa definição clássica é transportada para a filosofia moderna por Descartes quando ele descreve substância, no *Principia Philosophiae*, pt. 1, § 51, como "uma coisa que existe e que não necessita de outra para existir", *Oeuvres de Descartes*, eds. C. Adam e P. Tannery (Paris, Vrin, 1973), vol. VIII-I, p. 24. O conceito de substância implica individualidade autossuficiente. Falamos vagamente de substância dos desejos ou de outro fenômeno natural quando queremos enfatizar a individualidade dos particulares, uma individualidade que a razão formal não deve considerar no seu esforço para generalizar.

23 (A) O princípio da análise é expresso por Hobbes, *Leviathan*, cap. 5, p. 32, e *Elementorum Philosophiae*, cap. 1, § 2, *Opera Philosophica* (London, Bohn, 1889), vol. I, pp. 2-3; e por Locke, *Essay*, 1. 2, cap. 12, § 8, *Works*, vol. I, p. 146. Hume os secunda no *Treatise*, 1. 1, pt. 1, § 6, pp. 16-17; 1. 1, pt. 4, § 2, p. 207.

(B) Uma consequência do princípio de análise é que o infinito deve ser concebido como séries infinitas de partes finitas. Ver Hobbes, *Leviathan*, cap. 3, p. 23; Locke, *Essay*, 1. 2, cap. 17, § 3-6, *Works*, vol. I, pp. 195-197. Por isso, ambas as teorias dos números infinitos e a tentativa de afirmar metafisicamente os atributos de um Deus infinito e transcendente pressupõem o abandono do princípio.

24 Spinoza faz do princípio da síntese a pedra angular de sua filosofia. A esse respeito, ele afasta-se radicalmente dos filósofos liberais, mas falha em demonstrar as implicações políticas de seu afastamento. A relação nomimalista entre as partes e o todo é discutida nos diálogos de *Korte Verhandeling van God*, *Opera*, vol. I, pp. 28-34.

25 Assim, a universalidade é somente na nomenclatura. Hobbes, *Leviathan*, cap. 4, p. 26; Locke, *Essay*, 1. 3, cap. 3, § 11, *Works*, vol. II, pp. 159-160; Hume, *Treatise*, 1. 1, pt. 1, § 6, p. 16.

26 Para afirmativas acerca da moralidade do desejo, ver Hobbes, *Leviathan*, cap. 6, p. 48; Locke, *Essay*, 1. 2, cap. 20, § 6, *Works*, vol. I, p. 217; Jeremy Bentham, *An*

Conhecimento e política

Introduction to the Principles of Morals and Legislation, cap. 1, § 1, eds. J. H. Burns and H. L. Mart (London, Atholone, 1970), p. 1; e Henry Sidgwick, *The Methods of Ethics* (London, Macmillan, 1907), pp. 405-407.

27 Ver nota 12.

28 A moralidade da razão é exemplificada pela primeira formulação do imperativo categórico. Kant, *Grundlegung zur Metaphysik der Sitten*, pt. 2, *Werke*, vol. IV, p. 421.

29 Sobre o incessante caráter do desejo, ver Hobbes, *Leviathan*, cap. 11, p. 75; e Hegel, *Grundlinien der Philosophie des Rechts*, § 189-195, *Sämtliche Werke*, ed. H. Glockner (Stuttgart, Fromman, 1928), pp. 270-276.

30 Este é o conceito de Hegel de "mal infinito". Ver sua *Wissenschaft der Logik*, *Sämtliche Werke*, vol. IV, pp. 160-161.

31 Ver F. H. Bradley, *Pleasure for Pleasure's Sake*, em *Ethical Studies*, 2ª ed. (London, Oxford, 1970), pp. 97-100.

32 Para uma crítica da moralidade da razão, ver Max Scheler, *Der Formalismus in der Ethik*, pp. 65-126.

33 Este ponto é levantado e desenvolvido nas observações de Hegel sobre o Sermão da Montanha. *Hegels Theologische Jugendschriften*, ed. H. Nohl (Tübingen, Mohr, 1907), pp. 264-266.

34 Acerca da tentativa em basear a identidade individual na continuidade do corpo, ver Hume, *Treatise*, pt. 4, 1. 1, § 2, pp. 187-192; e Sydney Shoemaker, *Self-Knowledge and Self-Identity* (Ithaca, Cornell, 1963), pp. 1-40.

Notas

35 (A) Para um argumento similar no contexto da crítica ao utilitarismo, ver John Rawls, *A Theory of Justice* (Cambridge, Harvard, 1971), pp. 560-567.

(B) Porque o pensamento liberal não pode provar um conceito de personalidade, deve tratar o conceito da pessoa de modo primitivo, ver P. F. Strawson, *Individuals* (London, Methuen, 1959), pp. 87-116. Para algumas dificuldades subsequentes, ver A. J. Ayer, *The Concept of a Person* (New York, St. Martin, 1963), pp. 82-128; e Bernard Williams, *Strawson on Individuals*, em *Problems of the Self* (Cambridge, Cambridge, 1973), pp. 101-126.

36 Ver o estudo da desintegração da consciência e de sua relação com o problema de personalidade em Eugen Bleuler, *Dementia Praecox* (Leipzig, Deuticke, 1911), pp. 289-297; e Silvano Arieti, *Interpretation of Schizophrenia* (New York, Brunner, 1955), especialmente pp. 314-318.

37 A distinção entre humanidade universal e particular está implícita no contraste de Kant de uma vontade obediente à razão, que é universal, e a vontade determinada pela inclinação individual, que é particular. *Grundlegung zur Metaphysik der Sitten*, pt. 2, *Werke*, vol. IV, p. 425.

38 Ver a distinção entre o conceito biológico do homem e o conceito jurídico de personalidade em Hans Kelsen, *General Theory of Law and State*, trad. Anders Wedberg (New York, Russell, 1961), p. 94.

39 Ver Émile Durkheim, *Leçons de Sociologie: Physique des Moeurs et du Droit*, lições 4 e 5 (Paris, Presses Universitaires, 1950), pp. 68-78.

CAPÍTULO 2 – TEORIA POLÍTICA LIBERAL

1 A visão da sociedade descrita nesta seção é, para meus propósitos, fundamentalmente similar à de Hobbes em *Leviathan* (Oxford, Clarendon, 1967), especialmente caps. 13 e 27, pp. 94-98, 128-132, e Locke, *Two Treatises of Government*, especialmente 1. 2, caps. 2 e 3, § 4-21, *The Works of John Locke* (London, 1823), vol. V, pp. 339-350. A discussão de Montesquieu sobre monarquia apresenta um relato mais parcial,

Conhecimento e política

mas análogo. *De l'Esprit des Lois*, pt. 1, 1. 3, caps. 5-7, *Oeuvres Complètes*, ed. R. Caillois (Pléiade, 1966), pp. 255-257, 288-292.

2 Ver Hobbes, *Leviathan*, cap. 6, p. 41.

3 Para um desenvolvimento moderno desta ideia, ver Mancur Olson, *The Logic of Collective Action* (Cambridge, Harvard, 1973), p. 11.

4 Ver Georg Henrik von Wright, *Norm and Action* (London, Routledge, 1963), pp. 6-16.

5 A concepção de normas constitutivas é desenvolvida por Ludwig Wittgenstein, *Philosophical Investigations* (New York, Macmillan, 1969), § 80-91, 197-241, pp. 38-42, 80-88.

6 Acerca da concepção de normas instrumentais, ver John Rawls, "Two Concepts of Rules", *Philosophical Review* (1956), vol. LXIV, pp. 18-29.

7 A concepção constitutiva de normas, feita na base de teoria social do direito, pode servir como instrumento de uma crítica comunitária da teoria política e jurídica liberal. (Ver cap. 6, nota 7.) A visão instrumental de normas é cria da teoria jurídica utilitária.

8 Ver Hobbes, *Leviathan*, cap. 18, pp. 133-141; e Hegel, *Grundlinien der Philosophie des Rechts*, § 4, 205, 275-286, *Sämtliche Werke*, ed. H. Glockner (Stuttgart, Fromman, 1928), vol. VII, pp. 377-395.

9 Hobbes desenvolve o direito natural e a concepção positivista no pensamento político liberal. Disso fluem muitos dos paradoxos, assim como muito da grandeza de seu pensamento. Ver *Leviathan*, caps. 14-15, pp. 99-123. Ver também Locke, *Two Treatises*, especialmente 1. 2, cap. 11, § 134-142, vol. V, pp. 416-424.

10 Hobbes reconhece o problema em *Leviathan*, cap. 15, pp. 111-112.

Notas

11 Kant, *Metaphysische Anfangsgründe der Rechtslehre*, § 44, *Kants Werke*, ed. Prussian Academy (Berlin, Gruyter, 1968), vol. VI, § 44, pp. 312-313.

12 Franz Neumann, "Der Funktionswandel des Gesetzes im Recht der bürgerlichen Gesellschaft", *Zeitschrift für Sozialforschung* (1937), vol. VI, pp. 542-596.

13 A descoberta de uma conexão entre o apelo ao terror e a visão artificial da sociedade desempenhou uma parte importante na crítica ao pensamento liberal. O acontecimento decisivo muito particular foi a Revolução Francesa. Ambos, o tema de uma ausência de comunidade entre a República e seus inimigos e o de subordinação da sociedade à vontade, já estão implícitos na justificação original do "Reinado do Terror". Ver Maximilien Robespierre, "Rapport sur les Principes du Gouvernement Révolutionnaire", em *Discours et Rapports de Robespierre*, ed. C. Vellay (Paris, Charpentier, 1908), pp. 332-333. A ideia de que a desintegração da comunidade faz sentir a suprema limitação social repete-se na história do ataque conservador ao liberalismo. Ver Edmund Burke, *Reflections on the Revolution in France*, *Works of Edmund Burke* (London, Rivington, 1801), vol. V, p. 202. O relacionamento do voluntarismo ao terror é de novo evidenciado por observações de Hegel sobre "liberdade absoluta e terror". Ver *Phänomenologie des Geistes*, *Sämtliche Werke*, ed. H. Glockner (Stuttgart, Fromman, 1927), vol. II, pp. 449-459. Um argumento análogo é desenvolvido por Marx e por alguns de seus seguidores. Ver, por exemplo, artigo de Marx em *Vorwärts* de 7 de agosto de 1844, *Marx-Engels Werke* (Berlin, Dietz, 1957), v. I, p. 392; e Lênin, *The Proletarian Revolution and Kautsky the Renegade*, *Collected Work* (Moscow, Progress, 1965), vol. XXVIII, pp. 227-325. Outra perspectiva, ainda a respeito da matéria, é oferecida pelo desenvolvimento na teoria social do ponto de vista de que nas sociedades "pré-modernas" é estabelecida uma linha clara entre o que é imutável na ordem social e o que fica sob o poder discricionário dos governantes, enquanto que nos Estados modernos cada aspecto da vida social fica sujeito, em princípio, à vontade política. Ver Henry Maine, *Lectures on the Early History of Institutions* (London, Murray, 1897), pp. 373-386, e Max Weber, *Wirtschaft und Gesellschaft*, ed. J. Winckelmann (Tübingen, Mohr, 1972), cap. 3, § 6, p. 130. Em um contexto diferente, a relação entre legalismo e terrorismo é realçada pelas doutrinas

Conhecimento e política

dos "legalistas" chineses. Ver *The Complete Works of Han Fei Tzŭ*, 2 vols., trad. W. Liao (London, Probsthain, 1939); e *The Book of Lord Shang*, trad. J. Duvyvendak (London, Probsthain, 1928).

14   Ver Hobbes, *Leviathan*, cap. 6 ("boa e má aparência"), p. 48. Ver também nota 18 do cap. 1.

15   Note a preocupação de Hobbes de que a doutrina das essências inteligíveis implicaria uma limitação ao poder do Estado. *Leviathan*, cap. 46, pp. 526-527.

16   A respeito da teoria linguística e sua importância política, ver Hobbes, *Leviathan*, cap. 4, pp. 23-32.

17   (A) Para um enunciado do princípio do individualismo, ver Jeremy Bentham, *An Introduction to the Principles of Morals and Legislation*, cap. 1, § 4, eds. J. H. Burns e H. L. A. Hart (London, Athlone, 1970), p. 12. Há pensadores, no entanto, liberais em outros aspectos, que ardentemente se opõem ao princípio do individualismo. Rousseau, *Du Contrat Social*, 1. 2, cap. 2, *Oeuvres Complètes de Jean-Jacques Rousseau*, eds. B. Gagnebin e M. Raymond (Paris, Pléiade, 1966), vol. III, p. 369.

(B) Para uma interpretação formal do princípio do individualismo, ver K. Arrow, *Social Choice and Individual Values* (New York, Wiley, 1963), pp. 61-62; e A. Sen, *Collective Choice and Social Welfare* (San Francisco, Heldon-Day, 1970), pp. 87-88.

18   Este é o espírito das considerações de J. S. Mill sobre o caráter básico de "as leis da mente" nas ciências morais. *A System of Logic*, 1. 6, cap. 4, § 1 (Toronto, Toronto, 1974), p. 849. Até o alegado papel da "etiologia" em situar-se entre a psicologia e a "ciência do homem na sociedade" não retira a anterior de sua supremacia.

19   Para um tratamento histórico dessas teorias conflitantes dos grupos, ver Otto von Gierke, *Das deutsche Genossenschaftsrecht* (Berlin, Weidmann, 1913), vol. IV.

Notas

20 A teoria formal de liberdade já está implícita na afirmativa de Kant do "princípio universal do direito". Ver *Metaphysische Anfangsgründe der Rechtslehre, Kants Werke*, vol. VI, pp. 230-231.

21 Supõe-se que a medida de prazer e dor supre o legislador com esse método. Ver Bentham, *An Introduction to the Principles of Morals and Legislation*, cap. 4, pp. 38-41.

22 Ver Locke, *Two Treatises of Government*, 1. 2, caps. 7-9, *Works*, vol. V, pp. 383-415.

23 Ver John Rawls, *A Theory of Justice* (Cambridge, Harvard, 1971), especialmente o cap. 3.

24 Uma demonstração formal da insolubilidade do problema da escolha social, dados o individualismo e certas presunções relacionadas, é apresentada em K. Arrow, *Social Choice and Individual Values*, pp. 46-60; e discutida em A. Sen, *Collective Choice and Social Welfare*, pp. 37-40.

25 A concepção de Durkheim de "consciência coletiva" refere-se precisamente à comunhão de valores e à compreensão como bases da ordem social. Ver *Les Formes Élémentaires de la Vie Religieuse* (Paris, Presses Universitaires, 1968), p. 605.

26 Ver Kant, *Grundlegung zur Metaphysik der Sitten, Werke*, vol. IV, pp. 422-433, e *Idee zu einer allgemeinen Geschichte, Werke*, vol. VIII, pp. 18-22; Wilhelm von Humboldt, *Über die Gesetze der Entwicklung der menschlichen Kräfte, Gesammelte Schriften*, ed. Academia Prussiana (Berlin, Beht, 1903), vol. I, pp. 86-96, e *Ideen zu einem Versuch, die Grenzen der Wirksamkeit des Staats zu bestimmen, Gesammelte Schriften*, vol. I, pp. 106-111; John Stuart Mill, *On Liberty*, 2ª ed. (Boston, Ticknor, 1863), especialmente o cap. 3, p. 114; T. H. Green, *Lecture on Liberal Legislation and Freedom of Contract, Works of Thomas Hill Green*, ed. R. Nettleship (London, Longmans, 1888), vol. III, pp. 370-372.

27 Ver Montesquieu, *De l'Esprit des Lois*, 1. 6, cap. 3, *Oeuvres Complètes*, vol. II, p. 311.

Conhecimento e política

28   O contraste de Weber entre racionalidade lógica e substantiva em direito e entre justiça formal e substantiva enfatiza o grau de autonomia das normas jurídicas das outras espécies de normas, mais que a distinção entre instrumentais e prescritivas. Ver *Wirtschaft und Gesellschaft*, cap. 7, § 1, 8, pp. 395, 506.

29   Ver Montesquieu, *De l'Esprit des Lois*, 1. 11, cap. 6, *Oeuvres Complètes*, pp. 396-407; a intervenção de Robespierre, nos *Archives Parlementaires*, 1ª série (1790), vol. xx, p. 516.

30   Ver santo Agostinho, *Confessions*, 1. 1, cap. 8 (Cambridge, Harvard, 1968), vol. I, pp. 24-26.

31   Acerca do exemplo do cirurgião, ver Nicolas Everard, *Topicorum seu de locis legalibus Liber, locus ab absurdo* (Louvain, Martin, 1516), pp. 21-22; e Samuel Pufendorf, *De Jure Naturae et Gentium*, 1. 5, cap. 12, § 8 (London, Junghaus, 1672), pp. 717-718.

32   Uma alternativa ao formalismo não discutida no texto é a adiantada por Hans Kelsen em *Reine Rechtslehre*, cap. 6, § 36 (Leipzig, Deutick, 1934), pp. 94-96. A tese de Kelsen é que a norma opera como uma "estrutura" dentro da qual diferentes interpretações são possíveis. A ciência jurídica escolhe a norma aplicável a um caso, mas não tem poder para determinar qual das decisões permissíveis sob a norma deve ser preferida. Essa preferência é controlada por fatores "políticos" e, por conseguinte, "subjetivos". Uma objeção à doutrina é que ela é ilusória ao distinguir entre escolher uma norma a aplicar e decidir como deve ser interpretada num caso particular. A interpretação das normas consiste precisamente na escolha das situações através das quais elas se guiarão. Outra crítica é a de que o contraste entre a escolha racional da norma e a escolha intencional das interpretações das normas pressupõe a veracidade do formalismo com respeito à anterior e a impossibilidade de limitar o Poder Judiciário no interesse da liberdade, com respeito ao último.

33   Para duas versões da teoria finalista, ver Ronald Dworkin, *The Model of Rules*, em *Law, Reason and Justice*, ed. Graham Hughes (New York, N.Y.U., 1969), pp. 3-43;

e Josef Esser, *Vorverständnis und Methodenwahl in der Rechtsfindung* (Frankfurt, Athenäeum, 1970), especialmente pp. 159-168.

34 Para pontos de vista diferentes da importância política da antinomia entre normas e valores, ver o debate sobre "planejamento e a ordem jurídica": Friedrich Hayek, *The Road to Serfdom* (Chicago, Chicago, 1944), pp. 72-87; Lon Fuller, *The Morality of Law* (New Haven, Yale, 1964), pp. 170-177: Charles Reich, "The Law of the Planned Society", *Yale Law Journal* (1966), vol. LXXV, pp. 1227-1270; O. S. Ioffe, "Plan and Contract under the Conditions of the Economic Reform", *Sovetskoe Gosudarstvo i Pravo* (1967), vol. VIII, p. 47, republicado em *The Soviet Legal System*, ed. J. Hazard (Dobbs Ferry, Oceana, 1969), p. 267.

35 Para o ataque teórico à justiça formal pela justiça substantiva socialista, ver E. B. Pashukanis, *The Soviet State and the Revolution in Law*, em *Soviet Legal Philosophy*, trad. H. Babb (Cambridge, Harvard, 1951), p. 279; e S. A. Golunskii, "On the Question of the Concept of Legal Norms in the Theory of Socialist Law", *Sovetskoe Gosudarstvo i Pravo* (1964), vol. IV, pp. 21-26, traduzido em caráter privado por H. Berman.

36 Cf. a teoria de Wittgenstein sobre normas e sua relação às normas de vida social. Ver nota 5.

CAPÍTULO 3 – A UNIDADE DO PENSAMENTO LIBERAL

1 Aristóteles, *Ética de Nicômaco*, 1. 1, cap. 3, § 1094G, ll. 12-14.

2 Para outras versões deste conhecido assunto, ver Max Weber, *Über einige Kategorien der verstehenden Soziologie*, em *Gesammelte Aufsätze zur Wissenschaftslehre*, ed. J. Winckelmann (Tübingen, Mohr, 1968), pp. 427-431; Wilhelm Dilthey, *Der Aufbau der Geschichtlichen Welt in den Geisteswissenschaften*, *Gesammelte Schriften* (Göttingen, Vandenhoek, 1965), vol. VII, pp. 225-227; Peter Winch, *The Idea of a Social Science* (London, Routledge, 1970), pp. 121-128. Para uma visão semelhante num

Conhecimento e política

contexto mais limitado, ver H. L. A. Hart, *The Concept of Law* (Oxford, Clarendon, 1967), pp. 55-56.

3 Sobre o problema dos tipos, ver Max Weber, *Roscher und Knies und die logischen Probleme der historischen Nationalökonomie*, em *Gesammelte Aufsätze zur Wissenschaftslehre*, pp. 190-212. Weber falha em compreender o relacionamento entre o aspecto metodológico dos tipos e o problema metafísico da ordem das ideias e dos acontecimentos, e, assim, não leva em conta a conexão óbvia entre os elementos do tipo.

4 Francis Bacon, *Novum Organum*, § 58, ed. T. Fowler (Oxford, Clarendon, 1878), pp. 283-284.

5 A "gramática universal" dos racionalistas é, neste sentido, linguística.

6 Para um enunciado clássico desta tese em aplicação ao estudo da sociedade, ver Émile Durkheim, *Les Règles de la Méthode Sociologique* (Paris, Presses Universitaires, 1968), pp. 3-14.

7 Em sua teoria dos tipos de ação social, Weber adota e classifica este procedimento. *Wirschaft und Gesellschaft*, cap. 1, § 11, ed. J. Winckelmann (Tübingen, Mohr, 1972), pp. 9-11.

8 Otto Neurath, "Protokollsätze", *Erkenntis* (1932), vol. III, p. 206.

9 Ver nota 18.

10 Ver Gottfried Semper, *Entwicklung eines Systems der vergleichenden Stillehre*, em *Kleine Schriften* (Berlin, Premann, 1884), pp. 259-291; Alois Riegls, *Kunstgeschichte und Universalgeschichte, Gesammelte Aufsätze* (Augsburg, Filser, 1929), pp. 3-9; Heinrich Wölfflin, *Kunstgeschichtliche Grundbegriffe* (Munich, Bruckmann, 1923), pp. 1-19; Erwin Panofsky, *Über das Verhältnis der Kunstgeschichte zur Kunsttheorie*,

Notas

"Zeitschrift für Aesthetik" (1920), vol. xiv, pp. 330-331; e *Studies in Iconology* (New York, Harper, 1967), pp. 3-31; Arnold Hauser, *The Philosophy of Art History* (Cleveland, World, 1969), pp. 119-276; Walter Böckelmann, *Die Grundbegriffe der Kunstbetrachtung bei Wölfflin und Dvorák* (Dresden, Baensch, 1938); e Lorenz Dittmann, *Stil, Symbol, Struktur* (Munich, Fink, 1967), pp. 13-83.

11 Sobre sujeitos coletivos, ver Karl Marx, *Das Kapital, Marx-Engels Werke* (Berlin, Dietz, 1962), vol. xxiii, pp. 181-182.

12 O princípio da totalidade é formulado por Spinoza. Ver nota 24 do cap. 1. Alguns dos modernos e melhores enunciados encontram-se nos escritos dos discípulos de Marx. Ver Georg Lukács, "Rosa Luxemburg als Marxist", em *Geschichte und Klassenbewusstsein* (Neuwied, Luchterhand, 1968), pp. 94-97; Lucien Goldmann, *Introduction à la Philosophie de Kant* (Gallimard, 1967), pp. 60-70; Louis Althusser e Étienne Balibar, *Lire le Capital* (Paris, Maspero, 1970), vol. i, pp. 46-50; Karel Kosík, *Die Dialektik des Konkreten* (Suhrkamp, 1967), pp. 34-59; Oskar Lange, *Ganzheit und Entwicklung in Kybernetischer sicht* (Berlin, Akademie, 1967). Ver também Kant, *Reflexionen zur Metaphysik, § 3789, Gesammelte Schriften*, ed. Academia Prussiana (Berlin, Gruyter, 1926), vol. xvii, p. 293; Hegel, *Wissenschaft der Logik, Sämtliche Werke*, ed. H. Glockner (Stuttgart, Fromman, 1928), vol. iv, pp. 641-645; e Schopenhauer, *Die Welt als Wille und Vorstellung, Sämtliche Werke*, ed. P. Deussen (Munich, Piper, 1911), vol. I, pp. 587-590.

13 Ver Wolfgang Köhler, *Gestalt Psychology* (New York, Liveright, 1947), pp. 173-205; Kurt Koffka, *Principles of Gestalt Psychology* (New York, Harcourt, 1935), pp. 26, 175-176.

14 Noam Chomsky, *Language and Mind* (New York, Harcourt Brace, 1972), pp. 155-160. Para um exemplo da crítica detalhada do ponto de vista analítico em linguística, ver Roman Jakobson, "Beitrag zur Allgemeinen Kasuslehre", *Travaux du Cercle Linguistique de Prague* (1936), vol. vi, pp. 240-288.

Conhecimento e política

15 Claude Lévi-Strauss, *Les Structures Élémentaires de la Parenté* (Paris, Presses Universitaires, 1949), cap. 3, pp. 35-52.

16 Para a discussão das dificuldades na definição do princípio da totalidade, ver Moritz Schlick, *Über den Begriff der Ganzheit, Gesammelte Aufsätze* (Wien, Gerald, 1938), pp. 252-266; e Ernest Nagel, *Wholes, Sums, and Organic Unities*, em *Parts and Wholes*, ed. D. Lerner (New York, Free Press, 1963), pp. 135-152.

17 Ver a carta de Leibniz a Remond de Montmort (1715): "... cada monarca é um espelho vivo do universo segundo seu ponto de vista". Gottfried Wilhelm Leibniz, *Opera Philosophica*, ed. J. E. Erdmann (Berlin, Eichler, 1840), p. 725.

18 Para ciência deste problema, ver Jean Piaget, *Le Structuralisme* (Paris, Presses Universitaires, 1972), pp. 117-125.

19 Por esta razão, os estruturalistas comparam-se àqueles "charlatões do Japão" dos quais Rousseau fala asperamente em *Du Contract Social*, l. 2, cap. 2, *Oeuvres Complètes*, eds. B. Gagnebin e M. Raymond (Paris, Pléiade, 1964), vol. III, p. 369.

20 Sobre o casamento do ceticismo com o conservadorismo, ver a nota sobre Hume no ensaio de John Stuart Mill, "Bentham", em *Essays on Ethics, Religion and Society*, ed. J. M. Robson (Toronto, Toronto, 1969), p. 80.

21 Para discussões clássicas da realidade dos universais, ver Platão, *República*, l. 10, § 596, *Parmênides*, § 131; Aristóteles, *Segundos analíticos*, l. 2, cap. 19. Para o desenvolvimento da teoria dos nominais universais no pensamento liberal, ver Hobbes, *Elementorum Philosophiae*, cap. 2, § 11; *Leviathan*, cap. 4; Locke, *Essay Concerning Human Understanding*, l. 2, cap. 11 e l. 3, cap. 3; Berkeley, *Principles of Human Knowledge*, Introdução, § 6-25 e cap. 1, § 1-8; Hume, *Treatise on Human Nature*, l. 1, pt. 1, § 7; Thomas Reid, *Essays on the Intellectual Powers of Man*, l. 5, cap. 6. Para duas tentativas em escapar desta tradição, ver Bertrand Russell, "On the Relation of Universals and Particulars", *Proceedings of the Aristotelian Society*

Notas

(1911-1912), vol. XII, pp. 1-24, desenvolvido em *The Problems of Philosophy*, caps. 9-10; Ludwig Wittgenstein, *Philosophical Investigations*, § 65-77.

22 Ver a discussão sobre a "Falácia da Concretude Perdida" em Alfred North Whitehead, *Science and the Modern World* (New York, Macmillan, 1925), pp. 72-79.

23 Sobre a concepção de "vontade sagrada", ver Kant, *Die Religion innerhalb der Grenzen der blossen Vernunft, Kants Werke*, ed. Academia Prussiana (Berlin, Gruyter, 1968), vol. VI, pp. 62-63.

24 Devo muito à discussão de Hegel sobre universal e particular, que se coloca como a maior realização de sua filosofia. Ver *Wissenschaft der Logik, Sämtliche Werke*, vol. V, pp. 35-65. A origem sobre a abordagem dos universais e particulares que eu esquematizo é, talvez, a doutrina de Aristóteles da determinação da matéria pela forma e a ideia correlata da mudança de potencialidade para atualidade. O ser particular é forma ou essência corporificada na matéria. Apesar de a forma não poder existir à parte da matéria, é capaz de assumir diferentes corporificações. Ver *Física*, 1. 1, cap. 7, § 189b, 1. 30-§ 191a, 1.2 2; e 1. 2, cap. 2, § 194b, ll. 10-15; *Metafísica*, 1. 13, cap. 9, § 1086a-cap. 10, § 1087a.

CAPÍTULO 4 – O ESTADO DE BEM-ESTAR DENTRO DO CAPITALISMO

1 Sobre a analogia entre ordem e consciência, ver Émile Durkheim e Marcel Mauss, "De quelques formes primitives de classification", § 5, *L'Année Sociologique* (1901-1902), vol. V, p. 67. Note que, diferentemente desses autores, rejeito o ponto de vista de que a ordem determina a consciência. Não se poderá afirmar esse ponto de vista e manter, ao mesmo tempo, que a relação entre os elementos de uma ordem social é a de significado comum. Para um argumento semelhante com diferentes intenções, ver Claude Lévi-Strauss, *Le Totémisme Aujourd'hui* (Paris, Presses Universitaires, 1962), pp. 131-139.

Conhecimento e política

2 Para o prelúdio do Estado liberal no século XVII, ver E. J. Hobsbawm, *The Crisis of the Seventeenth Century*, em *Crisis in Europe, 1560-1660*, ed. T. Aston (Garden City, Anchor, 1967), pp. 5-62.

3 Sobre o relacionamento entre tipos de consciência dominante e antagonística, particularmente com respeito à classe trabalhadora, ver Raymond Williams, *Culture and Society, 1780-1950* (New York, Harper, 1966); E. P. Thompson, *The Making of the English Working Classes* (New York, Vintage, 1963), pp. 401-447; Perry Anderson, *Origins of the Present Crisis*, em *Towards Socialism*, eds. P. Anderson e R. Blackburn (Ithaca, Cornell, 1966), pp. 11-52; Louis Chevalier, *Classes Laborieuses et Classes Dangereuses à Paris pendant la première moitié du XIX siècle* (Plon, 1958); e W. C. McWilliams, *The Idea of Fraternity in America* (Berkeley, California, 1973).

4 Para discussões da relação entre as crenças em ordem cósmica e em hierarquia social em dois contextos diferentes, ver Joseph Needham, *Science and Civilisation in China* (Cambridge, Cambridge, 1969), vol. II, pp. 530-543; Louis Dumont, *Homo Hierarchicus* (Gallimard, 1966). Ver também Samuel Eisenstadt, "Religious Organizations and Political Process in Centralized Empires", *Journal of Asian Studies* (1962), vol. XXI, pp. 271-294.

5 Para o enunciado clássico da concepção de racionalidade instrumental, ver Max Weber, *Wirtschaft und Gesellschaft*, cap. 1, § 2, ed. J. Winckelmann (Tübingen, Mohr, 1972), p. 13. Ver também Max Horkheimer, *Eclipse of Reason* (New York, Seabury, 1974), pp. 3-57.

6 Há um acentuado elo entre esta concepção de individualismo e o ponto de vista de Durkheim da "divisão anômica do trabalho". Ver *De La Division du Travail Social*, 1. 3, cap. 1 (Paris, Alcan, 1922), pp. 343-365.

7 Ver Schopenhauer, *Parerga und Paralipomena*, vol. II, § 396, ed. P. Deussen, *Sämtliche Werke* (Munich, Piper, 1913), vol. V, p. 717.

Notas

8 Para uma ideia mais restrita da divisão do trabalho, ver Adam Smith, *The Wealth of Nations*, 1. 1, cap. 1 (London, Strahan, 1784), pp. 6-19. Para uma visão mais ampla, ver Émile Durkheim, *De la Division du Travail Social*, Introdução, p. 2.

9 Ver Karl Marx, *Ökonomisch-Philosophische Manuskripte*, n° 1, *Marx-Engels Werk* (Berlin, Dietz, 1968), *Ergänzungsband*, pt. 1, pp. 510-523.

10 Sobre a concepção de transcendência, ver Martin Heidegger, *Sein und Zeit* (Tübingen, Niemeyer, 1953), p. 49; Paul Tillich, *Systematic Theology* (Chicago, Chicago, 1967), vol. I, p. 263; e Gordon Kaufman, "Transcendence without Mythology", *Harvard Theological Review* (1966), vol. LIX, pp. 105-132.

11 Ver Émile Durkheim, prefácio a *L'Année Sociologique* (1899), vol. II, pp. iv-v.

12 Ver Werner Jaeger, *Die Theologie der frühen griechischen Denker* (Stuttgart, Kohlhammer, 1953).

13 Sobre a polaridade da imanência e transcendência como um eixo na história da filosofia religiosa, ver Harry Wolfson, *Philo* (Cambridge, Harvard, 1968), vol. II, pp. 439-460; e *Spinoza and the Religion of the Past*, em *Religious Philosophy* (Cambridge, Harvard, 1961), pp. 246-269. Sobre a importância da polaridade para a história da religião, ver Robert Bellah, *Religious Evolution*, em *Beyond Belief* (New York, Harper, 1970), pp. 20-50. Sobre a relação dialética entre imanência e transcendência, ver Bernard Lonergan, *Method in Theology* (New York, Herder, 1972), pp. 110-112. Ver também Theodor Adorno, *Negative Dialektik* (Frankfurt, Suhrkamp, 1970), pp. 102-112.

14 (A) Sobre a concepção do sagrado e do profano, ver Émile Durkheim, *Les Formes Élémentaires de la Vie Religieuse*, cap. 1, § 3 (Paris, Presses Universitaires, 1968), pp. 50-56. É um grande defeito da teoria de Durkheim sobre religião reduzir toda a religiosidade ao tipo imanente, confundindo, assim, a consciência religiosa por uma de suas partes e equivocando a parte por causa de sua falha em ver seu lugar no todo.

Conhecimento e política

(B) Sobre a manifestação mais antiga do problema da transcendência, ver Godfrey Lienhardt, *Divinity and Experience, The Religion of the Dinka* (Oxford, Clarendon, 1970), pp. 28-55.

15 A relação entre transcendência e instrumentalismo é um tema de destaque em *Die protestantische Ethik und der Geist des Kapitalismus*, de Max Weber. Ver particularmente *Gesammelt Aufsätze zur Religionssoziologie* (Tübingen, Mohr, 1963), vol. I, pp. 84-163.

16 Para uma alternativa e um levantamento mais detalhado da relação entre individualismo e transcendência, ver Guy E. Swanson, *Religion and Regime* (Ann Arbor, Michigan, 1967).

17 Ver Karl Marx, *Zur Judenfrage, Werke*, vol. 1, pp. 347-377, 487.

18 Ver Émile Durkheim, "Le dualisme de la nature humaine et ses conditions sociales", em *Scientia* (1914), vol. XV, pp. 206-221.

19 Para a concepção de estamentos, ver a discussão em Marc Bloch, *La Société Féodale* (Paris, 1939-1940), especialmente vol. IV, pt. 6; e Otto Hintze, *Feudalismus, Kapitalismus*, ed. A. Oestreich (Göttingen, Vandenhoek, 1970). Note que a *Encyclopédie* e a *Grundlinien der Philosophie des Rechts*, § 301, de Hegel, seguem uma tradição estabelecida quando eles usam o conceito de estamento somente para descrever grupos organizados com representação política.

20 A concepção de classe com a qual eu estou trabalhando é similar à desenvolvida por Weber em *Wirtschaft und Gesellschaft*, pt. 1, cap. 4, p. 177. É, no entanto, mais restrita que a visão alternativa de classe como um grupo em conflito "gerado por distribuição diferenciada de autoridade" que Ralf Dahrendorf sugere em *Class and Class Conflict in Industrial Society* (Stanford, Stanford, 1969), p. 204. Sua relação com a teoria marxista de classe é mais difícil de determinar. Os seguintes pontos deveriam se resguardar na mente.

Notas

(A) Participação numa classe requer consciência tanto quanto um relacionamento objetivo com a distribuição de riqueza e poder. Para o desenvolvimento desta visão, veja o inacabado cap. 52 de *Das Kapital*; e *Der Achtzehnte Brumaire des Louis Bonaparte, Werke*, vol. VIII, p. 198; Antonio Gramsci, *Quaderni del Carcere*, pt. 1 (Rome, Riunti, 1971), vol. I, pp. 46-47. Sobre o caráter polêmico do conceito de classe, ver Asa Briggs, "The Language of 'Class' in Early Nineteenth-Century England", em *Essays in Labor History*, eds. A. Briggs e J. Saville (London, Macmillan, 1967), pp. 43-73.

(B) Eu nego que o princípio de classe tenha sempre sido o princípio preeminente e organizador de sociedades históricas; que até seus aspectos "objetivos" podem ser adequadamente definidos pelo relacionamento de indivíduos com os "meios de produção", e que sua posição na sociedade liberal pode ser entendida sem referência ao contrastante princípio de papel social.

(C) Até que a crítica ao pensamento liberal não seja levada às suas últimas conclusões, será impossível clarear o elo entre reflexão e existência, consciência e ordem, e isto é tão verdadeiro na teoria de classes quanto em outras áreas de estudo. Por isso, Marx é incapaz de evitar a ambiguidade que mancha sua visão de classe e reaparece numa escala mais ampla através de toda a sua doutrina. Deveria a relação entre os elementos de uma ordem social, entre classes e entre indivíduos de uma classe ser concebida numa maneira causal-determinista ou em outra (dialética, estrutural), e qual é a conexão entre as duas espécies de considerações. Este tema, a face metodológica do problema metafísico de ordem de ideias e ordem de acontecimentos, chega até o pensamento social moderno. Reaparece, por exemplo, no trabalho de Freud como um dualismo entre uma visão causal-determinista e uma simbólica ou "hermenêutica" acerca do modo pelo qual acontecimentos físicos são ligados entre si. Ver Paul Ricoeur, *De l'Interprétation. Essai sur Freud* (Paris, Seuil, 1965), pp. 79-119, e Jürgen Habermas, *Erkenntnis und Interesse* (Frankfurt, Suhrkamp, 1971), pp. 332-364. Uma vez mais, a dificuldade é dupla: determinar a relação entre um tipo causal de explicação e um modo alternativo; e definir precisamente o que é o alternativo. Temos muitas metáforas para descrever o último, mas não uma consideração real.

21 (A) É básico ao princípio dos papéis sociais que cada indivíduo seja visto e tratado como um "feixe de qualidades" que sejam apropriadas ao desempenho de

Conhecimento e política

determinados objetivos. Ver S. F. Nadel, *The Theory of Social Structure* (London, Cohen, 1969), pp. 20-25; e Robert Merton, *Social Theory and Social Structure* (Glencoe, Free Press, 1959), pp. 368-380.

(B) Há uma importante conexão entre a teoria liberal clássica, segundo a qual o mundo não possui estrutura exceto a que assim denominamos, e o ponto de vista segundo o qual relações sociais e personalidade são ambas definidas pela designação dos papéis sociais. A ideia da conexão está implícita no tratamento que Pareto dá ao uso de designações simbólicas pelas elites. Ver *Trattato di Sociologia Generale*, § 2035-2037 (Milan, Comunità, 1964), vol. II, pp. 531-533.

(C) O papel social é definido pelas expectativas dos outros, que a conduta prediz e exige. É, entretanto, estranho à distinção entre singularidades factuais da conduta e normas que prescrevem como alguém deve comportar-se. Essa distinção significaria submissão ao contraste feito pelo liberalismo entre fato e valor, e falharia em fazer justiça a uma importante característica do domínio da mente.

22 (A) Ver Norman Birnbaum, *The Crisis of Industrial Society* (New York, Oxford, 1969), pp. 3-40; Peter Blau e Otis Duncan, *The American Occupational Structure* (New York, Wiley, 1967), pp. 401-441; Lucien Goldmann, "Reflections on History and Class Consciousness", em *Aspects of History and Consciousness*, ed. I. Mészáros (London, Routledge, 1971), pp. 79-84; Stanislaw Ossowski, *Class Structure in the Social Conciousness*, trad. S. Patterson (New York, Free Press, 1963), pp. 100-118; e Anthony Giddens, *The Class Structure of the Advanced Societies* (New York, Harper, 1973), pp. 282-294.

(B) Sobre o debate a respeito da erosão atual do princípio de classe nos Estados Unidos, ver Simon Kuznets, *Shares of Upper Income Groups in Income and Savings* (New York, National Bureau of Economic Research, 1953); e Gabriel Kolko, *Wealth and Power in America* (New York, Praeger, 1962).

(C) A ideia de uma classe definida pela ocupação dos mesmos papéis ou similares possui alguma analogia com a concepção de Weber sobre o "grupo estabelecido". Ver o apêndice a John Goldthorpe e David Lockwood, "Affluence and the British Class Structure", *Sociological Review* (1963), vol. II, pp. 133-163.

Notas

23 Ver Karl Marx, *Grundrisse der Kritik der politischen Ökonomie* (Frankfurt, Europäische Verlagsanstalt), pp. 75-76.

24 Para a concepção clássica do despotismo como a negativa da impersonalidade das normas, ver Montesquieu, *De l'Esprit des Lois*, 1. 3, cap. 9, *Oeuvres Complètes*, ed. R. Caillois (Pléiade, 1966), vol. II, pp. 258-259.

25 Ver Alvin W. Gouldner, *Patterns of Industrial Bureaucracy* (New York, Free Press, 1964), pp. 164-166.

26 Ver Max Weber, *Wirtschaft und Gesellschaft*, pt. 2, cap. 9, § 2, especialmente pp. 551-556.

27 Ver Michel Crozier, *Le Phénomène Bureaucratique* (Paris, Seuil, 1963), pp. 247-250.

28 Para um exemplo deste desenvolvimento, ver Eckart Kehr, *Zur Genesis der preussischen Bürokratie und des Rechtsstaats*, em *Moderne deutsche Sozialgeschichte*, ed. H.-U. Wehler (Cologne, Kiepenheuer, 1973), pp. 37-54; e Hans Rosenberg, *Bureaucracy, Aristocracy and Autocracy* (Boston, Beacon, 1968).

29 Ver Robert Michels, *Zur Soziologie des Parteiwesen in der modernen Demokratie* (Leipzig, Klinkhardt, 1911), pp. 362-381.

30 A concepção de um segundo estágio da sociedade capitalista liberal com características que clamam pela revisão da teoria social clássica tem sido corrente através dos escritos de duas principais categorias de autores:

(A) Os estudiosos neoliberais da sociedade "pós-liberal" ou "tecnológica" mais ou menos ansiosos em demonstrar que Marx foi ultrapassado pelos acontecimentos (p. ex., Aron, Bell, Boulding, Brzezinski, Ellul, Galbraith, Touraine etc.).

Conhecimento e política

(B) Os teóricos neomarxistas que procuram rever as doutrinas de Marx à luz dos alegados desenvolvimentos tais como a crescente interpretação da "superestrutura" e da "base", o lugar ocupado no Estado moderno pela produção de conhecimentos e o aparecimento de novas classes de trabalhadores, de serviços e de professores (p. ex., Horkheimer, Adorno, Habermas, Wellmer etc.). Ambos os grupos tendem a uma certa unidade de perspectiva, a qual é intimamente ligada ao caráter do serviço burocrático que descrevo posteriormente. São os teóricos da "classe universal" de Hegel.

31 Ver Martin Sklar, "On the Proletarian Revolution and the End of Political-Economic Society", *Radical America* (1969), vol. III, pp. 1-41.

32 Para uma linha diferente, embora paralela, ver Vittorio Foa, "I socialisti e il sindicato", em *Problemi del Socialismo* (março, 1963), vol. VI, pp. 718-730; e André Gorz, *Stratégie Ouvrière et Néocapitalisme* (Paris, Seuil, 1964), pp. 44-54.

33 Ver John Dawson, "Economic Duress", *Michigan Law Review* (1946-1947), vol. XLV, pp. 253-290.

34 Sobre a concepção e o significado político de justiça substantiva, ver Max Weber, *Wirtschaft und Gesellschaft*, pt. 2, cap. 7, § 8, pp. 505-509; Émile Durkheim, *Leçons de Sociologie: Physique des Moeurs et du Droit*, lição 18 (Paris, Presses Universitaires, 1950), pp. 244-258; e Rudolph von Jhering, *Geist des römischen Rechts*, § 29 (Basel, Schwabe, 1954), vol. II-1, pp. 88-97.

35 Sobre o fascismo como um exemplo extremo da imanência pura com comunidade hierárquica, ver Ernst Nolte, *Der Faschismus in seiner Epoche* (Munich, Piper, 1963), pp. 515-521.

CAPÍTULO 5 – A TEORIA DO EU

1 Jean-Jacques Rousseau, *Lettres Écrites de la Montagne*, prefácio, *Oeuvres Complètes*, eds. B. Gagnebin e M. Raymond (Gallimard, 1964), vol. III, p. 686.

Notas

2 Para a moderna versão de conflito entre a visão a-histórica e histórica da natureza humana, ver Robert Redfield, "The Anthropological Understanding of Man", *Anthropological Quarterly*, vol. XXXII, nº 1 (1959), pp. 3-21; e Clifford Geertz, *The Impact of the Concept of Culture on the Concept of Man*, em *The Interpretation of Cultures* (New York, Basic Books, 1973), pp. 33-54.

3 Para o enunciado da teoria do eu, encontrei uma orientação especial no *Simpósio*, de Platão, na *Ética a Nicômaco*, de Aristóteles, na *Summa Theologica*, de Tomás de Aquino (pt. 1, questões 75-102, e pt. I-II, questões 1-70), em *Les Passions de l'Âme*, de Descartes, na *Ethica*, de Spinoza, nos primitivos escritos teológicos de Hegel e sua *Vorlesungen über die Philosophie der Religion*, e nos *Ökonomisch-Philosophische Manuskripte*, de Marx.

4 Ver Friedrich Hölderlin, *Über Urtheil und Seyn, Sämtliche Werke*, ed. F. Beissner (Stuttgart, Kohlhammer, 1961), vol. IV, pp. 216-217.

5 Ver Maurice Merleau-Ponty, *Éloge de La Philosophie* (Gallimard, 1960), pp. 41-73.

6 A generalidade das ciências pode fornecer explicações sobre por que nós experimentamos os particulares da maneira que o fazemos, mas, mesmo assim, superpõe outro conhecimento sobre o entendimento não científico (p. ex., percepção, intuição, compreensão) dos particulares.

7 Ver Henri Bergson, *L'Évolution Créatrice*, cap. 2, *Oeuvres*, ed. A. Robinet (Paris, Presses Universitaires, 1970), p. 613.

8 A própria noção de um conhecimento absoluto e fora do tempo pressupõe a visão de um ser fora do tempo e absoluto. Pensadores que reivindicam que a espécie humana pode atingir tal conhecimento (p. ex., Spinoza, Hegel) devem, para manter a coerência, negar a finitude da humanidade e a separação do eu do mundo. Por outro lado, os que postulam que "as coisas em si mesmas" existem, mas que são por nós desconhecidas (p. ex., Kant), supõem que podemos apenas afirmar

Conhecimento e política

sua existência, sem, no entanto, sermos capazes de dizer qualquer coisa a mais sobre elas. Mas conhece-se a existência somente através da experiência de sua manifestação. Falar em "coisas existentes nelas próprias" é referir-se a um possível conhecimento divino. As duas espécies de erro a respeito das "coisas nelas próprias" resultam da tentativa de tratar um problema primeiramente sobre Deus, e seu caráter transcendente absoluto e fora do tempo, como se fosse um problema diretamente sobre o homem. Quando esta tentativa é feita, cada homem deve ser considerado como Deus ou a filosofia deve sonhar uma realidade escondida sob o mundo da aparência. Assim, há uma íntima ligação entre a exigência racionalista em fazer o mundo transparente à mente e a negação mística da separação do eu do mundo. Esta ligação é evidenciada nas filosofias de Spinoza e Hegel.

9 Ver Friedrich Schiller, *Über die Ästretische Erziehung des Menschen*, carta 11, *Sämtliche Werke* (Munich, Winkler, 1968), vol. v, pp. 341-344.

10 Sobre a concepção da teologia a respeito da conduta, ver Nicolai Hartmann, *Ethik* (Berlin, Gruyter, 1976), pp. 192-194. Sobre a teologia no trabalho, ver Georg Lukács, *Ontologie-Arbeit* (Neuwied, Luchterhand, 1973), pp. 11-60.

11 Ver Georg Simmel, *Der Begriff und die Tragödie der Kultur*, em *Das individuelle Gesetz* (Frankfurt, Suhrkamp, 1969), p. 116.

12 Para uma visão diferente, ver Alfred Schmidt, *Der Begriff der Natur in der Lehre von Marx* (Europäische Verlagsansanstalt, 1962).

13 Sobre a doutrina do homem como um "ser da espécie", ver Kant, *Idee zu einer allgemeinen Geschichte in weltbürgerlicher Absicht, Kants Werke*, ed. Academia Prussiana (Berlin, Gruyter, 1968), vol. VIII, pp. 18-19; *Anthropologie in Pragmatischer Hinsicht*, 2E, *Werke*, vol. VII, pp. 321-333; e Marx, *Ökonomisch-Philosophischen Manuskripte*, nº 3, *Marx-Engels Werke* (Berlin, Dietz, 1968), *Ergänzungsband*, pt. 1, pp. 535-536.

Notas

14   O aspecto cognitivo do paradoxo da sociabilidade exige o debate sobre "outras mentes" na filosofia anglo-americana contemporânea. Este tema é intimamente associado ao problema moral do reconhecimento e ao modo pelo qual sanidade e insanidade são definidas. A relação entre os tópicos é evidenciada quando são colocados no enunciado de uma teoria mais geral do eu.

15   Sobre os problemas de reconhecimento ou honra, ver Montesquieu, *De l'Esprit des Lois*, 1. 3, cap. 7, *Oeuvres Complètes*, ed. R. Caillois (Pléiade, 1966), p. 257; Jeremy Bentham, *An Introduction to the Principles of Morals and Legislation*, cap. 5, seç. 7, eds. J. H. Burns e H. L. A. Hart (London, Athlone, 1970), p. 44; e Hegel, a respeito da dialética entre senhores e escravos, *Phänomenologie des Geistes, Sämtliche Werke*, ed. H. Glockner (Stuttgart, Fromman, 1927), vol. II, pp. 148-158.

16   Ver o fragmento de Hegel sobre o amor em *Hegels Theologische Jugendschriften*, ed. H. Nohl (Tübingen, Mohr, 1907), pp. 378-382. Para uma visão oposta que evidencia o paradoxo da sociabilidade, ver Sigmund Freud, *Massenpsychologie und Ich--Analyse*, cap. 4, *Gesammelte Schriften* (Leipzig, Internationaler Psychoanalytischer Verlag, 1925), vol. VI, pp. 286-288.

17   Para uma discussão de algumas destas doutrinas de solidariedade, ver Max Scheler, *Wesen und Formen der Sympathie* (Frankfurt, Schulte-Blumke, 1948).

18   Para uma distinção semelhante entre eu abstrato e eu concreto, ver Hegel, *Vorlesungen über die Philosophie der Religion, Sämtliche Werke*, vol. XVI, pp. 259-260.

19   Ver John Rawls, *A Theory of Justice* (Cambridge, Harvard, 1971), pp. 522-525 e sua nota 4, p. 523.

20   Ver Clement Greenberg, *Art and Culture* (Boston, Beacon, 1969), pp. 22-23.

Conhecimento e política

CAPÍTULO 6 – A TEORIA DOS GRUPOS ORGÂNICOS

1 A ideia da existência de um consenso universal sobre valores básicos foi o fundamento do *ius publicum naturale* dos séculos XVII e XVIII. Para um correspondente contemporâneo, ver H. Lasswell e A. Kaplan, *Power and Society* (New Haven, Yale, 1950), pp. 55-73; e M. McDougal, "International Law, Power and Policy: A Contemporary Conception", *Recueil des Cours, Académie de Droit International*, pt. 1 (1953), vol. LXXXII, pp. 188-191.

2 Para um enunciado da doutrina do corporativismo conservador, ver Louis de Bonald, *Oeuvres Complètes de M. de Bonald* (Paris, 1864), vol. I, especialmente a p. 262. As teorias institucionalistas e fascistas são variantes tardias desta doutrina e diferentes uma da outra. Para um exemplo da primeira, ver Georges Renard, *La Théorie de l'Institution* (Paris, Sirey, 1930). Para um exemplo da última, ver Alfredo Rocco, *La Trasformazione dello Stato: dallo Stato Liberale allo Stato Fascista* (Rome, La Voce, 1927), pp. 327-355.

3 Fourier é o representante das teorias utópicas de comunidade às quais me refiro.

4 Para a distinção clássica entre as vidas de contemplação, prática política e divertimento, ver Aristóteles, *Magna Moralia*, 1. 1, cap. 3, § 1184b, 1. 5 e *Ética a Nicômaco*, 1. 1, cap. 5, § 1095b, 1. 14, -§ 1096, 1. 10. Para uma visão mais próxima à minha, ver o contraste entre análise e intuição em Henri Bergson, *Introduction à la Métaphysique*, *Oeuvres*, ed. A. Robinet (Paris, Presses Universitaires, 1970), pp. 1395-1396.

5 Ver Jean-Jacques Rousseau, *Discours sur l'Origine et les Fondements de l'Inégalité parmi les Hommes*, pt. 1, *Oeuvres Complètes*, eds. B. Gagnebin e M. Raymond (Pléiade, 1966), vol. III, p. 161.

6 Ver Johann Wolfgang von Goethe, *Maximen und Reflexionen, Gedelksausgabe*, ed. E. Beutler (Zurich, Artemis, 1949), vol. IX, p. 503.

Notas

7 Ver Karl Marx, *Kritik des Gothaer Programms, Marx-Engels Werke* (Berlin, Dietz, 1962), vol. XIX, pp. 20-22.

8 (A) Sobre a teoria socialista de democracia institucional, ver Antonio Gramsci, *L'Ordine Nuovo, 1919-1920, Opere di Antonio Gramsci* (Turin, Einaudi, 1954), vol. I; Karl Korsch, *Arbeitsrecht für Betriebsräte* (Berlin, Frankes, 1922); Svetozar Stojanović, *Between Ideals and Reality*, trad. G. Shei (New York, Oxford, 1973), pp. 115-134; e Mihailo Marković, *From Affluence to Praxis* (Ann Arbor, Michigan, 1974), pp. 209-243.

(B) Para um exemplo da preocupação com as necessidades mínimas no pensamento jurídico liberal mais recente, ver Frank Michelman, *Harvard Law Review* (1969-1970), vol. LXXXIII, pp. 9-19.

9 Ver Georg Simmel, *Soziologie* (Leipzig, Duncker, 1908), pp. 228-229.

10 Para as hipóteses correlatas, segundo as quais diferenças nos papéis desempenhados pelo marido e pela mulher tornam-se menos danosas na medida em que as pessoas com as quais marido e mulher se relacionam associam-se mais intimamente um ao outro, ver Elizabeth Bott, *Family and Social Network* (New York, Free Press, 1971), pp. 59-61.

11 Ver Émile Durkheim, *Leçons de Sociologie: Physique des Moeurs et du Droit*, lição 5 (Paris, Presses Universitaires, 1950), pp. 76-78.

12 (A) Para uma visão do Estado como uma comunidade de comunidades, ver Johannes Althusius, *Politica Methodice Digesta*, cap. 9, § 3-6, ed. C. Friedrich (Cambridge, Harvard, 1932), pp. 88-89.

(B) Sobre as implicações, na teoria do direito, do desenvolvimento dos grupos orgânicos no que diz respeito à quebra da brusca descontinuidade entre Estado e indivíduo, ver Georges Gurvitch, *L'Idée du Droit Social* (Paris, Sirey, 1932), pp. 15-46; Otto von Gierke, *Das deutsche Genossenschaftsrecht* (Berlin, Wiedmann, 1868-1913), 4 vols.; e Eugen Ehrlich, *Grundlegung der Soziologie des Rechts* (Munich, Duncker, 1913), pp. 110-154.

Conhecimento e política

13 Ver Albert Hirschman, *Exit, Voice and Loyalty* (Cambridge, Harvard, 1970), p. 83.

14 Ver Spinoza, *Ethica*, pt. 1, proposições 14, 18, *Spinoza Opera*, ed. C. Gebhardt (Heidelberg, Winter, 1972), vol. II, pp. 56, 63, 64, e carta a Oldenburg de 20 de novembro de 1665, carta 32, *Spinoza Opera*, vol. IV, pp. 169-176.

ÍNDICE ONOMÁSTICO

Adorno, Theodor 401

Agostinho, santo 120, 121, 394

Althusius, Johannes 412

Althusser, Louis 397

Anderson, Perry 400

Arieti, Silvano 389

Aristóteles 16, 138, 264, 279, 382, 385, 387, 395, 398, 399, 407, 410

Arquimedes 244, 266

Arrow, Kenneth 392, 393

Ayer, Alfred Jules 389

Bacon, Francis 143, 396

Balibar, Étienne 397

Bellah, Robert 401

Bentham, Jeremy 23, 71, 120, 388, 392, 393, 409

Berkeley, George 384, 399

Birnbaum, Norman 404

Blau, Peter 404

Bleuler, Eugen 389

Bloch, Marc 402

Böckelmann, Walter 397

Bonald, Louis de 410

Bott, Elizabeth 411

Bradley, Francis Herbert 388

Brentano, Franz 382

Briggs, Asa 403

Burke, Edmund 391

Chevalier, Louis 400

Chomsky, Avram Noam 148, 161, 163, 381, 398

Comte, Auguste 115, 209, 279

Confúcio 176

Crozier, Michel 405

Da Vinci, Leonardo 261

Dahrendorf, Ralf 402

Dawson, John 406

Descartes, René 16, 381, 385-387, 407

Dewey, John 386

Diderot, Denis 382

Dilthey, Wilhelm 396

Dittmann, Lorenz 397

Conhecimento e política

Dumont, Louis 400

Duncan, Otis 404

Durkheim, Émile 22, 115, 209, 222, 279, 389, 393, 396, 399, 400-402, 406, 411

Dworkin, Ronald 395

Ehrlich, Eugen 412

Eisenstadt, Samuel 400

Esser, Josef 395

Euclides 53

Everard, Nicolas 394

Feyerabend, Paul 383

Foa, Vittorio 406

Fourier, François Marie Charles 410

Freud, Sigmund 58, 59, 148, 403, 409

Fuller, Lon 395

Geertz, Clifford 386, 407

Giddens, Anthony 404

Gierke, Otto von 393, 412

Goethe, Johann Wolfgang von 342, 411

Goldmann, Lucien 397, 404

Goldthorpe, John 405

Golunskii, S. A. 395

Gorz, André 406

Gouldner, Alvin W. 405

Gramsci, Antonio 403

Green, Thomas Hill 115

Greenberg, Clement 410

Gurvitch, Georges 412

Habermas, Jürgen 403

Hart, H. L. A. 396

Hartmann, Nicolai 386, 408

Hauser, Arnold 397

Hayek, Friedrich 395

Hegel, Friedrich 93, 148, 166, 169, 209, 269, 381, 382, 388, 391, 397, 399, 402, 406-410

Heidegger, Martin 401

Hintze, Otto 402

Hirschman, Albert 412

Hobbes, Thomas 16, 21, 23, 54, 55, 59, 71, 93, 209, 383-388, 390-392, 398

Hobsbawm, Eric 400

Hölderlin, Friedrich 407

Horkheimer, Max 400

Humboldt, Wilhelm von 115, 393

Hume, David 21, 279, 384-389, 398, 399

Husserl, Edmund 382

Ihering, Rudolph von 406

Ioffe, Olimpiad Solomonovich 395

Jaeger, Werner 401

Jakobson, Roman 398

James, William 386

Kant, Immanuel 21, 49, 51, 52, 55, 61, 71, 80, 88, 104, 111, 112, 115, 120, 148, 176, 209, 382-385, 388, 389, 391, 393, 397, 399, 408, 409

Kaplan, Abraham 410

Kaufman, Gordon 401

Kehr, Eckart 405

Kelsen, Hans 389, 394

Koffka, Kurt 397

Índice onomástico

Köhler, Wolfgang 397
Kolko, Gabriel 405
Korsch, Karls 411
Kosik, Karel 397
Kuhn, Thomas 383
Kuznets, Simon 404
Lange, Oskar 397
Lask, Emil 384
Lasswell, Harold 410
Leibniz, Gottfried 162, 289, 398
Lênin 236, 392
Lévi-Strauss, Claude 148, 161, 163,
398, 400
Lienhardt, Godfrey 402
Locke, John 21, 54, 104, 112, 384-388,
390, 391, 393, 398
Lockwood, David 405
Lonergan, Bernard 401
Lukács, Georg 384, 397, 408
Mabbott, John David 387
Maine, Henry 392
Maquiavel, Nicolau 16
Markovic, Mihailo 411
Marx, Karl 22, 26, 58, 59, 148, 161,
166, 169, 201, 209, 222, 260, 391,
392, 397, 401-403, 405-407, 409,
411
Mauss, Mareei 399
McDougal, Myres 410
McWilliams, Wilson Carey 400
Merleau-Ponty, Maurice 407
Merton, Robert 404

Michelman, Frank 411
Michels, Robert 405
Mill, John Stuart 23, 115, 383, 393, 394,
398
Montesquieu 390, 394, 405, 409
Nadel, Siegfried Frederick 404
Nagel, Ernest 398
Needham, Joseph 400
Neumann, Franz 391
Neurath, Otto 153, 396
Newton, Isaac 50
Nolt, Ernst 407
Ockham, Guilherme de 16
Oldenburg, Henry 412
Olson, Mancur 390
Ossowski, Stanislaw 404
Panofsky, Erwin 397
Pareto, Vilfredo 404
Pashukanis, E. B. 395
Piaget, Jean 398
Platão 48, 176, 325, 382, 398, 407
Pufendorf, Samuel 121, 122, 394
Quine, Willard Van 383
Rawls, John 113, 389, 390, 393, 410
Redfield, Robert 407
Reich, Charles 395
Reid, Thomas 399
Remond de Montmort 398
Renard, Georges 410
Ricoeur, Paul 403
Riegls, Alois 397
Robespierre, Maximilien 391, 394

Conhecimento e política

Rocco, Alfredo 410

Rosenberg, Hans 405

Rousseau, Jean-Jacques 21, 58, 112, 115, 201, 209, 244, 392, 398, 407, 411

Russell, Bertrand 399

Saint-Simon, conde de (Claude-Henri de Rouvroy) 115

Scheler, Max 386, 388, 409

Schiller, Friedrich 408

Schlick, Moritz 286, 398

Schmidt, Alfred 409

Schopenhauer, Arthur 63, 200, 381, 397, 401

Semper, Gottfried 397

Sen, Amartya 392, 393

Shoemaker, Sydney 389

Sidgwick, Henry 388

Simmel, Georg 268, 408, 411

Sklar, Martin 406

Smith, Adam 401

Spinoza, Baruch de 21, 29, 63, 166, 169, 176, 203, 381, 382, 384, 385, 387, 397, 407, 408, 412

Stojanovic, Svetozar 411

Strawson, Peter Frederick 389

Swanson, Guy E. 402

Thompson, Edward Palmer 400

Tomás de Aquino, são 48, 279, 385, 386, 407

Vico, Giambattista 148, 264, 265

Weber, Max 22, 222, 268, 392, 394, 396, 400, 402, 405, 406

Whitehead, Alfred North 399

Williams, Bernard 389

Williams, Raymond 400

Winch, Peter 396

Wittgenstein, Ludwig 390, 395, 399

Wolff, Christian 382

Wölfflin, Heinrich 397

Wolfson, Harry 401

Wright, Georg Henrik von 390

ÍNDICE REMISSIVO

Os números em **negrito** indicam notas. Os números em *itálico* indicam quadros.

A

adequabilidade 25, 27, 137-141, 152, 190, 191, 202, 205, 228

agências administrativas e o "interesse público" 238

agregação, princípio da 160, 161, 173, 174

alma e corpo 206

amor

como solução ao problema do eu em relação aos outros 275-279

e fé e esperança 314, 372, 373

e harmonia natural 262

e inteligência 339, 372

e talento 342

e universalidade concreta 284

perverso 277

romântico 277

análise, princípio de 65, 66

e conservadorismo 67, 68

e o princípio da agregação 160, 161

e o princípio da razão e do desejo 68, 69, 160

e o princípio da síntese 66

e o princípio da totalidade 161-170, 173-175

e o princípio do desejo arbitrário 68, 69, 386

e o princípio do individualismo 106, 107, 156-161

antinomia do pensamento liberal

seu relacionamento com cada um e o problema dos universais e dos particulares 170-174

seu significado para o criticismo total 15-18, 24, 25

Conhecimento e política

seu significado para o método do estudo social 142

antinomia entre normas e valores 116-131

sua relação com o método do estudo social 143

sua relação com o problema dos universais e dos particulares 170-175

antinomia entre razão e desejo 72-77

sua pertinência com a ideia da personalidade 76, 77

sua relação com o método do estudo social 143

sua relação com o problema dos universais e particulares 170-175

antinomia entre teoria e fato 47-53

sua relação com o método do estudo social 142, 143

sua relação com o problema dos universais e dos particulares 170-174

aplicação do direito

comunhão de valores e 131, 133, 134

e os problemas de ordem e liberdade 89, 90, 106, 116-134

teoria finalista de 123-126

teoria formalista de 120-124

ver também antinomia entre normas e valores

arte

e a harmonia natural 261

e a lógica do quotidiano e do extraordinário 292-295

e a vida pública e a vida privada 42

e o universal e o particular 175

B

bem, o

como a conquista do ideal do eu 287-291, 295-297, 300-314

o bem particular 301-304

o bem universal 301-308

C

capitalismo 194

causalidade 26, 139, 149, 150, 190

ciência e humanidades 143-148

círculos, interno e externo, no pensamento político moderno 315-320

classe

como princípio da ordem social 210, 211, **402, 403**

e pensamento político moderno 315

no Estado assistencialista corporativo 231, 232, 234, 235

no Estado liberal 212, 213, 215-217, 219, 220

Índice remissivo

comunhão de valores

como uma tentativa de enfrentar os problemas de ordem e liberdade no pensamento liberal 131-134

e a ideia de comunidade 234, 235, 278-281, 330

e a manifestação da natureza das espécies 303-314

comunidade

e harmonia natural 270

e os conflitos no Estado assistencialista corporativo 231-235

e solidariedade 279-281

e universalidade concreta 286

hierárquica 239, 240

igualitária 239, 240, 242

visão corporativista conservadora da 315, 316

visão socialista utópica da 317, 319, 320

ver também dilemas da política comunitária, dominação, o bem, grupo orgânico

comunidade de vida (como uma característica do grupo orgânico) 331-337

consciência

como atributo do eu 202, 204, 349-351

como uma essência do ser 137, 153

consciência social 190-194

corpo

e a continuidade do eu 78

e alma na consciência liberal 202, 206

e o problema dos universais e dos particulares 183, 184

cristandade

como uma religião de transcendência 202-204

e o problema dos universais e dos particulares 185

criticismo

dificuldades enfrentadas pelo total 14-31

total e parcial 11-14

D

desejo arbitrário, princípio do 60

e o princípio da análise 160

e o princípio da razão e do desejo 60-65

Deus

como totalidade do mundo 202-204, 231, 369

como uma pessoa transcendente 202, 203, 204, 231, 297, 349, 350, 370, 371

e filosofia 369-373, 381

Conhecimento e política

dilemas das políticas comunitárias 359-366, *365*

direito

atributos do direito no pensamento político liberal 96, 97

mentalidade jurídica e pensamento liberal 96-100

ver também aplicação do direito, legislação

direito natural 93, 95, 96

disciplinas dogmáticas 144-148

divisão do trabalho

como uma característica de grupo orgânico 347-350

e consciência social no Estado assistencialista corporativo 231-235

e consciência social no Estado liberal 200, 201

e imagem vulgar da sociedade 88

e ordem social no Estado liberal 212-217

e universalidade concreta 285, 286, 330

no Estado socialista 240, 241

dominação

e a descoberta da natureza das espécies 270, 304

e comunhão de valores 113-116, 131-134, 304-314, 353-355, 361-364

e comunidade 133, 134, 227, 315-320, 326-330

e dependência pessoal no Estado liberal 213-217

e liberdade no pensamento político liberal 92, 98, 109, 110

e meritocracia no Estado assistencialista corporativo 232-235

E

educação e coesão grupal 362, 363

esperança 42, 43, 300, 314, 339, 371, 372

ver também resignação

espiral de dominação e comunidade 306-314, 320

esquizofrenia 79, 80, 277

Estado, o

na consciência liberal dominante 207

na sociedade de grupos orgânicos 356-359

no Estado assistencialista corporativo 223-225

no pensamento político liberal 82, 94

estilo 26, 27, 157, 191

estruturalismo 26-28, 51, 136, 163-166

Índice remissivo

eu

aquisição do ideal do eu como um bem 287, 288, 301-307

critério de prova da teoria do 251, 252

e história 290-292

e natureza 252-270

e o mundo 36, 287-292

e outros 270-281

e sua vida própria e trabalho 281-286

ideal do eu e o quotidiano 292-297

ideia do 35, 244, 245, 248, 249

método de investigação da natureza do 249-251

relação entre teoria do eu e a crítica ao liberalismo 288-291

relação entre teoria do eu e a teoria do Estado assistencialista corporativo 288-291

visão essencialista e relativista do 246-248

visão histórica e historicista 244-247

visão individualista e orientada pela espécie 247

ver também consciência, o bem, indeterminação, individualidade, objetividade, parcialidade, praticabilidade, sociabilidade, universalismo

F

fins 90

forma e substância 63, 64

G

gênio 40, 285

geometria, natureza das verdades da 53, 256, 263, 264

glória 86-89

gramática 143-146

grupo orgânico

características institucionais de 331-350

concepção geral 37, 38, 328-331

processo de criação dos grupos orgânicos 362-364, 366

propósitos da teoria do 37, 38, 134, 299, 328

relações entre grupos orgânicos 356, 357, 359-364, 366

H

harmonia natural

como um ideal do eu 35, 36, 261-264, 268-270

e comunidade 270, 328, 329

sua relação com solidariedade e universalidade concreta 35, 36, 287-292

Conhecimento e política

hedonismo 74

história

e o bem 291-297, 299-301, 305, 306, 310-314

e teoria 29-31, 138-140, 187-189, 242, 288-292

honra 86

I

imaginação 160

imanência

como forma de consciência religiosa 33, 34, 203, 204, 231

como princípio de consciência social 34, 230, 231

e o ideal do eu 36, 38, 290, 294, 299, 300, 366-372

ver também transcendência

imperfeição, significado político de 37, 38, 295-297, 300, 354, 355, 363, 364, 366-373

indeterminação (como característica do eu) 252-254

individualidade (como característica do eu) 270-272

individualismo

como um aspecto de consciência dominante no liberalismo 199, 200

sua transformação no Estado assistencialista corporativo 227

individualismo, princípio do 106-109

e o princípio da análise 136, 156-160

e o princípio de normas e valores 109

e o princípio do coletivismo 108, 109

instrumentalismo (como um aspecto da consciência liberal) 196-198

ver também normas, justiça substantiva

J

justiça

ver justiça distributiva, justiça formal e justiça substantiva

justiça distributiva

e a democracia dos objetivos 341-344

e necessidade 343, 344

e talento 342

justiça formal 117-119, 236-238

justiça substantiva

como forma ilegal de ordem 116-120, 126-128

como um estágio do pensamento jurídico 236, 238

L

legislação, teoria da 109-116

ver também liberdade

liberalismo

Índice remissivo

como forma de vida social 28,
29, 187-198

como um sistema de ideias
18-29, 135-140, 187-189

e a atual ciência social 11-17,
21-24

e a imagem vulgar da mente e
da sociedade 53-56, 86-89

e o ideal do eu 289-291

e pensamento antiliberal 17,
18, 176-178, 180-182, 225, 226,
289-291

sua visão essencial dos
universais e dos particulares
17, 170-173, 175, *178*

liberdade

concepção 85-89, 109, 110

de expressão 354, 355

de trabalho 355

e filiar-se e de desmembrar-se
352-354

teoria formal da 111, 112

teorias substantivas de 112-115

visão correta de 350-356

ver também legislação

linguística 144-146

lógica 25-29, 140, 141, 149, 150, 185,
190

M

marxismo 28, 58, 162, 240, 268, 269,
322, 377, 402, 406

meios e fins 63

mente

e consciência 252-256

imagem vulgar da 53-56

mérito, o ideal do

como uma resposta ao problema
de dependência pessoal na
sociedade liberal 214-217

e justiça distributiva 342

seu conflito com o ideal
comunitário no Estado
assistencialista corporativo
233-235

método

das humanidades em contraste
com o atribuído às ciências
143-146

da teoria do eu 249-252

dialético em contraste com
lógico e causal 25-28, 146, 147

e o problema de ambiguidade
do significado 141-143

e o problema do, no criticismo
total 24-29, 137-153, 187-189

moralidade da razão

e a antinomia entre razão e
desejo 73, 74

e teorias formais de liberdade
111, 112

seus elementos 69-71

suas implicações com a ideia de
personalidade 78, 79

Conhecimento e política

moralidade do desejo
   e a antinomia entre razão e
      desejo 72-76
   seus elementos 69-71
   suas implicações com a ideia de
      personalidade 76-81
morte, sentimento da 40, 41, 208

N

narcisismo do sujeito 269
natureza
   em contraste com artificialidade
      260-270
   em contraste com cultura 260,
      261, 268, 269
natureza das espécies
   ver o bem, o eu
natureza humana
   ver o bem, o eu
normas
   constitutivas 91-93
   e nomenclatura 106
   e ordem e liberdade no
      pensamento político liberal
      88-93, 109, 110
   prescritivas 91, 92, 96
   técnica ou instrumental 92
   ver também antinomia entre
      normas e valores, direito,
      justiça substantiva
normas e valores, princípio de 89-93,
   95, 97, 98, 100

e o princípio do individualismo
   109
e o princípio do valor subjetivo
   103, 104

O

objetividade 256-260
ontologia 148-153
oração (sua relação com política e
   filosofia) 372, 373
ordem no pensamento liberal 88
ordem social 190, 191, 193, 194

P

papel social 39, 40, 81-83
   como princípio da ordem social
      211, **404**
   e a comunidade de vida no
      grupo orgânico 331-337
   e a divisão do trabalho no grupo
      orgânico 347-350
   e burocracia 219, 220
   e os dilemas das políticas
      comunitárias 359-362
   no Estado assistencialista
      corporativo 231-235
   no Estado liberal 212-217
   no Estado socialista 240-242
parcialidade 282-284
partes e todo
   ver agregação, análise,
      individualismo, totalidade

Índice remissivo

paz

  e Estado universal 359

  e os dilemas das políticas
  comunitárias 359-366

personalidade

  elementos de ideia de 76-78

  e papéis desempenhados 81-84

  importância da ideia de 77

  relação com moralidade da
  razão 77-81

  relação com moralidade do
  desejo 77-81

  ver também o eu

poder

  e os problemas de ordem e
  liberdade no pensamento
  político liberal 88, 89, 93-96,
  105, 106, 109-111

  na imagem vulgar da sociedade
  86-89

política

  e filosofia 14, 15, 299-301, 320-
  328, 370-373

  suas variedades modernas
  315-320

positivismo 93-96

praticabilidade 257-259

Q

quotidiano (a lógica do quotidiano e
do extraordinário) 292-297

R

raciocínio jurídico (como um modo
de discurso) 143-146

razão e desejo, princípio da 56-60

  e o princípio da análise 65, 160

  e o princípio do desejo arbitrário
  60, 61

razão prática 322, **385**

realismo (como uma versão do
princípio de totalidade) 166-170

reconhecimento

  a luta do eu por 40, 83, 84,
  86-88, 199, 200, 273-275

  o problema do, no criticismo
  total 18-24

religião

  e a lógica do quotidiano e do
  extraordinário 292-295, 297

  e a rejeição da dicotomia fato-
  valor 59, 60, 314

  e filosofia e política 370-372

  e harmonia natural 261, 262

  e o Estado assistencialista
  corporativo 228-231

  e o Estado liberal 202-209

  e o universal e o particular
  183-185

  e solidariedade 275-279

  ver também Deus, imanência,
  transcendência

representação (a expressão do
significado) 188

Conhecimento e política

representação (como uma forma de organização política)

    e cooperativismo conservador 315-318

    e o Estado na sociedade dos grupos orgânicos 356-359

resignação 40-42, 84, 201, 228, 283, 300

S

sentimentos morais

    e a crítica do liberalismo 38-44

    na burocracia 221, 222

ser, o

    modos do 149-152

    perfeito 368-371

significado 141-143, 146, 148-153, 187-189, 193, 228

sociabilidade 272-276

socialismo

    e a democracia dos fins 345-347

    e o Estado assistencialista corporativo 240, 241

sociedade, formas de vida social 190

solidariedade

    como o análogo político do amor 277, 278, 330

    como um ideal do eu 35, 36, 275

    e comunidade 279, 280, 329, 330

    sua relação com harmonia natural e universalidade concreta 35, 36, 287-291

substância 63, 64

T

talento

    e a luta do eu por reconhecimento 38-40, 273-275

    e amor 276, 277, 342

    e justiça distributiva 341, 342

    e o bem particular 301-304

    e o desenvolvimento de talentos e a crítica do liberalismo 115, 116

    e o ideal do mérito e divisão do trabalho 212-216, 233-235, 238, 337, 338, 347, 348, 355, 361

técnica e teoria 64, 65

teleologia 291, 292

teologia 143-146

teoria

    e Deus 369, 370, 371, 372, 373, **381**

    e história 29-32, 187-189, 242

    e prudência 320-328

    e técnica 64, 65

teoria finalista da aplicação do direito 123-126

teoria formalista da aplicação do direito 120-123, **394, 395**

Índice remissivo

totalidade, princípio da 160-163, 165-170

trabalho
    e a imagem vulgar da sociedade 87, 88
    e harmonia natural 263-270
    e universalidade concreta 281-286
    liberdade de trabalho no grupo orgânico 355, 356
    na consciência dominante do Estado assistencialista corporativo 226-228
    na consciência dominante do Estado liberal 200, 201
    ver também divisão do trabalho

transcendência
    como forma de consciência religiosa 32, 202-204, 231
    como princípio da consciência social 32, 204-206, 230, 231, 293
    e o ideal do eu 36-38, 289, 290, 299-301, 366-373
    secularização da 32, 205-207, 209
    ver também imanência

U

universais e particulares
    a visão antiliberal dos 175-177, 180, 181
    concepção proposta de 180-185
    e o ideal do eu e a tensão entre imanência e transcendência 289, 290, 291
    e os dilemas das políticas comunitárias 359-363, *365*
    seu problema no pensamento liberal 17, 18, 170-175, *178*

universalidade concreta
    como um ideal do eu 35, 36, 282-286
    e comunidade 285, 286, 328-330, 347
    sua relação com harmonia natural e solidariedade 35, 36, 287, 288

universalismo
    como uma característica do eu 281-283
    como um tipo de política comunitária *365*, 366

utilitarismo 112, 113

utopismo
    razão utópica 299, 301
    socialismo utópico 317-320

V

valor objetivo, princípio do 101-103
    defeitos do 102-104, 302
    e a doutrina das essências inteligíveis 48, 49, 102, 104-106

Conhecimento e política

valor subjetivo, princípio do 100-106
    e o princípio de normas e
       valores 103, 104
    e o princípio do individualismo
       109

    e o princípio do valor objetivo
       101, 102
    virtude do 303
vida pública e vida privada ou
    particular 42, 64, 81-84, 220, 221,
    331, 333, 334, 346, 347

Em www.leyabrasil.com.br você tem
acesso a novidades e conteúdo exclusivo.
Visite o site e faça seu cadastro!

A LeYa Brasil também está presente em:

facebook.com/leyabrasil

@leyabrasil

instagram.com/editoraleyabrasil

LeYa Brasil

Este livro foi composto nas fontes
ABC Arizona Sans e Lyon Text, corpo 10pt,
para a Editora LeYa Brasil.